Handbuch zur deutschen Grammatik

Handbuch zur deutschen Grammatik
wiederholen und anwenden

Larry D. Wells
State University of New York at Binghamton

D. C. Heath and Company
Lexington, Massachusetts Toronto

Address editorial correspondence to:

D. C. Heath
125 Spring Street
Lexington, MA 02173

About the cover....
Although a Russian by birth, Wassily Kandinsky (1866–1944) concentrated his artistic activities in Germany, where he established the famed Blaue Reiter group and taught aspiring painters at the Bauhaus school. In order to please his father, Kandinsky had first trained as a lawyer, but he much preferred to paint; art was for him a visible expression of music, which affected him profoundly throughout his life. Kandinsky is often referred to as the founder of nonrepresentational painting, but he considered his works, such as *Improvisation XXXI (Sea Battle),* shown on the cover, representational of the beautiful and varied sounds of music. To him color was a tangible expression of sound, with music and painting closely interwoven in their presentation.

Cover: Kandinsky, Wassily 1913. *Improvisation 31 (Sea Battle).* Ailsa Mellon Bruce Fund, © 1992 National Gallery of Art, Washington.

Acknowledgments
p. 31: Poem by Uwe Timm: "Erziehung" from *Bundesdeutsch, lyrik zur sache grammatik,* ed. Rudolf Otto Wiemer. Reprinted by permission of Peter Hammer Verlag.
p. 62: Article on Helga Schutz from *Die Zeit,* May 3, 1991. Used by permission of the publisher.

p. 228: Ad for Gillette Super Silver by courtesy of the Gillette Company.

Published simultaneously in Canada.

Printed in the United States of America.

International Standard Book Number: 0-669-21878-2 (Student's Edition).
0-669-21879-0 (Instructor's Edition).

Library of Congress Catalog Number: 92-71046.

10 9 8 7 6 5 4 3

Preface
To the Instructor

Handbuch zur deutschen Grammatik is a grammar review for second- or third-year German students. It can be used either as a primary text or as a reference manual in conjunction with literary readers. Its goal is two-fold: to present clear and complete explanations of all major grammar topics, and to provide meaningful, communicative practice of those topics. Group and pair work are abundant, and writing strategies and composition topics are provided in each chapter.

Depending upon the level or needs of students and instructors, this text can be used either sequentially or in a modular fashion. Extensive cross-referencing, marginal tabs, and a complete index also facilitate flexible use of the text. The *Handbuch* contains thirty chapters, each of which includes the following features:

GRAMMAR SECTIONS

The text covers all major grammar topics. The explanations, which are in English, are comprehensive yet succinct. Frequent charts and numerous examples with English translations illustrate each point. Since the explanations are in outline form and carefully cross-referenced, instructors and students can easily select specific items for study or review as they see fit.

ÜBUNGEN

Grammar explanations are followed by two levels of activities, both entirely in German. The first of these, the *Übungen,* range from controlled to open-ended activities. As much as possible, the exercises are contextualized; many involve genuine transfer of information and personal views. Depending on the sophistication and ability of the class, these exercises can be done at several levels. All of them can be assigned as written homework; many can also be done orally in class with partners or in groups.

ANWENDUNG

These application activities, based upon "real-world" topics, go beyond the specific grammatical focus of the *Übungen.* They let students practice their communication skills in German. To assist students, functional expressions and conversational openers *(Redemittel)* are often included. In addition, many of the *Anwendung* activities include suggested topics *(Themenvorschläge)* or vocabulary *(Vokabelvorschläge)* for additional support.

Ideally, students prepare for the *Anwendung* activities outside of class, jotting down ideas and gathering necessary vocabulary so that they can engage in intelligent conversation with other students. As a follow-up activity to class discussion, many of these *Anwendungen* can be assigned as composition topics.

SCHRIFTLICHE THEMEN

Each chapter provides one or more composition topics involving specific use of the major grammar structures presented in the chapter. *Tips zum Schreiben,* a unique feature of this text, offer general, process-oriented writing strategies as well as specific suggestions for the effective use of selected grammar structures in writing.

WORTSCHATZ

Each chapter concludes with a vocabulary expansion section and accompanying exercises that focus on thematic vocabulary, synonyms, idioms, or "problem" words for non-native German speakers. These sections are generally related to the chapter grammar topic.

APPENDICES, VOCABULARY, INDEX

The *Handbuch* includes the following four appendices: (1) an explanation of German capitalization and punctuation; (2) a section on letter-writing; (3) a chart of strong and irregular verbs; and (4) a list of high-frequency verbs used idiomatically with particular prepositions.

A German-English vocabulary includes all words used in the exercises and activities. Finally, a comprehensive index lists all grammatical and lexical topics covered in the text.

THE WORKBOOK/LABORATORY MANUAL AND CASSETTE PROGRAM

The *Arbeitsheft,* the workbook/laboratory manual that accompanies the *Handbuch,* consists of two sections: *Aufgaben zur Kommunikation* and *Aufgaben zur Grammatik.* The chapters in each section correspond to those in the student text.

The first section, *Aufgaben zur Kommunikation,* contains two types of activities: activities for written expression and activities for listening comprehension. The writing activities consist of open-ended, communicative tasks with a focus on developing process-writing skills. These activities are designed to utilize the chapter grammar topics in a creative and personalized fashion. The listening comprehension activities present a wide range of unique listening tasks based on the dialogues or scenarios recorded on the cassette program. For example, students may listen for key words or phrases, summarize plots, or identify situations or register. The recorded scenarios are also unique in that they were only partially scripted in order to ensure that students hear and learn to comprehend authentic, natural language. Many of them are based on "real world" situations.

The second section of the workbook/lab manual, *Aufgaben zur Grammatik,* contains a series of controlled exercises to reinforce each major grammar point. Answers to these exercises are provided at the back of the manual so that students can check their own work.

To the Student

If you have had some basic German instruction, perhaps a year in college or a couple of years in high school, and wish to refresh your knowledge of grammar, then this book is for you. For those of you who do well on grammar quizzes but have difficulty speaking the language, this *Handbuch* will prove helpful. In language learning, understanding the concept is not enough; you also have to remember the structures and practice them in contexts that are meaningful for you. Only then will you be able to recall these structures quickly and use them correctly.

This text provides exactly that kind of practice. The grammar is explained in small, manageable units for quick and easy reference. The exercises *(Übungen)* following these explanations let you practice specific grammar structures in a somewhat controlled situation, while at the same time drawing on your own ideas, knowledge, and experiences. Next, the more general application activities *(Anwendung)* provide an opportunity to communicate on a range of issues, while utilizing the grammar structures you have just learned. Finally, the writing sections *(Schriftliche Themen)* stress developing your writing skills in German in both content and form. The composition topics provide a variety of practical and creative writing tasks such as composing reports, letters, and short narratives. The *Wortschatz* sections that conclude each chapter highlight specific word usage or vocabulary-building techniques; for example, recognizing prefixes, suffixes, and synonyms.

LEARNING VOCABULARY

In doing the exercises and activities in the *Handbuch,* you will find that your level of sophistication and accuracy will depend in part on the amount and type of vocabulary you already know or are willing to learn. Some of the activities can be done at a very basic level; but since many are open-ended, there is no way to predict what words you may wish to use. Suggested vocabulary *(Vokabelvorschläge),* themes *(Themenvorschläge),* and conversational openers *(Redemittel)* accompany some of the activities; but you should also strive to expand your vocabulary by looking up in a dictionary additional words and expressions that you need in order to express your thoughts and ideas. You might want to put clusters of vocabulary words for certain topics on 3×5 cards for quick and easy reference. Such clusters would consist mainly of nouns, verbs, adjectives, or adverbs. Since there are only a certain number of prepositions, conjunctions, and pronouns, you should learn these as soon as possible so that you can form more complex sentences and avoid redundancy when writing or speaking. All other words, expressions, and idioms can be learned as you need or encounter them.

LEARNING GRAMMAR

Grammar should not be learned in isolation or for its own sake. If you wish to work on particular grammar structures, you should consciously use them when discussing or writing about things you have read, heard, or experienced. You should also practice listening for particular structures when people speak or when you work with the cassettes that accompany the workbook/lab manual. These habits will help you reach what should be your goal—meaningful, accurate communication in German.

ACKNOWLEDGMENTS

I would like to express my appreciation to Elfriede Heyer and Ingeborg Majer, State University of New York at Binghamton, for trying out a version of this manuscript in their classes. Special thanks are also due to Gisela Moffit of Central Michigan University and Lieselotte Hölbling of the Karl-Franzens-Universität Graz for their careful reading of the manuscript and to Lynne Demshok Wells and Gertrud Rath-Montgomery for their thorough proofreading of the galleys and pages.

In addition, I owe a debt of gratitude to the editorial staff at D. C. Heath for making this text possible. Denise St. Jean, Acquisitions Editor, coordinated the entire project, including the workbook/laboratory manual and the cassette program; Sharon Alexander, Managing Editor, provided crucial suggestions for book format and for the writing tips; Renée Mary, Production Editor, produced the book, interpreting the needs of the project; Alwyn Velásquez, Senior Designer, created a handsome, functional design. But above all, it was my Project Editor, Joan Schoellner, who for more than three years painstakingly edited and reedited this manuscript with patience, insight, and unfailing good humor. Thank you, Joan!

Finally, I would like to thank the following colleagues who reviewed portions of this manuscript at various stages of its development:

Mary Beth Bagg, *University of Indianapolis;* Thomas Baldwin, *Western Kentucky University;* Barbara Bopp, formerly of *University of California at Los Angeles;* Barbara Bowlus, *University of Arkansas at Little Rock;* Therese Decker, formerly of *Lehigh University;* Walter Joseph Denk, *University of Michigan at Ann Arbor;* Margaret Devinney, *Drexel University;* Eugene

Dobson, *University of Alabama;* Bruce Duncan, *Dartmouth College;* Hildburg Herbst, *Rutgers University;* George Koenig, *State University of New York at Oswego;* Hans Laetz, *Arizona State University;* Kriemhilde Livingston, *University of Akron;* Timm Menke, *Portland State University;* Carol Miller, *Kansas State University;* Julie Prandi, *Illinois Wesleyan University;* Dona Reeves-Marquardt, *Southwest Texas State University;* Judith Ricker-Abderhalden, *University of Arkansas at Fayetteville;* Christian Stehr, *Oregon State University;* Karl Stenger, *University of South Carolina at Aiken;* Adam Stiener, *Salem College;* Wilfried Voge, *University of California at Berkeley;* Morris Vos, *Western Illinois University;* Alexander Waldenrath, *Lehigh University;* David Ward, *Norwich University;* Donald Watkins, *University of Kansas;* Helga Watt, *University of Denver*

Larry D. Wells

Contents

CHAPTER 1

Word Order

1.1 Main Clauses

German main clauses consist of a first element (often called the prefield), a second element (the conjugated verb), a middle field for objects and modifiers, and a final field that is usually occupied by the remainder of the predicate or by any one of several types of verb complements.

1	*2*	*3*	*4*
prefield	verb	objects, adverbial phrases	infinitives past participles separable prefixes complementing nouns complementing prepositional phrases

1	*2*	*3*	*4*	
Ich	will	nach Hause	gehen.	*I want to go home.*
Helga	hat	heute ein Auto	gekauft.	*Helga bought a car today.*
Er	fährt	gern	ans Meer.	*He likes to travel to the sea.*

A. *Prefield Elements: Normal Word Order versus Inverted Word Order*

1. In normal German word order, the prefield is the sentence subject + any of its modifiers; it is followed by the conjugated verb.

Mein kleiner Bruder ist jetzt in der Schule.	*My little brother is in school now.*

2. In both German and English sentences the subject is not always the first element. Virtually any other element can be put in first position for the sake of style or because the speaker or writer wishes to draw attention to this information first as the actual "topic" of the statement. When this happens in German, the conjugated verb remains the second element and is followed by the subject. This sequence is known as inverted word order. The first element can be any of the following:

a. a direct or indirect object

Blumen kauft er. (*stress on the word* **Blumen**)	*He is buying flowers.*
Ihren Eltern schreibt sie oft.	*She often writes her parents.*

b. an adverb or an adverbial phrase

In wenigen Minuten werden wir Hannover erreichen.	*In a few minutes we will reach Hannover.*

c. a prepositional verb complement

Auf ihren Besuch freuen wir uns sehr.	*We are very much looking forward to her visit.*
Damit haben wir nichts zu tun.	*We have nothing to do with that.*

d. a past participle

Verstanden haben wir gar nichts.	*We didn't understand anything at all.*

e. an infinitive

Essen wollen wir jetzt nichts.	*We don't want to eat anything now.*

f. a subordinate clause

Wenn der Frühling kommt, werden die Tage wärmer.	*When spring comes, the days become warmer.*

3. Except for clauses, first elements are not set off by a comma. **Ja**, **nein**, and nouns of address are followed by a comma, but normal word order is used.

Ja, das ist unser Garten.	*Yes, that is our garden.*
Hans, das Wetter wird nicht besser.	*Hans, the weather is not going to get better.*

4. The coordinating conjunctions **aber**, **denn**, **oder**, **sondern**, and **und** do not affect word order (see 25.1).

Sie studiert in Heidelberg, **aber** ihre Familie wohnt in Köln.	*She is studying in Heidelberg, but her family lives in Cologne.*

B. Middle Field Elements

1. Indirect objects (see 10.5) normally precede direct objects (see 10.4).

I.O. *D.O.*
Der Pfarrer zeigt **der Touristin den Dom.**
The pastor shows the tourist the cathedral.

I.O. *D.O.*
Der Pfarrer zeigt **ihr den Dom.** — *The pastor shows her the cathedral.*

If, however, the direct object is a pronoun, it precedes the indirect object.

D.O. *I.O.*
Der Pfarrer zeigt **ihn der Touristin.** — *The pastor shows it (the cathedral) to the tourist.*

D.O. *I.O.*
Er zeigt **ihn ihr.** — *He shows it to her.*

2. Indirect objects and direct object *pronouns* normally come before adverbs and adverbial phrases (see 23.1).

Sie hat **ihrem Freund** gestern aus Köln geschrieben.	*She wrote her friend yesterday from Cologne.*
Hast du **sie** heute morgen in der Stadt gesehen?	*Did you see her in town this morning?*

3. Direct object *nouns,* however, can occur either before or after adverbs and adverbial phrases. Such objects usually follow adverbial expressions when these objects are emphasized or when they are perceived as verb complements (see 1.1,C).

Wir machen heute **eine Ausnahme**. Wir machen **eine Ausnahme** heute.	*We are making an exception today.*

Sie hat in der Stadt **einige Freunde** getroffen. Sie hat **einige Freunde** in der Stadt getroffen.	*She met some friends in town.*

4. Adverbs and adverbial phrases follow the sequence Time—Manner—Place (TMP). Even if one of these elements is missing, the sequence remains the same (see 23.1).

   Meine Eltern sind gestern (*T*) mit der Lufthansa (*M*) in die Schweiz (*P*) geflogen.
   My parents flew to Switzerland yesterday with Lufthansa.

   Peter hat mich heute früh (*T*) nach Hause (*P*) gefahren.
   Peter drove me home early this morning.

5. For the positions of **nicht**, see 4.2.

C. *Final Field Elements*

1. Past participles, infinitives, and separable prefixes stand in final position.

Er **ist** gestern mit Freunden in die Berge **geflogen**. *(past participle; see 5.1)*	*He flew to the mountains with friends yesterday.*
Er **wird** sein Radio morgen wieder **mitbringen**. *(infinitive; see 7.1; 8.2; 9.1)*	*He will bring his radio along again tomorrow.*
Der Staat **gibt** viel Geld **aus**. *(separable prefix; see 2.4)*	*The state spends a lot of money.*
Jemand hat alle Eintrittskarten **aufgekauft**. *(separable prefix + past participle)*	*Someone has bought up all the tickets.*

2. Predicate nominatives and adverbs or prepositional phrases that complete the idea generated by the verb belong in final position, but in front of any final verb forms.

Er ist nach vielen Jahren **Ingenieur** geworden. *(predicate nominative)*	*He became an engineer after many years.*
Sie lernten die neuen Wörter **auswendig**. *(adverb)*	*They learned the new words by heart.*
Oskar hat sich Hals über Kopf **in Erika** verliebt. *(prepositional phrase)*	*Oscar fell head over heels in love with Erika.*

1.2 Questions

A. *Yes-No Questions*

In yes-no questions (see 14.1), the conjugated verb comes first. Note that while verbs that begin English questions have two parts *(are . . . coming, do . . . know)*, in German they are only one word (**kommen**, **kennst**).

Kommen eure Freunde morgen?	*Are your friends coming tomorrow?*
Kennst du Michael?	*Do you know Michael?*

B. *Questions with Interrogatives*

In questions beginning with an interrogative (see 14.2), the verb occupies second position.

Wann **seid** ihr angekommen?	*When did you arrive?*

C. *Indirect Questions*

Indirect questions (for example: *The children asked whether it would rain*) occur in dependent clauses (see 1.3).

1.3 Dependent Clauses

A. *Subordinate Clauses*

1. In subordinate clauses, the conjugated verb occupies final position (see 25.3). Subordinate clauses cannot stand alone; they are set off from the rest of the sentence by a comma.

Wir gehen nicht zur Party, weil wir niemanden dort **kennen**.	*We are not going to the party because we do not know anybody there.*
Sie gingen heim, nachdem sie Lebensmittel eingekauft **hatten**.	*They went home after they had shopped for groceries.*

2. If a subordinate clause is the prefield element (see 1.1), the subsequent main clause begins with its conjugated verb. In other words, the main-clause verb is still in second position within the overall sentence.

1 Wenn es heute regnet, *2* **geht** er nicht wandern.	*If it rains today, he is not going hiking.*

3. When the subordinating conjunction **daß** *(that)* introduces a dependent clause, the conjugated verb is in final position. However, the **daß** can also be omitted; in this case the conjugated verb occupies second position within the dependent clause.

Ich weiß, daß er lieber zu Hause **arbeitet**. Ich weiß, er **arbeitet** lieber zu Hause.	*I know (that) he prefers to work at home.*

B. Indirect Questions

Indirect questions are subordinate clauses; the conjugated verb is in final position (see 14.3).

Sie fragt, ob das Spiel schon stattgefunden **hat**.	*She asks whether the game has already taken place.*

C. Relative Clauses

Relative clauses are subordinate clauses; the conjugated verb is in final position within the clause (see 26.2).

Menschen, die Sport **treiben**, bleiben fit.	*People who engage in sports stay fit.*

ÜBUNGEN

A. **Die schwere Prüfung.** Schreiben Sie die Sätze um, indem Sie das kursivgedruckte *(in italics)* Element an erste Stelle setzen.

Beispiel: Wir haben **gestern** eine schwere Prüfung geschrieben.
Gestern haben wir eine schwere Prüfung geschrieben.

1. Schwere Fragen waren *auf der Prüfung*.
2. Die Studenten konnten *die meisten dieser Fragen* nicht beantworten.
3. Die Professorin war *darüber* schwer enttäuscht.
4. Die Studenten hatten allerdings *(to be sure)* viel *gelernt*.
5. Sie hatten *aber* einige wichtige Punkte nicht verstanden.
6. Jetzt war der Professorin klar, *daß sie die Lektion würde wiederholen müssen.*

B. **Im Park.** Wo gehören die Verben hin? Ergänzen Sie die Sätze mit den fehlenden Verben an den richtigen Stellen.

Beispiel: Melanie / jetzt / in Zürich. (*Verb:* wohnt)
Melanie ***wohnt*** *jetzt in Zürich.*

1. An einem schönen Nachmittag im September / Melanie / einige Freundinnen / in der Stadt. (*Verb:* trifft)
2. Weil / es / so warm / , / Melanie und ihre Freundinnen / im Park / einen Spaziergang *(walk).* (*Verben:* ist; machen)
3. Unter einem Baum / sie / einen hübschen Platz zum Sitzen. (*Verb:* finden)
4. Dort / sie / und / eine Weile / . (*Verben:* sitzen; plaudern *[chat]*)
5. Mit großer Freude / sie / die Enten *(ducks)* / , / die / im Teich *(pond). Verben:* füttern *(feed);* schwimmen)
6. Nach einiger Zeit / sie / wieder / aus dem Park. (*Verb:* gehen)

C. **Fehlende Information.** Ergänzen Sie die Sätze durch die Worte in Klammern.

Beispiel: Wir fahren morgen nach Bern. (mit dem Fahrrad)
Wir fahren morgen mit dem Fahrrad nach Bern.

1. Ich habe viel Zeit. (heute)
2. Wir riefen aus Frankfurt an. (unsere Freunde)
3. Sie gingen mit der Familie. (gestern; einkaufen)
4. Er hat viel Geld. (ausgegeben)
5. Sie sprach mit Bekannten. (während der Fahrt)
6. Sie nehmen ihre Fahrräder auf die Exkursion. (mit)
7. Wir haben heute morgen gelesen. (mit großem Interesse; die Zeitung)
8. Sie muß heute eine Postkarte schicken. (ihren Eltern)
9. Er wollte gestern mit der Aufgabe nicht helfen. (uns)
10. Hat sie ihrer Mutter den Brief geschrieben? —Ja, sie hat geschrieben. (ihr; ihn)

ANWENDUNG

Partnergespräch. Tauschen Sie *(exchange)* die folgende Information mit jemandem im Kurs aus. Die fettgedruckte *(boldface)* Information bildet das „Thema" *(topic)* und soll am Beginn der Aussage stehen. Berichten Sie, was Sie von Ihrem Partner / Ihrer Partnerin erfahren.

was Sie **manchmal** *(sometimes)* denken
was Sie **in diesem Kurs** lernen möchten
was Sie **besonders gern** *(especially like to)*[1] tun
was Sie gern tun, **wenn Sie Zeit haben**
was Sie **gestern** nicht getan haben, weil Sie keine Zeit dazu hatten
wohin Sie gern reisen würden, **wenn Sie Zeit hätten** *(subjunctive; see 27.1; 27.3)*

---

[1] **Gern** is an adverb; its use is discussed in **Wortschatz** 8.

Beispiel:
Meine Partnerin heißt Jennifer. Manchmal denkt sie, daß . . .
In diesem Kurs möchte sie . . . Besonders gern geht sie . . . usw.

Tauschen Sie weitere Information dieser Art *(type)* aus.

SCHRIFTLICHES THEMA

TIPS ZUM SCHREIBEN *Beginning the sentence*

In German, using a variety of prefield elements is essential for effective writing. In addition to the sentence subject, adverbs, prepositional phrases, and subordinate clauses work particularly well. As a rule, try not to begin more than two sentences in a row with the sentence subject.

Berlin: Geschichte einer Stadt. Ändern Sie den folgenden Text stilistisch, damit *(so that)* nicht jeder Satz mit dem Satzsubjekt beginnt.

Berlin war von 1871 bis 1945 die Hauptstadt des Deutschen Reichs. Die Stadt gehörte *(belonged)* vor dem Zweiten Weltkrieg mit mehr als 4,5 Millionen Einwohnern zu den wichtigsten Metropolen Europas. Diese Stadt lag aber am Ende des Krieges in Trümmern *(rubble)*. Die alliierten Mächte *(powers)* teilten die Stadt nach ihrem Sieg *(victory)* in vier Besatzungszonen *(occupation zones)*. Der östliche Teil der Stadt wurde während der Berliner Blockade von 1948–1949 Teil der Deutschen Demokratischen Republik (DDR). Man baute 13 Jahre später die Berliner Mauer, um die Flucht *(flight)* von Bürgern aus der Ostzone zu verhindern. Berlin blieb bis zum Sturz *(fall)* der Mauer im November 1989 eine geteilte Stadt. Die DDR und Berlin wurden wenige Monate später Teil eines neuen vereinigten Deutschland.

Wortschatz

VOCABULARY IN INSTRUCTIONS FOR ACTIVITIES

The following words occur more than once in the direction lines for the exercises and activities in this text.

VERBEN

ändern to change, modify
ausdrücken / **zum Ausdruck bringen** } to express, say
sich äußern (zu) to express one's views, comment on
austauschen to exchange
beenden to end, complete
berichten (über) + *accusative* to report (on), tell about
beschreiben to describe
besprechen to discuss
betonen to emphasize, stress
bilden to form (sentences)
einsetzen to insert, supply *(missing words)*
ergänzen (durch) to complete (with)
erklären to explain
ersetzen to replace, substitute
erzählen to tell, narrate
gebrauchen / **verwenden** } to use, make use of
mitteilen to communicate *or* impart, tell
übersetzen to translate
umformen to transform, recast
unterstreichen to underline
verbinden to connect, combine
wiederholen to repeat
zusammenfassen to summarize

SUBSTANTIVE *(Nouns)*

der Ausdruck, **⸚e** expression
die Aussage, **-n** statement
der Gebrauch use
der Inhalt, **-e** content(s)
das Thema, **-en** topic
der Vorschlag, **⸚e** suggestion

ADJEKTIVE

fehlend missing
fettgedruckt printed in boldface
kursivgedruckt printed in italics
passend suitable, proper
unterstrichen underlined
verschieden various

Anweisungen *(instructions)* **zu Übungen.** Was soll man tun? Erklären Sie die folgenden Anweisungen auf englisch.

1. Ersetzen Sie die unterstrichenen Wörter durch andere Ausdrücke.
2. Ergänzen Sie die Sätze durch passende Verben.
3. Drücken Sie die Sätze anders aus. Wiederholen Sie keine Verben.
4. Äußern Sie sich zu den folgenden Themen.
5. Bilden Sie Sätze.
6. Machen Sie bitte fünf Aussagen zu dem folgenden Thema.
7. Fassen Sie den Inhalt eines Textes in wenigen Sätzen zusammen.
8. Stellen Sie fünf Fragen mit verschiedenen Fragewörtern an jemanden im Kurs. Berichten Sie darüber.
9. Beenden Sie die folgenden Sätze.

CHAPTER 2

Present Tense

2.1 Present Tense

English has three different ways to express present tense; German has only one.

ich schreibe { *I write (present tense)*
I am writing (present progressive tense)
I do write (emphatic present tense)

A. *Formation*

Most German verbs form the present tense (**das Präsens**) by dropping the **-en** from the infinitive and adding personal endings to the remaining stem.

		-en *Verb*	**-ieren** *Verb*	*Prefix Verb*
Infinitive		**kochen** *(to cook)*	**diskutieren** *(to discuss)*	**ausgehen** *(to go out)*
Singular				
1st pers.	ich	koch**e**	diskutier**e**	geh**e** . . . aus
2nd pers. (informal)	du	koch**st**	diskutier**st**	geh**st** . . . aus
3rd pers.	er / sie / es	koch**t**	diskutier**t**	geh**t** . . . aus

Plural			
1st pers.	wir koch**en**	diskutier**en**	geh**en** . . . aus
2nd pers. (informal)	ihr koch**t**	diskutier**t**	geh**t** . . . aus
3rd pers. / 2nd pers. sing. & pl. (formal)	sie / Sie koch**en**	diskutier**en**	geh**en** . . . aus

B. Variations

1. If the verb stem ends in **-d** or **-t**, or if it ends in an **-m** or **-n** that is preceded by a consonant other than **l** or **r**, then an **e** is inserted before the **-st** and **-t** endings (2nd and 3rd person singular and 2nd person plural). This change facilitates pronunciation.

	arbeiten *(to work)*		**öffnen** *(to open)*
ich	arbeite	ich	öffne
du	arbeit**est**	du	öffn**est**
er / sie	arbeit**et**	er / sie	öffn**et**
wir	arbeiten	wir	öffnen
ihr	arbeit**et**	ihr	öffn**et**
sie / Sie	arbeiten	sie / Sie	öffnen

2. If the verb stem ends in a sibilant (**-s**, **-ss**, **-ß**, **-tz**, **-z**), then the **-st** ending becomes **-t** in the 2nd person singular.

	reisen *(to travel)*		**grüßen** *(to greet)*		**sitzen** *(to sit)*
ich	reise	ich	grüße	ich	sitze
du	reis**t**	du	grüß**t**	du	sitz**t**
er / sie	reist	er / sie	grüßt	er / sie	sitzt

3. If the infinitive ends in **-n** (instead of **-en**), the 1st and 3rd person plural forms retain these same endings; that is, no **e** is inserted before the final **-n**.

	tun *(to do)*		**ärgern** *(to annoy)*		**sammeln** *(to collect)*
ich	tue	ich	ärg(e)re[1]	ich	samm(e)le[1]
wir	tu**n**	wir	ärger**n**	wir	sammel**n**
sie / Sie	tu**n**	sie / Sie	ärger**n**	sie / Sie	sammel**n**

[1] If the infinitive ends in **-ern** or **-eln**, the initial **e** in the 1st person singular is often omitted.

2

C. *Word Order*

Conjugated verbs take second position in main clauses or information questions, first position in yes-no questions, and final position in dependent clauses. (See Chapter 1.)

Die Arbeit **geht** jetzt gut.	*The work is going well now.*
OR:	
Jetzt **geht** die Arbeit gut.	*Now the work is going well.*
Wie **geht** die Arbeit jetzt?	*How is the work going now?*
Geht die Arbeit jetzt gut?	*Is the work going well now?*
Ich weiß, daß die Arbeit jetzt gut **geht**.	*I know that the work is going well now.*

Verbs with Stem-Vowel Changes

Some verbs with **e**, **a**, and **au** stem vowels change these vowels in the 2nd and 3rd person singular. (See Appendix 3 for a more complete listing.)

A. *Shifts* **e>i** *and* **e>ie**

e>i		**e>ie**	
brechen *(to break)*		**sehen** *(to see)*	
ich	breche	ich	sehe
du	br**i**chst	du	**sie**hst
er / sie / es	br**i**cht	er / sie / es	**sie**ht
wir	brechen	wir	sehen
ihr	brecht	ihr	seht
sie / Sie	brechen	sie / Sie	sehen

Der Ast **bricht**.
The branch breaks.

Other common **e>i** *verbs*

essen *(to eat)* ⟶ **iß**t[2]
geben *(to give)* ⟶ g**i**bt
helfen *(to help)* ⟶ h**i**lft
nehmen *(to take)* ⟶ n**i**mmt[3]
sprechen *(to speak)* ⟶ spr**i**cht

Siehst du sein Auto?
Do you see his car?

Other common **e>ie** *verbs*

befehlen *(to command)* ⟶ bef**ie**hlt
empfehlen *(to receive)* ⟶ empf**ie**hlt
geschehen *(to happen)* ⟶ gesch**ie**ht
lesen *(to read)* ⟶ l**ie**st
stehlen *(to steal)* ⟶ st**ie**hlt

---

[2] The spelling **-ss-** occurs only between short vowels; in all other instances German uses **-ß-**.
[3] This verb also has a slight consonant change.

sterben *(to die)* ⟶ st**i**rbt
treffen *(to meet)* ⟶ tr**i**fft
treten *(to step; to kick)* ⟶ tr**i**tt
vergessen *(to forget)* ⟶ verg**i**ßt
werfen *(to throw)* ⟶ w**i**rft

B. *Shifts* a>ä *and* au>äu

	a>ä
	fangen *(to catch)*
ich	fange
du	f**ä**ngst
er / sie / es	f**ä**ngt
wir	fangen
ihr	fangt
sie / Sie	fangen

	au>äu
	laufen *(to run)*
ich	laufe
du	l**äu**fst
er / sie / es	l**äu**ft
wir	laufen
ihr	lauft
sie / Sie	laufen

Ihre Katze **fängt** viele Mäuse.
Her cat catches many mice.

Other common **a>ä** *verbs*

anfangen *(to begin)* ⟶ f**ä**ngt an
einladen *(to invite)* ⟶ l**ä**dt ein
fahren *(to go; to drive)* ⟶ f**ä**hrt
fallen *(to fall)* ⟶ f**ä**llt
gefallen *(to please)* ⟶ gef**ä**llt
halten *(to hold)* ⟶ h**ä**lt
lassen *(to let; to leave)* ⟶ l**ä**ßt
schlafen *(to sleep)* ⟶ schl**ä**ft
schlagen *(to strike, hit)* ⟶ schl**ä**gt
tragen *(to wear; to carry)* ⟶ tr**ä**gt
wachsen *(to grow)* ⟶ w**ä**chst
waschen *(to wash)* ⟶ w**ä**scht

Ingrid, **läufst** du oft?
Ingrid, do you run often?

Another common **au>äu** *verb*

saufen *(to drink, guzzle)* ⟶ s**äu**ft

C. *Additional Vowel Shifts*

Two additional verbs change their vowels in the 2nd and 3rd person singular as follows:

gebären *(to give birth)* ⟶ du geb**ie**rst; sie geb**ie**rt
stoßen *(to push, bump)* ⟶ du st**ö**ßt; er st**ö**ßt

2.3 Auxiliary Verbs and **wissen**

A. Formation of Present Tense

	sein *(to be)*	**haben** *(to have)*	**werden** *(to become)*	**wissen** *(to know)*
ich	**bin**	habe	werde	**weiß**
du	**bist**	**hast**	**wirst**	**weißt**
er / sie / es	**ist**	**hat**	**wird**	**weiß**
wir	**sind**	haben	werden	wissen
ihr	**seid**	habt	werdet	wißt
sie / Sie	**sind**	haben	werden	wissen

B. Wissen *versus* kennen

1. The verb **wissen** means to *know* something *as a fact.* It can never be used in the sense of knowing persons.

   Sie **weiß** die Antworten. — *She knows the answers.*
   Wir **wissen** viel über Briefmarken. — *We know a lot about postage stamps.*

   Wissen often prefaces clauses, particularly in questions.

   Weißt du, wann die Gäste kommen? — *Do you know when the guests are coming?*

2. The verb **kennen** *(to know)* expresses familiarity with someone or something. It cannot have a clause as a direct object.

   Wir **kennen** diesen Politiker nicht. — *We do not know this politician.*
   Kennst du die Alpen? — *Are you familiar with the Alps?*

   Note the difference between the following two sentences:

   Sie **weiß** viele europäische Hauptstädte. — *She knows (the names of) many European capital cities.*
   Sie **kennt** viele europäische Hauptstädte. — *She knows / is familiar with many European capital cities.*

3. Neither **wissen** nor **kennen** can express the idea of *knowing* a language or knowing *how* to do something; the modal verb **können** must be used (see 8.3).

   Ich **kann** Deutsch. — *I know German.*
   Können Sie tanzen? — *Do you know how to dance?*

2.4 Verbs with Prefixes

The meaning of many German verbs can be completed, modified, or even changed entirely by the addition of a prefix. There are two types of prefixes in German: separable and inseparable.[4]

A. *Separable Prefix Verbs*

1. Separable prefixes are so named because, in the present and past tenses, they separate from the conjugated forms of the verb and move to the end of main clauses.[5] Separable prefixes also carry a voiced stress (**mit'kommen).** Most separable prefixes are either *prepositions* (for example, **an-, auf-, aus-, bei-, ein** [= **in**], **mit-, nach-, vor-, um-, zu-**) or *adverbs* (for example, **ab-, los-, vorbei-, weg-, weiter-, zurück-, zusammen-**) (see 30.1).

   Wir **gehen** heute abend mit Freunden **aus**. *(prepositional prefix)*
   We are going out with friends this evening.

   Wirf die Sachen schnell **weg**! *(adverbial prefix)*
   Toss the things away quickly!

2. Occasionally the separable prefix is another verb.

   bleiben *(to remain)* + stehen *(to stand)* → **stehen**bleiben *(to stop)*
   gehen *(to go)* + spazieren *(to take a walk)* → **spazieren**gehen *(to go for a walk)*
   lernen *(to learn)* + kennen *(to know)* → **kennen**lernen *(to meet, get to know)*

Lernst du hier interessante Leute **kennen**? *(verb prefix)*	*Are you meeting interesting people here?*

3. A separable prefix may modify the meaning of a verb only slightly, or it may change the meaning considerably.

   steigen *(to climb)* → **ein**steigen *(to climb in)*
   bringen *(to bring)* → **um**bringen *(to kill)*

---

[4] Dictionaries list prefix verbs under the prefix, not under the root verb. Since some prefixes can be either separable or inseparable, their use as separable prefixes is normally indicated by a stress mark, by the parenthetical notation *(sep.)* following the infinitive, or by some other convention.

[5] The use of separable verbs with past participles (5.1), with infinitives in the future tense (7.1), in modal constructions (8.1), or in infinitive phrases (9.1) is discussed in the respective chapters.

4. When the conjugated verb is in final position, for example in subordinate clauses or indirect questions, a separable prefix remains connected to its verb.

Ich weiß, daß er heute abend mit Freunden **ausgeht**. *(subordinate clause)*	*I know that he is going out with friends this evening.*
Weißt du, wann sie morgen **zurückkommt**? *(indirect question)*	*Do you know when she is coming back tomorrow?*

B. *Inseparable Prefix Verbs*

The prefixes **be-**, **emp-**, **ent-**, **er-**, **ge-**, **miß-**, **ver-**, and **zer-** do *not* separate from any form of the verb; nor are they stressed when spoken (**bekom'men**). Verbs with inseparable prefixes also do not take a **ge-** prefix with the past participle (see 5.1). In most instances, inseparable prefixes change the meanings of root verbs in very specific ways. Unlike separable prefixes, they have no meaning by themselves (see 30.2).

schreiben *(to write)* → **beschreiben** *(to describe)*
zählen *(to count)* → **erzählen** *(to tell)*
stehen *(to stand)* → **verstehen** *(to understand)*

C. *Two-Way Prefixes*

The prefixes **durch-, über-, um-, unter-, wider-, wieder-**[6] can be used either separably or inseparably, depending on the verb and on the intended meaning. Used separably, these prefixes are stressed and their verbs usually have a fairly literal meaning corresponding to the basic meaning of verb + prefix. Used inseparably, they remain unstressed and often give the verb a more abstract or figurative meaning.

Separable	*Inseparable*
Wir **reisen** nur **durch**. *We are just traveling through.*	*Wir* **durchreisten** ganz Europa. *We traveled all through Europe.*
Uschi **holt** das Buch **wieder**. *Uschi fetches the book again.*	*Sie* **wiederholt** ihre Frage. *She repeats her question.*

[6] **Wider** is almost always inseparable. **Wieder** is used inseparably with only one verb: **wiederholen** *(to repeat)*.

2.5 Special Uses of the Present Tense

A. *Continuing Past Actions*

To indicate that actions begun in the past are still going on, German uses the present tense with the adverb **schon** + a time expression in the accusative, the preposition **seit** + dative (see 16.3), or **schon seit** + dative. English expresses the same idea of continuing past action with *have been* + a verb ending in *-ing*.

Sie **warten schon** eine Stunde.	*They have already been waiting (for) an hour.*
Gerhard **arbeitet seit** einem Jahr bei Siemens.	*Gerhard has been working at Siemens for a year.*
Wir **wohnen schon seit** dem Sommer hier.	*We have already been living here since the summer.*

B. *Narration*

The present tense is used frequently when recounting jokes, episodes, and plots of films or books, even though the context is clearly past time.

Am Anfang der Erzählung **sitzt** der Hauptcharakter in seinem Zimmer und **liest**. Kurz nach Mitternacht **klopft** plötzlich jemand . . .	*In the beginning of the story the main character is sitting in his room and reading. Shortly after midnight someone suddenly knocks . . .*

C. *Future Time*

The present tense can be used to indicate what someone *is doing* or *is going to do* in the future, provided that context or an adverb of time makes the future meaning clear (see 7.1).

Wir **gehen** *morgen* einkaufen.	*We're going / going to go shopping tomorrow.*

ÜBUNGEN

A. **In der Familie.** Wer tut was?

Beispiel: kochen (Vater)
*Vater **kocht.***

1. Musik hören (die Mutter)
2. in einem Büro arbeiten (der Vater)

3. Sport treiben (die Schwester)
4. basteln *(to do handicrafts)* (ich; die Eltern)
5. Feste feiern (alle in der Familie)
6. viel über Politik reden *(talk)* (der Onkel)
7. telefonieren (der Bruder)
8. Bierdeckel *(beer coasters)* sammeln (ich; die Tante)
9. verrückte *(crazy)* Dinge tun (die Großeltern)

B. **Immer zuviel oder zuwenig.** Thomas kritisiert alle Leute, die er kennt. Was sagt er zu diesen Personen?

Beispiele: zu seinem Vater: Taschengeld geben
„Vati, du gibst mir zuwenig Taschengeld."

zu seinen Eltern: arbeiten
„Liebe Eltern, ihr arbeitet zuviel."

1. zu seiner Mutti: das Haus putzen
2. zu seinen Eltern: reisen
3. zum Haushund: fressen
4. zu seiner Freundin: herumsitzen und tun
5. zu seinen Mitspielern in der Fußballmannschaft: laufen und Tore schießen *(shoot goals)*

C. **Was ich und andere junge Leute tun.** Machen Sie mit den folgenden Verben wahre Aussagen über sich selbst und über Menschen aus Ihrem Freundeskreis.

Beispiel: fahren
*Ich **fahre** einen Audi, und mein Freund Peter **fährt** einen Buick.*

1. waschen
2. laufen
3. essen
4. tragen
5. sprechen
6. lesen
7. werden
8. haben

Fragen Sie andere Studenten im Kurs, was *sie* tun. Verwenden Sie die schon angegebenen Verben.

Beispiele: Wie lange schläfst du gewöhnlich?
Was ißt du gern?
Wirst du oft krank?

D. **Die Stadt Dresden: *wissen* oder *kennen*?** Drücken Sie die Sätze auf deutsch aus.

1. Do you know the city of Dresden?
2. No, but I know it is the capital of Saxony (**Sachsen**).

3. Then you don't know how big it is either, do you?
4. No, but my sister knows a lot about Dresden.
5. Does she know the name of the mayor (**der Bürgermeister**)?
6. Oh yes, I think she even knows him personally (**persönlich**).

Was wissen Sie von der Stadt, in der Sie jetzt wohnen? Was kennen Sie in dieser Stadt besonders gut? Machen Sie Aussagen mit beiden Verben.

E. **Einiges über Sie.** Bilden Sie mit den folgenden Präfixverben Aussagen über sich selbst und andere Mitglieder *(members)* Ihrer Familie.

Beispiele: ausgehen
*Ich **gehe** am Wochenende oft mit Freunden / -innen **aus.***

verstehen
*Meine Eltern **verstehen** mich oft nicht.*

1. ausgeben *(to spend)*
2. besuchen
3. fernsehen
4. anrufen
5. einladen
6. verbringen (*to spend* or *pass time*)

F. **Wie lange schon?** Erzählen Sie, wie lange / seit wann Sie Folgendes tun.

Beispiel: Tennis spielen
Ich spiele (schon) seit fünf Jahren Tennis.

1. Deutsch lernen
2. etwas als Hobby betreiben *(do)*
3. Auto fahren
4. etwas besonders Interessantes tun
5. [noch eine Aktivität]

ANWENDUNG

A. **Sich vorstellen und andere kennenlernen.** Erzählen Sie jemandem im Kurs von Ihren Hobbys, Interessen und Freizeitbeschäftigungen *(leisure time activities).* Was tun Sie gern? Was tun Sie nicht so gern?[7] Was tun Sie mit anderen Menschen zusammen? Merken Sie sich *(take note),* was Ihr(e) Partner(in) von sich erzählt (siehe **schriftliches Thema A**).

THEMEN- UND VOKABELVORSCHLÄGE

1. viel Sport treiben (z.B. Tennis / Golf / Fußball spielen)
2. radfahren
3. angeln *(to fish)*
4. reiten
5. segeln *(to sail)*
6. sammeln (z.B. Briefmarken, Münzen, Baseballkarten)

---

[7] For the use of **gern,** see **Wortschatz** 8.

7. fotografieren
8. Fremdsprachen lernen
9. lesen (z.B. Bücher, Zeitungen, Zeitschriften)
10. mit Freunden zusammen etwas machen (z.B. spazierengehen, ins Kino / ins Museum / tanzen gehen, Videospielfilme / MTV sehen, Karten / Schach *(chess)* / Scrabble spielen)

REDEMITTEL

Weißt du, was mir besonders viel Spaß macht?
Ich [lese] besonders gern . . .
Am liebsten [gehe] ich . . . *(Most of all I like to go . . .)*
In meiner [Briefmarken]sammlung habe ich . . .
Abends gehe ich manchmal . . .
Wenn ich viel Zeit habe, dann [fahre] ich . . .

B. **Pläne für das Wochenende.** Sprechen Sie mit jemandem im Kurs über Ihre Pläne für das kommende Wochenende. Verwenden Sie das Präsens.

REDEMITTEL

Das weiß ich noch nicht so genau.
Wahrscheinlich stehe ich am Samstag . . . auf.
Zu Mittag esse ich . . .
Am Nachmittag muß ich . . .
Ich gehe dann am Abend . . .
Und was hast *du* fürs Wochenende vor *(have in mind)*?

C. **Wo ich mich gern aufhalte** *(spend time)*. Erzählen Sie anderen Studenten von einem Ort *(place)*, der Ihnen besonders gefällt. Erklären Sie, warum Sie diesen Ort so gern besuchen. Was gibt es dort? Was tut man dort?

THEMENVORSCHLÄGE

1. ein Strand *(beach)*
2. ein Park
3. ein Feriendorf
4. ein Geschäft
5. das Haus von einem Freund

REDEMITTEL

Ich finde . . . ganz fabelhaft.
Weißt du, was mir so daran gefällt?
Viele Leute kommen . . .
Dort sieht man auch, wie . . .
Manchmal gibt es . . .
Da findet man . . .
Besonders gut gefällt / gefallen mir . . . (+ *nominative*)

SCHRIFTLICHE THEMEN

TIPS ZUM SCHREIBEN *Using familiar verbs and structures*

Always begin your composition by planning it around verbs and structures you already know. Do not attempt to translate English ideas and structures into German. Jot down your ideas in German using familiar vocabulary, then look up any other necessary words in a dictionary. To avoid misuse, check the meaning of these words in German as well as in English. You should also avoid using **haben** and **sein**, if a specific verb will describe an activity more precisely. Try not to repeat verbs, unless you wish to emphasize a particular activity through repetition. A good variety of verbs will make your writing more interesting.

A. **Darf ich vorstellen?** Stellen Sie jemanden im Kurs schriftlich vor. Geben Sie Alter und Wohnort an. Erzählen Sie unter anderem *(among other things)* von seinen / ihren Hobbys, Interessen und Freizeitbeschäftigungen.

Beispiel:

Johann ist 20 Jahre alt und kommt aus . . . Im Sommer arbeitet er als Jugendberater *(youth counselor)* in einem Sportklub. Wenn er Zeit hat, segelt er gern mit seinen Freunden . . . Abends gehen er und seine Freunde oft . . . Er sammelt Schallplatten und möchte später. . . usw.

B. **Ein nettes Haustier.** Erzählen Sie von Ihrem Haustier.

VOKABELVORSCHLÄGE

1. der Fisch, -e
2. der Hamster, -
3. der Hund, -e
4. der Kanarienvogel, ¨
5. das Kaninchen, - *(rabbit)*
6. die Katze, -n; der Kater, - *(male cat)*
7. das Meerschweinchen, - *(guinea pig)*
8. der Papagei, -en *(parrot)*
9. die Schlange, -n *(snake)*
10. der Wellensittich, -e *(parakeet)*

Beispiel:

Unser Hund heißt Bello, aber er bellt *(barks)* sehr selten. Meistens liegt er in unserer Küche und kaut *(chews)* an einem alten Schuh. Besonders gern jagt *(chases)* er . . . usw.

C. **Alltägliche Menschen, alltägliches Leben.** Schildern Sie *(portray)* kurz das Leben und die Arbeit eines Menschen, der mit seiner / ihrer Arbeit zu unserem alltäglichen Leben gehört. Wo und wann sieht man ihn / sie? Was tut er / sie? Was denkt er / sie? Wovon träumt er / sie?

THEMENVORSCHLÄGE

1. der Eisverkäufer / die Eisverkäuferin
2. der Busfahrer / die Busfahrerin

3. der Schülerlotse / die Schülerlotsin *(school crossing guard)*
4. der Briefträger / die Briefträgerin
5. der Mann / die Frau am Auskunftsschalter *(information window)*
6. der Mann / die Frau in *Ihrem* Spiegel

Beispiel: der Schülerlotse / die Schülerlotsin

Jeden Morgen sieht man ihn / sie an der Ecke stehen. Wenn die Schüler kommen, hält er / sie die Autos an, und die Schüler gehen über die Straße. An kalten Wintertagen hofft er / sie, daß die letzten Schüler bald kommen. Er / sie denkt oft (daran), daß er / sie auch einmal klein war und . . . Manchmal träumt er / sie von . . . usw.

Wortschatz

SCHOOL-RELATED VOCABULARY

The following vocabulary is useful for talking about schools, universities, courses, and academic disciplines.

LERNEN VERSUS STUDIEREN

The verb **lernen** means *to learn* or *to acquire* knowledge or skill. It also means to study subjects in general.

Was hast du in diesem Kurs **gelernt**?	*What did you learn in this course?*
Udo **lernt** seit zwei Jahren Spanisch.	*Udo has been studying Spanish for two years. (It is not his major).*

The verb **studieren** means to study at a university-level institution; it cannot refer to learning taking place in elementary or high schools. **Studieren** also means to study a particular major or discipline.

Barbara möchte in Heidelberg **studieren**.	*Barbara would like to study in Heidelberg.*
Ihr Bruder **studiert** Jura in Göttingen.	*Her brother studies law in Göttingen. (It is his major.)*

SECONDARY SCHOOLS AND UNIVERSITY-LEVEL INSTITUTIONS

German-speakers refer to an American high school as **die Oberschule, -n** or **die High School, -s**. The German secondary school (Grades 5 through 13) is called

das Gymnasium, -ien,[8] the completion of which qualifies students for university study. It is roughly equivalent to an American high school + one or two years of college. The term **die Hochschule** does *not* refer to a high school; it refers to institutions of higher learning, including universities (**die Universität, -en**).

SCHOOL AND UNIVERSITY TERMINOLOGY

die Klasse, -n	school grade level (that is, **die fünfte Klasse**: *fifth grade*) (*University courses are* not *referred to as* **Klassen**.)
die Stunde, -n	class session *(school or university) (for example,* **die Deutschstunde**: *German class)*
der Kurs, -e	course
einen Kurs belegen	to enroll in a course
der Pflichtkurs, -e	required course
der Wahlkurs, -e	elective course
das Seminar, -e	seminar
die Vorlesung, -en	lecture course
die Klausur, -en	proctored course exam
die Prüfung, -en	examination, test
das Examen, -	comprehensive exam in an academic discipline
die Note, -n / **die Zensur, -en**	grade *(Germans use numbers: 1=sehr gut; 2=gut; 3=befriedigend; 4=genügend; 5=ungenügend)*
das Studium, -ien	studies, course of studies
das (Studien)fach, ¨er	academic subject or discipline
das Hauptfach, ¨er	major field of study
das Nebenfach, ¨er	minor field of study

ACADEMIC DISCIPLINES (DAS STUDIENFACH, ¨ER)

The following disciplines are found at many German-speaking universities and institutions of higher learning.

Amerikanistik *(American studies)*
Anglistik *(English studies)*
Anthropologie
Betriebswirtschaftslehre (BWL) *(business management)*
Biochemie
Biologie

[8] In addition to the **Gymnasium**, there are also **Realschulen** and **Hauptschulen**. These secondary schools do not normally lead to university study. In some German states, a number of these separate types of schools have been combined into **Gesamtschulen** *(comprehensive schools)*.

Chemie
Deutsch als Fremdsprache (DAF)
Erziehungswissenschaften[9] *(education)*
Geographie
Geologie
Germanistik *(German language and literature)*
Geschichte
Informatik / Informationswissenschaften *(computer science)*
Ingenieurwissenschaft
  Elektrotechnik
  Mechanik
  Optik
Jura *(law)*
bildende Kunst *(creative arts)*
darstellende Kunst *(performing arts)*
Kunstgeschichte
Linguistik / Sprachwissenschaft
Mathematik
Medizin
Musik(wissenschaft)
Philosophie
Physik
Politikwissenschaft
Psychologie
Rechnungswesen *(accounting)*
Romanistik *(Romance languages and literatures)*
Slawistik *(Slavic langauges and literatures)*
Soziologie
Sport(wissenschaften) / Sportlehre
Sport(wissenschaften) / Sportlehre
Theaterwissenschaft
Theologie
Übersetzerausbildung *(translator training)*
Volkswirtschaft(slehre) (VWL) *(economics)*

A. **Welcher Beruf? Welches Studium?** Was meinen Sie? Welche Fächer sollte man studieren, wenn man sich für die folgenden Berufe interessiert?

Beispiel: Arzt / Ärztin
Man sollte Biologie oder Biochemie studieren.

---

[9] The word **Wissenschaft** means *science* or *scholarly knowledge;* it is a general term applied to various disciplines. Humanities fields belong to the **Geisteswissenschaften**, sciences are **Naturwissenschaften**.

1. Rechtsanwalt / Rechtsanwältin *(lawyer)*
2. Oberschullehrer(in)
3. Ingenieur(in)
4. Manager(in) in einer Firma
5. Zahnarzt / Zahnärztin
6. Journalist(in)
7. Stadtplaner(in)
8. Wirtschaftsprüfer(in) *(accountant)*

B. **Mein Studium.** Was **lernen** und **studieren** Sie auf der Universität? Welche Kurse haben Sie jetzt? Welche Pflichtkurse gibt es in Ihrem Hauptfach? Welche Kurse haben Sie gern oder nicht gern und warum? Wie oft muß man in diesen Kursen Prüfungen schreiben? In welchen Kursen bekommen Sie die besten Noten? Was wollen Sie nächstes Jahr belegen?

Sprechen Sie mit anderen Studenten über ihr Studium.

REDEMITTEL

Was soll / muß man in Ihrem Fach belegen? *(see modal verbs, 8.2, 8.3)*
Normalerweise belegt man . . .
Ich will aber . . .
In [Chemie] bekomme ich die besten / schwächsten Noten . . .
Nächstes Jahr möchte ich vor allem *(above all)* . . .

CHAPTER 3

Imperative

3.1 Imperative

Imperatives (**der Imperativ**), or commands, have four forms in German.

du-form *(familiar, singular)*
ihr-form *(familiar, plural)*
Sie-form *(formal, singular or plural)*
wir-form *(1st person plural: Let's . . .)*

With all imperative forms, separable prefixes are in final position, and reflexive pronouns are retained.

Kommen Sie bitte **herein**!	*Please come in!*
Ärgere dich nicht!	*Don't get angry!*

A. Formation

1. Imperatives are generated from the present tense. The **du**-imperative consists of the present-tense stem + an optional **-e** that is usually omitted, particularly in colloquial German.

Schreib(e) bald!	*Write soon!*
Bring(e) deine Freunde **mit**!	*Bring your friends along!*

The final **-e** is *not* omitted if the infinitive stem ends in **-d, -t, -ig,** or in **-m** or **-n** preceded by a consonant other than **l** or **r.**

Antworte! Entschuldige! Atme! *Answer! Pardon (me)! Breathe!*

a. Verbs with the present-tense vowel shifts **e>i** or **e>ie** also shift in the **du**-imperative, but they do not add an **-e.**

Du sprichst → **Sprich!** *Speak!*
Du liest → **Lies** bitte schneller! *Please read more quickly!*

EXCEPTION:

werden: du wirst → Stirb und **werde!** (Goethe)[1] *Die and become!*

However, verbs with the stem changes **a>ä**, **au>äu**, or **o>ö** do *not* shift in the **du**-imperative.

Du trägst → **Trag(e)** es! *Carry it!*
Du läufst → **Lauf(e)!** *Run!*

b. German occasionally includes the pronoun **du** with the familiar imperative for emphasis or clarification.

Ich habe dreimal aufgeräumt. Mach du es mal! *I have cleaned up three times. You do it for a change!*

2. The **ihr**-form imperative is the same as its present-tense form without the pronoun.

Gabi und Heidi, **kommt** bald **wieder!** *Gabi and Heidi, come again soon!*
Sprecht deutlicher! *Speak more clearly!*

3. The **Sie**-form imperative is the same as its present-tense form, but the verb is accompanied by the pronoun **Sie**.

Meine Damen und Herren, **treten Sie** bitte näher! *Ladies and gentlemen, please step closer!*
Herr Ober, **bringen Sie** uns bitte eine Speisekarte. *Waiter, please bring us a menu.*

4. The **wir**-form imperative is the same as its present tense, but with the pronoun **wir** following the imperative.

Gehen wir heute einkaufen! *Let's go shopping today!*
Nehmen wir nun **an,** daß niemand die Antwort weiß. *Let's assume now that no one knows the answer.*

---

[1] From Goethe's poem "Selige Sehnsucht" in *Westöstlicher Divan.*

5. The imperatives for the verb **sein** are irregular.

Sei / **Seid** / **Seien Sie**	ruhig!	*Be quiet!*
Seien wir	vorsichtig!	*Let's be careful!*

B. Use

The imperative is used to express not only commands, but also requests, instructions, suggestions, or warnings. (See 27.4 for polite requests using the subjunctive and modal verbs.) Normally an imperative ends with an exclamation point, although a period is permissible if no emphasis is implied.

Passen Sie auf! *(command / warning)*	*Watch out! / Pay attention!*
Übersetzen Sie die Sätze. *(instruction)*	*Translate the sentences.*
Essen wir jetzt. *(suggestion)*	*Let's eat now.*

3.2 Infinitives Used as Imperatives

Directives for the general public, such as signs, announcements, and instructions, are often expressed with an infinitive and no pronoun. The infinitive is placed at the end of the command.

Bitte nicht **hinauslehnen!**	*Do not lean out!*
(Den) Rasen nicht **betreten!**	*Do not step on the grass!*

3.3 **Bitte** and Flavoring Particles with the Imperative

A. **Bitte**

Bitte makes a command more polite. When it begins a sentence, it is set off by a comma only when stressed. It also occurs in other positions, but it may not immediately precede pronouns.

Bitte tun Sie das!	*Please do that!*
Bitte, vergessen Sie die Nummer nicht!	*Please, don't forget the number!*
Zeigen Sie es ihnen **bitte** nicht!	*Please don't show it to them!*

B. Flavoring Particles (See 24.1)

1. **Doch** adds a sense of impatience to imperatives.

   Hilf mir **doch**! — *Come on, help me!*

2. **Mal** adds a sense of mild impatience best expressed by the English word *just.*

   Hört **mal** zu! — *Just listen!*
   Seien Sie **mal** ruhig! — *Just be calm!*

3. **Nur** often adds a stipulative tone to imperatives, implying that consequences — either good or bad — will result.

   Versuchen Sie es **nur!** — *Just try it (and see)!*

4. Several emphasis particles may occur together within one command or request.

   Hören Sie **doch bitte mal** zu! — *Come on, just listen, please!*

ÜBUNGEN

A. **Nicht immer so höflich**. Frau Leis äußert ihre Bitten immer sehr höflich. Drücken Sie ihre Wünsche und Bitten durch den Imperativ der kursivgedruckten Verben stärker aus.

Beispiele: Du sollst lauter **sprechen.**
Sprich lauter!

Würdet ihr uns bitte **helfen?**
***Helft** uns bitte!*

1. Herr Kollege, könnten Sie bitte den Projektor *holen*?
2. Leute, bitte etwas lauter *reden*!
3. Du kannst mich heute abend zu Hause *anrufen.*
4. Heinz, könntest du bitte die Tür *öffnen*?
5. Herr Moritz, darf ich Sie bitten, mir zu *helfen*?
6. Kinder, ihr sollt doch ruhiger *sein*!
7. Josef, ich hoffe, du *wirst* nicht böse.
8. Rainer, du sollst dich doch *beruhigen*!
9. Liebling, würdest du bitte nicht so schnell *fahren.*
10. Es wäre *(would be)* für uns gut, etwas fleißiger zu *sein.*

B. **Situationen.** Was sagen Sie? Verwenden Sie auch passende Partikeln.

Beispiel: Ein Freund von Ihnen will Eintrittskarten für ein Rockkonzert kaufen und fragt Sie, ob er Ihnen auch welche kaufen soll.
Ja, kauf(e) mir bitte auch eine Karte!

1. Studenten plaudern *(chat)* neben Ihnen in der Bibliothek, während Sie zu lesen versuchen.

2. Sie haben die Frage Ihrer Deutschprofessorin entweder nicht gehört oder nicht verstanden.
3. Sie wollen mit jemandem irgendwo gemütlich zusammensitzen und plaudern.
4. Sie wollen, daß niemand Sie jetzt in Ihrem Zimmer stört, und hängen einen kleinen Zettel *(note)* an die Tür.
5. Sie haben eine schwierige Hausaufgabe und möchten, daß ein paar Freunde Ihnen dabei helfen.
6. Sie haben Ihre Mutter beim Sprechen unterbrochen und wollen sich entschuldigen.
7. Ihr deutscher Schäferhund bellt schon wieder, und das wollen Sie sich nicht mehr anhören.
8. Ihre kleine Schwester kommt mit ganz schmutzigen Händen zum Essen.

C. **Bitten!** Was für Bitten haben Sie an die folgenden Personen?

Beispiel: an Ihren Vater:
„Vati, schick mir bitte mehr Geld!“

1. an Ihre Eltern
2. an Ihre Geschwister (Bruder / Schwester)
3. an einen Freund / eine Freundin
4. an Ihren Deutschprofessor / Ihre Deutschprofessorin
5. an eine berühmte Person

ANWENDUNG

A. **Ratschläge** *(advice)* **fürs Leben**. Was für Ratschläge können Sie anderen Studenten geben? Verwenden Sie bitte **du-** oder **ihr-**Imperative!

Beispiele: Heirate / Heiratet nie!
Sitz(e) / Sitzt nie ohne Helm *(helmet)* unter Kokospalmen!
Sei / Seid immer lustig!

Haben Sie auch einige Ratschläge für Ihren Deutschprofessor / Ihre Deutschprofessorin?

B. **Wer nicht hören will, muß fühlen.** Das folgende Gedicht enthält Befehle *(commands)*, die manche Kinder sicher schon öfter gehört haben. Welche Befehle (**du-**Imperative) mußten *Sie* sich als Kind anhören? Welche Befehle werden Ihre Kinder später wohl von Ihnen zu hören bekommen? Wie deuten Sie die Zeilen: „wer nicht hören will, muß fühlen“? Diskutieren Sie mit anderen Studenten darüber.

Erziehung

laß das
komm sofort her
bring das hin
kannst du nicht hören
hol das sofort her
kannst du nicht verstehen
sei ruhig
faß das nicht an
sitz ruhig
nimm das nicht in den Mund
schrei nicht
stell das sofort wieder weg
paß auf
nimm die Finger weg
sitz ruhig
mach dich nicht schmutzig
bring das sofort wieder zurück
schmier dich nicht voll
sei ruhig
laß das

wer nicht hören will
muß fühlen

—*Uwe Timm*

SCHRIFTLICHE THEMEN

TIPS ZUM SCHREIBEN *Using the imperative*

Although the imperative is not particularly common in compositions, you can use it when offering advice or trying to persuade someone to do something. The imperative plays an important role in advertising, since it addresses the reader directly.

Werbung *(Advertising)*. Schreiben Sie ganz kurze Werbetexte (drei bis vier Sätze) oder Werbesprüche *(slogans)* für vier der folgenden Waren, Produkte oder Dienste *(services)*.

Beispiele: Pack den Tiger in den Tank! *(Benzin)*
Mach mal Pause! Trink Coca-Cola!

1. Kaffee
2. Benzin
3. ein Auto
4. Big Mac
5. Waschpulver
6. Blue Jeans
7. Pepsi oder Coca-Cola
8. Das Kabelfernsehen

Wortschatz

THE VERBS BEKOMMEN, ERHALTEN, HOLEN, AND WERDEN

These verbs mean *to get,* but they vary in meaning and usage.

1. **bekommen** to get, receive[2]

Sie **bekommt** ein neues Kleid zum Geburtstag.	*She gets a new dress for her birthday.*
Er hat einen Orden **bekommen.**	*He received a medal.*

2. **erhalten** to get, receive *(close in meaning to* **bekommen,** *but somewhat more formal)*

Wir haben Ihren Brief **erhalten**.	*We have received your letter.*
Er **erhielt** drei Jahre Gefängnis.	*He received three years in prison.*

3. **holen** to (go and) get, fetch *(often used with an optional dative reflexive; see 15.2)*

Hol (dir) bitte einen Stuhl.	*Please (go and) get a chair.*
Er **holte** (sich) ein Hemd aus der Kommode.	*He (went and) got a shirt from the dresser.*

4. **werden** *(see 2.3)* to get, become, grow, turn *(denotes the process of becoming)*[3]

Sie **wird** älter.	*She is getting older.*
Das Wetter ist viel kälter **geworden.**	*The weather has turned much colder.*

A. **Welches Verb paßt?** Ergänzen Sie den Text durch das richtige Verb.

bekommen erhalten holen werden

1. Euren netten Brief haben wir gestern ____ .
2. Wo kann ich Karten für den Vortrag (*lecture*) ____ ?
3. Du ____ zu schnell zornig (*angry*).
4. ____ dir etwas zum Essen und setz dich hin.
5. Mein Deutsch ____ immer besser, und ich ____ auch bessere Noten.

---

[2] The verb **kriegen** is synonymous with **bekommen,** but is very colloquial. It is avoided in formal writing.

Was hast du von deiner Tante **gekriegt?** *What did you get from your aunt?*

[3] **Werden** is also used as an auxiliary verb with the future tense (see 7.1) and the passive voice (see 29.1).

B. **Aussagen.** Machen Sie eine wahre Aussage mit jedem Verb.

1. bekommen 2. holen 3. werden 4. erhalten

OTHER EXPRESSIONS FOR *TO GET*

English has various idiomatic uses of *to get,* for which German has just as many different verbs. Here are some examples.

sich anziehen / ausziehen to get dressed / undressed
aufstehen to get up
geraten in + *accusative* to get into, fall into
sich gewöhnen an + *accusative* to get used to
heiraten to get married

Ich **ziehe** mich schnell **aus**.	*I get undressed quickly.*
Er kann **sich** nicht **an** Ulm **gewöhnen.**	*He can't get used to Ulm.*

In particular, the verb **kommen** can be used in many different ways to express the idea of "getting."

abkommen von to get away from *(a topic)*
durchkommen to get through
kommen aus to get out of *(a place or situation)*
kommen zu to get to a place; to get (around) to do(ing)
in Schwierigkeiten kommen *(or:* **geraten***)* to get into difficulty
weiterkommen to get further (along)
zusammenkommen mit to get together with

Ich versuchte, dich anzurufen, aber ich **bin** nicht **durchgekommen.**	*I tried to phone you, but I didn't get through.*
Manchmal **komme** ich vor einer Prüfung nicht **zum** Essen.	*Sometimes I don't get (around) to eat(ing) before an exam.*
Wann wollen wir **zusammenkommen?**	*When shall we get together?*

Ein Wort, viele Bedeutungen. Drücken Sie die Sätze auf deutsch aus.

1. Every morning, I get up at eight o'clock.
2. I get dressed quickly.
3. Usually **(gewöhnlich)** I get to class **(die Stunde)** before nine.
4. Now and then **(ab und zu)** I get there late.
5. The teacher does not get angry **(böse)**, for I get good grades.
6. But sometimes I don't get around to my homework **(die Hausaufgabe).**
7. Then I get into trouble with the teacher.
8. After class I often get together with friends.

CHAPTER 4

Negation

4.1 **Kein-** versus **nicht**

A. Kein-

Kein- means *no, not a,* or *not any.* It is the negative form of the indefinite article **ein-** and therefore takes the same endings (see 12.2). It is used only to negate nouns preceded by **ein-** or by no article at all.

Hat sie einen Computer?	*Does she have a computer?*
—Nein, sie hat **keinen** Computer.	*No, she does not have a computer.*
Gibt es hier gute Geschäfte.?	*Are there any good stores here?*
—Nein, hier gibt es **keine** guten Geschäfte.	*No, there are no / not any good stores here.*

B. Nicht (nie, niemals)

Nicht *(not)* and **nie / niemals** *(never)* are used to negate all parts of a sentence except those negated with **kein.**

Diese Antworten stimmen **nicht.**	*These answers are not correct.*
Ich werde ihre Entscheidung **nie(mals)** verstehen.	*I will never understand her decision.*
Er hat diesen Aufsatz **nicht** geschrieben.	*He did not write this composition.*
Sie hat ihre Bücher **nicht** dabei.	*She does not have her books with her.*

4.2 Positions of **nicht**

A. *Negation of Particular Elements*

When **nicht** negates a particular element that is stressed in contrast to something else, it precedes this element. The contrasting item is introduced by the conjunction **sondern** (see 25.1).

Die Familie geht **nicht heute** wandern, **sondern** morgen.	*The family is going hiking not today, but rather tomorrow.*
Nicht wir haben es getan, **sondern** unser Nachbar.	*It was not we who did it, but rather our neighbor.*

B. *Negation of an Entire Sentence*

1. When **nicht** negates an entire sentence rather than a particular stressed element, it normally *follows* conjugated verbs, dative and accusative objects, and specific time expressions.

Sie bringen *den Kompaß* **nicht**. *(accusative object)*	*They are not bringing the compass.*
Ihr helft *den Leuten* **nicht.** *(dative object)*	*You are not helping the people.*
Sie sieht den Film *heute* **nicht.** *(specific time expression)*	*She is not seeing the film today.*

2. **Nicht** normally *precedes* expressions of manner, indefinite time, and place.

Er kann **nicht** *schnell* rechnen. *(manner)*	*He cannot calculate quickly.*
Wir gehen **nicht** *oft* tanzen. *(indefinite time)*	*We do not often go dancing.*
Unsre Verwandten wohnen **nicht** *in dieser Stadt. (place)*	*Our relatives do not live in this city.*

3. **Nicht** also precedes elements in final position, such as infinitives, past participles, separable prefixes, and most prepositional phrases.

Du kannst diesen Kurs **nicht** *belegen. (infinitive)*	*You cannot take this course.*
Sie haben die Gefahr **nicht** *erkannt. (past participle)*	*They did not recognize the danger.*
Der Lärm hört **nicht** *auf. (separable prefix)*	*The noise does not stop.*
Die Kinder gehen mir **nicht** *auf die Nerven. (prepositional phrase)*	*The children do not get on my nerves.*

4. **Nicht** also comes before predicate nominatives and predicate adjectives.

Das ist **nicht** *der richtige Kurs* für ihn. *(predicate nominative)*	*That is not the right course for him.*
Die Situation wird **nicht** *besser. (predicate adjective)*	*The situation is not getting any better.*

5. If a sentence contains several elements that **nicht** normally precedes, **nicht** is placed before the first one.

Angelika geht **nicht** oft mit ihrer Mutter in der Stadt einkaufen.	*Angelika does not often go shopping downtown with her mother.*

ÜBUNGEN

A. **Der ewige Neinsager.** Markus sieht alles negativ. Wie wird er wohl auf diese Fragen antworten?

Beispiele: Markus, macht dir das Leben Spaß?
*Nein, das Leben macht mir **keinen** Spaß.*

Markus, liest du gern?
*Nein, ich lese **nicht** gern.*

1. Bekommst du ein schönes Taschengeld?
2. Hast du deine verlorene Taschenuhr gefunden?
3. Verstehst du meine Fragen?
4. Möchtest du Sportler werden?
5. Kannst du deine Aufgabe morgen abgeben?
6. Bekommst du in Deutsch eine gute Note?
7. Gehst du morgen mit der Schulklasse schwimmen?
8. Ist dein Vater Chef dieser Bank?
9. Bist du glücklich?
10. Bist du mit deinem Leben zufrieden?
11. Telefonierst du gern mit deinen Freunden?

B. **So sprechen, aber anders denken.** So sprechen die folgenden Leute, aber was denken sie? Verwenden Sie negierende Elemente (siehe auch **Wortschatz**, Seite 38).

Beispiel: Der Politiker Franz Lügenhals: „Meine lieben Zuhörer, es freut mich, heute vor Ihnen zu stehen."
*Es freut mich **nicht,** heute vor Ihnen zu stehen.*

1. Der Tennisspieler Johann Wenigehrlich nach seiner Niederlage *(defeat):* „Ich habe gut gespielt, aber der andere war heute einfach besser."
2. Der Politiker Fritz Alles von der Lüge zu den Wählern *(voters):* „Ich bin ein Mann des Volkes und vertrete *(represent)* die Wähler."

3. Ottilie von Vielehaben zu ihrem neuen Freund: „Liebling, du bist der einzige für mich."
4. Der Gebrauchtwagenhändler *(used car dealer)* Otto Schmier zu einem Kunden *(customer)*: „Ich kenne diesen Wagen. Er gehörte einer älteren Dame. Sie hat ihn selten gefahren und dann immer sehr langsam. Er hat einen sehr guten Motor und ist auch sehr preiswert. Sie werden lange damit fahren können. Und sollten Sie Probleme haben, sind wir mit unserem Service immer für Sie da."

ANWENDUNG

Faule Menschen. Wer kann den faulsten *(laziest)* Menschen beschreiben? Erzählen Sie von einem wirklichen oder erfundenen *(imaginary)* Menschen, der gar nichts hat und gar nichts tut.

REDEMITTEL

Mensch, kenne ich aber eine faule Person!
Er / sie ist so faul, daß er / sie . . .
Weil er / sie nie . . . [tut], hat er / sie auch kein- . . .
Natürlich [tut] er / sie auch kein- . . .
Meistens [tut] er / sie . . . und [tut] gar nicht(s).
Er / sie will nicht einmal *(not even)* . . .

SCHRIFTLICHE THEMEN

TIPS ZUM SCHREIBEN ***Writing first drafts and checking for common errors***

Always jot down a few ideas in German before beginning a composition. Then write a first draft. Read through this draft to see whether you have used a variety of verbs. Now is also a good time to check for common errors such as misspellings, uncapitalized nouns, verbs not in second position, and the use of **nicht ein-** instead of **kein-** (see 4.1). Have you also kept your sentences concise and to the point, or do they tend to ramble on and on and on? When writing a second or final draft, be sure to vary your style by starting some sentences with elements other than the sentence subject.

A. **Selbstanalyse.** Schreiben Sie eine Selbstanalyse mit dem folgenden Titel: Was ich nicht bin, nicht habe, nicht tue und nicht will. (Siehe auch **Wortschatz,** Seite 38.)

Beispiel:

Ich bin kein fauler Mensch, aber ich will nicht immer arbeiten. Ich will auch nicht . . . Natürlich habe ich auch keine Lust, . . . usw.

B. **Reicher Mensch, armer Mensch**. Man kann sich leicht das Leben eines reichen Menschen vorstellen *(imagine)*. Wie ist es aber bei einem armen Menschen, der wenig oder nichts hat? Erzählen Sie davon.

Wortschatz

WORDS AND EXPRESSIONS OF NEGATION

The most common expressions of negation include the following words and phrases.

kein- no, not any
kein- . . . mehr no more . . .

nicht not
nicht mehr no more, no longer
nichts nothing, not anything
nie / niemals never
niemand no one, not anyone
nirgends / nirgendwo nowhere, not anywhere

nicht einmal not even
nicht nur (sondern auch) not only (but also) *(see 25.2)*

noch nicht not yet
noch kein- not any . . . yet
noch nie not ever (yet)

ich nicht not me / not I
ich auch nicht me neither, nor (do) I

gar nicht / **überhaupt nicht** } not at all
gar nichts / **überhaupt nichts** } nothing at all
gar kein- / **überhaupt kein-** } not any . . . at all

lieber nicht (preferably) not, (would) rather not

weder . . . noch neither . . . nor (see 25.2)

durchaus nicht / **keinesfalls** } by no means, not at all
auf keinen Fall by no means

A. **Keine Karten fürs Konzert.** Drücken Sie die Sätze auf deutsch aus.

1. Ariane wants to go to the concert, but she can't.
2. She doesn't have a ticket.
3. Her friends don't have any either.
4. Nor do I.
5. We don't even know where to purchase them.
6. However, Ariane hasn't given up all hope **(die Hoffnung)** yet.
7. Can't anyone give us some tickets?

B. **Alles nur nein.** Antworten Sie mit kurzen Ausdrücken der Negation auf die Fragen. Verwenden Sie jeden Ausdruck nur einmal.

Beispiel: Hast du jemanden in meinem Garten gesehen? —Nein, . . .
Nein, niemanden.

1. Warst du je *(ever)* in Afrika? —Nein, . . .
2. Hast du dein Studium schon beendet? —Nein, . . .
3. Ich habe es nicht getan. Sie hat es nicht getan. Und du? —Nein, . . .
4. Hast du immer noch Probleme mit deinem Auto? —Nein, . . .
5. Tja, wer hat soviel Geld? Du? —Nein, . . .
6. Möchtest du an seiner Stelle *(in his place)* sein? —Nein, . . .

C. **Aussagen.** Machen Sie Aussagen über sich *(yourself)* mit den folgenden Ausdrücken.

Beispiele: Ich habe meinen Aufsatz in Deutsch **noch nicht** abgegeben.
Ich war **noch nie** in Europa.

1. noch nie
2. noch nicht
3. gar kein- / überhaupt kein-
4. nie
5. durchaus nicht / keinesfalls

NUR AND ERST

Depending upon how they are used, **nur** and **erst** can both mean *only*. They are not interchangeable, however.

1. **Nur** means *only* in the sense of *that is all there is.*

Er ist **nur** fünf Jahre alt geworden.	*He lived only to the age of five.*
Wir haben **nur** ein Auto.	*We have only one car.*

2. **Erst** means *only* in the sense of *up until now* or *so far* and implies that more is to come.

Sie ist **erst** fünf Jahre alt geworden.	*She has turned only five (so far).*
Wir haben **erst** ein Auto.	*We have only one car (so far).*

Erst can also mean *only* in the sense of *not until.*

Sie ist **erst** gestern angekommen.	*She arrived only yesterday.* (that is, *she did not arrive until yesterday*)

Aussagen. Machen Sie zwei Aussagen mit **nur** and vier mit **erst** über sich oder andere Menschen, die Sie kennen.

CHAPTER 5

Present Perfect Tense

5.1 Principal Parts of a Verb

Every German verb has three principal parts:

1. an *infinitive,* from which the present tense is formed.
2. a *past tense* form.
3. a *past participle,* from which the present perfect tense is formed.

Verbs can be classified as *weak, irregular weak,* or *strong,* depending on how they form their second and third principal parts. (The tenses of modal verbs are discussed in Chapter 8.) A German "weak" verb is like a "regular" English verb. The present, simple past, and present perfect tenses all use the same stem: I *walk,* I *walked,* I have *walked.* Irregular weak verbs and strong verbs follow less predictable patterns.

	Infinitive	*Past Tense*	*Past Participle*
Weak:	machen	mach**te**	**ge**mach**t**
Irregular Weak:	wissen	wuß**te**	**ge**wuß**t**
Strong:	lesen	l**a**s	**ge**les**en**

Although this chapter focuses on past participles, the past tense forms are provided as well, since the principal parts of a verb are best learned together. The formation of the simple past tense is presented in Chapter 6.

A. *Weak Verbs*

1. A weak verb forms its past participle by adding an unstressed **ge-** prefix and the ending **-t** to the infinitive stem.

Infinitive	*Past Tense*	*Past Participle*
lernen	lernte	**ge**lern**t**
tanzen	tanzte	**ge**tanz**t**

2. When the verb stem ends in **-d** or **-t**, or in **-m** or **-n** preceded by another consonant other than **l** or **r**, the participle ends in **-et** (rather than **-t**).

Infinitive	*Past Tense*	*Past Participle*
arbeiten	arbeitete	gearbeit**et**
öffnen	öffnete	geöffn**et**

3. The past participles of verbs with infinitives ending in **-ieren,** all of which are weak, do not have a **ge-** prefix.

Infinitive	*Past Tense*	*Past Participle*
diskutieren	diskutierte	**diskutiert**

4. **Haben** is a weak verb with a slightly irregular past tense.

Infinitive	*Past Tense*	*Past Participle*
haben	hatte	gehabt

5

B. *Irregular Weak Verbs*

1. Seven weak verbs are irregular. They are sometimes called *mixed verbs,* since the participle ends in **-t**, but the infinitive stem undergoes a vowel change, which is also characteristic of strong verbs. Two of these verbs **(bringen** and **denken)** also have a consonant change. In the following list, an **ist** before the past participle indicates that the present perfect is formed with the auxiliary verb **sein** instead of **haben** (see 5.2).

Infinitive	***Past Tense***		***Past Participle***
brennen *(to burn)*	br**a**nnte		gebr**a**nnt
bringen *(to bring)*	br**ach**te		gebr**ach**t
denken *(to think)*	d**ach**te		ged**ach**t
kennen *(to know)*	k**a**nnte		gek**a**nnt
nennen *(to name)*	n**a**nnte		gen**a**nnt
rennen *(to run)*	r**a**nnte	ist	ger**a**nnt
wissen *(to know)*	w**u**ßte		gew**u**ßt

2. Two verbs have interchangeable regular and irregular weak forms.[1]

Infinitive	***Past Tense***	***Past Participle***
senden *(to send)*	sendete / s**a**ndte	gesendet / ges**a**ndt
wenden *(to turn)*	wendete / w**a**ndte	gewendet / gew**a**ndt

C. Strong Verbs

1. Strong-verb participles are formed with a **ge-** prefix, but the participle ends in **-en** instead of **-t**. The stem vowel is also often different from that of the infinitive. (The stem vowel in the simple past tense of these verbs will always differ from that of the infinitive; see 6.1). Since a good number of strong verbs in German describe daily activities, they occur quite frequently and should be memorized. Many strong verbs have strong-verb equivalents in English. (See Appendix 3 for a more comprehensive list of strong verbs.)

Infinitive	*Past Tense*	*Past Participle*
beißen *(to bite)*	biß *(bit)*	gebissen *(bitten)*
fliegen *(to fly)*	flog *(flew)*	ist geflogen *(flown)*
geben *(to give)*	gab *(gave)*	gegeben *(given)*
singen *(to sing)*	sang *(sang)*	gesungen *(sung)*

2. The auxiliaries **sein** and **werden** are strong verbs.

Infinitive	*Past Tense*	*Past Participle*
sein *(to be)*	war *(was)*	ist gewesen *(been)*
werden *(to become)*	wurde *(became)*	ist geworden *(become)*

3. A few strong verbs also have minor consonant changes.

Infinitive	*Past Tense*	*Past Participle*
gehen *(to go)*	ging *(went)*	ist gega**ng**en *(gone)*
nehmen *(to take)*	nahm *(took)*	geno**mm**en *(taken)*
stehen *(to stand)*	stand *(stood)*	gesta**nd** en *(stood)*
tun *(to do)*	tat *(did)*	getan *(done)*

---

[1] Regular weak forms of **senden** must be used when they mean to broadcast on radio or TV and the regular forms of **wenden** when they mean to turn over, inside out, or in the opposite direction.

Am Abend hat Radio Bremen Musik **gesendet.**	*In the evening Radio Bremen broadcast music.*
Die Schneiderin hat den Mantel **gewendet.**	*The seamstress reversed the material in the coat (the material on the inside was put on the outside).*

4. Strong verbs are often called irregular because of the vowel changes in the second and third principal parts. However, many of these vowel shifts do follow set patterns. Note, for example, the patterns in the following verb groups.

Infinitive	*Past Tense*	*Past Participle*
finden *(to find)*	fand *(found)*	gefunden *(found)*
springen *(to jump)*	sprang *(jumped)*	ist gesprungen *(jumped)*
trinken *(to drink)*	trank *(drank)*	getrunken *(drunk)*
zwingen *(to force)*	zwang *(forced)*	gezwungen *(forced)*
essen *(to eat)*	aß *(ate)*	ge**g**essen *(eaten)*
lesen *(to read)*	las *(read)*	gelesen *(read)*
messen *(to measure)*	maß *(measured)*	gemessen *(measured)*
sehen *(to see)*	sah *(saw)*	gesehen *(seen)*

D. *Prefix Verbs*

1. Verbs with separable prefixes (see 2.4; 30.1) have a **ge-** prefix that joins the separable prefix and its participle. Separable prefixes can occur with weak, irregular weak, or strong verbs.

Infinitive	*Past Tense*	*Past Participle*
ausatmen *(to exhale)*	atmete aus	aus**ge**atmet *(weak)*
abbrennen *(to burn down)*	brannte ab	ab**ge**brannt *(irregular weak)*
mitnehmen *(to take along)*	nahm mit	mit**ge**nommen *(strong)*

2. Verbs with the *inseparable* prefixes **be-, emp-, ent-, er-, ge-, miß-, ver-,** and **zer-** (see 2.4; 30.2) have no **ge-** prefix in the past participle since the participle already begins with an unstressed prefix. Inseparable prefixes can occur with weak, irregular weak, or strong verbs.

Infinitive	*Past Tense*	*Past Participle*
besuchen *(to visit)*	besuchte	**besucht** *(weak)*
erkennen *(to recognize)*	erkannte	**erkannt** *(irregular weak)*
versprechen *(to promise)*	versprach	**versprochen** *(strong)*

5.2 Present Perfect Tense

A. *Formation*

1. The German present perfect tense **(das Perfekt)** is formed with the conjugated auxiliary **haben** or **sein** + the past participle of the main verb.

haben + ***Past Participle***			**sein** + ***Past Participle***		
ich	**habe**	+ **gesehen**	ich	**bin**	+ **gegangen**
du	**hast**		du	**bist**	
er / sie / es	**hat**		er / sie / es	**ist**	
wir	**haben**		wir	**sind**	
ihr	**habt**		ihr	**seid**	
sie / Sie	**haben**		sie / Sie	**sind**	

2. Past participles are placed at the end of main clauses. In dependent clauses, however, the conjugated auxiliary moves to final position.

Sie **hat** eine interessante Nachricht **bekommen.** *(main clause)*	*She has received some interesting news.*
Wißt ihr, wer ihr diese Nachricht **geschickt hat?** *(dependent clause)*	*Do you know who sent her this news?*

B. Haben *versus* sein

1. The conjugated auxiliary **haben** is used in most instances, including whenever the main verb has a direct object or is used reflexively (see Chapter 15).

Sie **haben** gut geschlafen.	*They slept well.*
Sie **hat** die Zeitung gelesen.	*She read the newspaper.*
Wir **haben** uns verspätet.	*We were late.*

2. The auxiliary verb **sein** is used only when *both* of the following conditions are met:

a. the main verb expresses motion, change of location, or change of condition *and*

b. the main verb is intransitive (does not have an accusative object).

Sie **ist** nach Hause gegangen. *(motion)*	*She went home.*
Er **ist** von einem Baum gefallen. *(change of location)*	*He fell from a tree.*
Sie **sind** reich geworden. *(change of condition)*	*They became rich.*

3. The following intransitive verbs require the auxiliary **sein,** even though they do not appear to express motion or change of location or condition.

sein: ist gewesen
bleiben: ist geblieben
begegnen *(to meet, come across)*: ist begegnet *(dative object)*

gelingen *(to succeed)*: ist (mir) gelungen
geschehen *(to happen)*: ist geschehen
passieren *(to happen)*: ist passiert

4. Some verbs, such as **fahren, fliegen, schwimmen**, etc., can take either **haben** or **sein** as the auxiliary, depending on whether the emphasis is on the activity itself or on motion or change.

Compare:

Lorenz and Heilke **haben** im Tanzsaal **getanzt.** *(no change of location)*	*Lorenz and Heilke danced in the dance hall.*
Paul und Paula **sind** aus dem Saal **getanzt.** *(change of location)*	*Paul and Paula danced out of the dance hall.*

Sein is never used, however, when such verbs have an accusative object.

Compare:

Ich **bin** im Mercedes auf der Autobahn **gefahren.** *(motion with* no *acccusative object)*	*I drove on the highway in a Mercedes.*
Ich **habe** den VW in die Garage **gefahren.** *(motion* with *an accusative object)*	*I drove the VW into the garage.*

C. Use

1. The present perfect is primarily a *conversational tense* used when talking about actions in the past. It corresponds in meaning to several English forms:

ich habe . . . gehört {
I heard
I was hearing
I did hear
I have heard

2. In most cases, the present perfect tense **(ich habe . . . gehört)** has the same meanings as the simple past tense **(ich hörte).** The present perfect, however, is used much more frequently in spoken German and in written conversational situations such as letters and diaries.[2]

[2] The present perfect tense is particularly prevalent in Southern Germany, Austria, and Switzerland, even in narration, whereas in Northern Germany the past tense is preferred in these same situations (see 6.1).

EXCEPTION: The modal verbs **sein** and **haben** occur more often in the simple past.

Wo **warst** du heute früh?	*Where were you this morning?*
—Ich **bin** in den Park **gegangen**, und dort **habe** ich einen Freund **getroffen.**	*I went to the park and I met a friend there.*

ÜBUNGEN

A. **Fragen im Perfekt.** Theo war heute morgen nicht in der Deutschstunde. Jetzt fragt er jemanden, was man gemacht hat. Welche Fragen stellt er?

Beispiel: Professorin / ein Quiz geben
Hat die Professorin ein Quiz gegeben?

Schwache Verben

1. ihr / viel arbeiten
2. man / das Gedicht von Goethe interpretieren
3. alle Studenten / Hausarbeiten einreichen *(hand in)*
4. ich / etwas Wichtiges versäumen *(miss)*

Gemischte Verben

5. die Professorin / denken, daß ich krank bin
6. du / wissen, wo ich war
7. Gabi / ihren Freund zur Stunde mitbringen

Starke Verben

8. du / die Aufgabe für morgen aufschreiben
9. jemand / einen mündlichen Bericht geben
10. ihr / ein neues Kapitel anfangen
11. die Professorin / über die Prüfung sprechen

B. **Große Menschen, große Leistungen** *(accomplishments)*. Erzählen Sie, wie diese Menschen berühmt geworden sind. Verwenden Sie die angegebenen Verben.

Beispiel: Alfred Nobel (das Dynamit)
Er hat das Dynamit erfunden.

erfinden *(invent)*	schreiben
entdecken *(to discover)*	tragen
essen	singen
gründen *(to found)*	übersetzen
komponieren	werden

1. Friedrich Schiller (das Drama *Wilhelm Tell)*
2. Sigmund Freud (die Tiefenpsychologie)
3. Rudolf Diesel (Dieselmotor)

4. Marlene Dietrich (Lieder)
5. Gustav Mahler *(Das Lied von der Erde)*
6. Atlas (die Welt)
7. Maria Theresia (Kaiserin von Österreich)
8. Heinrich Schliemann (Troja)
9. Martin Luther (die Bibel)
10. Adam und Eva (Apfel)

C. **Gruß aus München**: ***haben* oder *sein*?** Ergänzen Sie die folgende Postkarte, indem Sie ganze Sätze schreiben.

Liebe Michaela,

in München gut angekommen und ein preiswertes Zimmer gefunden. Gestern Freunde getroffen und zum Oktoberfest gegangen. Lange dort geblieben, und alles sehr lustig gewesen. Sogar auf den Tischen getanzt. Dann etwas Schreckliches *(terrible)* passiert. Beim Zahlen meine Brieftasche nicht gefunden. Vielleicht jemand sie gestohlen, oder aus meiner Tasche gefallen. Mich sehr geärgert. Freunde für mich bezahlt. Polizisten begegnet und den Verlust gemeldet *(reported)*. Beim Nachhausegehen mich auch noch verlaufen *(got lost)*.

Beispiel: **Ich bin** in München gut angekommen und **habe** . . . usw.

D. **Schlagzeilen** *(headlines)* **aus Boulevardzeitungen** *(tabloids)*: ***haben* oder *sein*?** Erklären Sie, was passiert ist.

Beispiel: Tauber Professor spricht mit Marsmenschen!
Ein tauber Professor ***hat*** *mit Marsmenschen* ***gesprochen.***

1. Sechsjähriges Mädchen wird Mutter von Zwillingen!
2. Blinde Holländer besteigen Deutschlands höchsten Berg!
3. Junge mit zwei Nasen bekommt neues Gesicht!
4. Zwei Jumbos kollidieren vor dem Start; alle Passagiere überleben!
5. Hund läuft Marathonlauf; läuft sich zu Tode!
6. Ärzte verpflanzen Affenhirn in Politiker; Intelligenzquotient steigt um 50 Punkte!
7. Junges Paar tanzt von Regensburg nach Erfurt!

Suchen Sie noch ein paar solche unglaublichen Schlagzeilen aus Boulevardzeitungen in Ihrem Lande. Übersetzen Sie die Schlagzeilen ins Deutsche. Lesen Sie sie im Kurs vor. Andere Studenten erzählen, was passiert ist.

E. **Keine Post.** Drücken Sie die Sätze auf deutsch aus.

1. Yesterday Hans was waiting all day **(den ganzen Tag)** for **(auf)** a letter from his girlfriend.
2. The mailman **(Briefträger)** didn't bring him anything.
3. Today he has been waiting for hours, but no mail has come.

4. This bothers **(stört)** him, since she promised to write.
5. He thinks that perhaps she forgot to send the letter.

F. **Übung zu zweit: starke Verben.** Schreiben Sie zehn starke Verbinfinitive auf (siehe Appendix 3) und tauschen Sie *(exchange)* Ihre Liste mit jemandem aus. Machen Sie mit den Verben der anderen Person wahre schriftliche oder mündliche Aussagen im Perfekt. Beginnen Sie einige Aussagen mit den angegebenen Redemitteln.

Beispiel: verschwinden
Ich hoffe, daß meine Brille nicht verschwunden ist.

REDEMITTEL

Ich glaube, daß . . .
Weißt du, daß . . .
Ich habe gehört, daß . . .
Heutzutage weiß man, daß . . .
Ich hoffe, daß . . .

Sie können diese Aufgabe öfter wiederholen, jedesmal mit einer anderen Person und mit anderen Verben.

ANWENDUNG

A. **Vom Aufstehen bis zum Schlafengehen.** Erzählen Sie jemandem von ihrem gestrigen Tag. Machen Sie möglichst detaillierte Aussagen für jede Stunde, die sie gestern wach waren.

B. **Aus meinem Leben.** Berichten Sie in einer Gruppe kurz über ein paar wichtige Daten, Ereignisse *(events)* oder bisherige Leistungen aus Ihrem Leben. Haben Sie vielleicht einmal etwas Ungewöhnliches getan? Erzählen Sie!

REDEMITTEL

Weißt du, was ich einmal getan habe?
Ich glaube, ich habe dir nie erzählt, daß . . .
Vor einigen Jahren ist mir etwas Unglaubliches passiert.
Zu den wichtigsten Ereignissen meines Lebens gehört . . .
Es hat sich nämlich so ereignet *(happened)*:

C. **Ein berühmter Mensch.** Informieren Sie sich über einen berühmten Menschen. Schreiben Sie dann kurze Notizen, aber keine ganzen Sätze. (Wenn man Notizen macht, soll das Verb immer am Ende stehen). Berichten Sie mit Hilfe Ihrer Notizen in ganzen Sätzen. Sagen Sie noch nicht, wer es war. Ihre Zuhörer sollen zuerst raten.

Beispiel:
1856 in Mähren geboren
Jude gewesen
in Wien gelebt und dort Medizin studiert
1885–1886 in Paris studiert und gearbeitet
Psychiater geworden
die Psychoanalyse mitbegründet *(co-founded)*
viele Werke zur Psychoanalyse verfaßt *(composed)*
1938 nach England geflohen
1939 in England gestorben

Wer war es? (Sigmund Freud)

D. **Wie es dazu gekommen ist.** Erklären Sie, wie es dazu gekommen ist, daß etwas heute so ist, wie es ist.

THEMENVORSCHLÄGE

1. warum Sie hier studieren und nicht woanders
2. warum jemand jetzt so böse auf Sie ist
3. warum ein Ort (z.B. Istanbul) oder ein Produkt (z.B. Levis) so heißt
4. wie man etwas gewonnen oder verloren hat
5. die Geschichte eines Wortes oder eines Ausdrucks

REDEMITTEL

Viele Leute meinen, daß . . .
Es ist aber eigentlich so gekommen:
Anfangs ist man . . . [gegangen].
Später hat man . . . [getan].
Zum Schluß *(finally)* hat (es) sich dann aber herausgestellt *(turned out)*, daß . . .

SCHRIFTLICHE THEMEN

TIPS ZUM SCHREIBEN *Using the present perfect tense*

The present perfect tense is primarily for conversational or informal writing. You can intersperse it with the simple past tense (see 6.1) in order to avoid repeated use of **haben** and **sein** or when the context is clearly one of narration (see the use of **kam** in the second writing example). When explaining *why* or *in which sequence* something happened, link your ideas logically with conjunctions (**als**, **denn**, **da**, **weil**, etc.; see 25.3) or adverbial conjunctions (see **Wortschatz** 23).

A. **Ein Brief.** Schreiben Sie jemandem (der Deutsch versteht) einen kurzen Brief, in dem Sie erzählen, was Sie in den letzten Tagen getan oder erlebt haben. (Zum Schreiben deutscher Briefe siehe Appendix 2, *Letter-Writing.*)

Beispiel:

Liebe Eltern!

Vielen Dank für Euren[3] lieben Brief und das kleine Paket. In den letzten zwei Wochen war ich sehr beschäftigt *(busy),* denn ich hatte Prüfungen in drei Kursen. Ich habe sie aber alle mit *sehr gut* bestanden. Am letzten Wochenende haben mich ein paar Freunde von zu Hause besucht, und mit ihnen bin ich abends essengegangen. Als wir im Restaurant saßen, . . . usw.

B. **Zur Erklärung.** Sie haben sich etwas von jemandem ausgeliehen *(borrowed)* (ein Auto, eine Videospieldiskette, ein Stück Kleidung usw.). Jetzt bringen Sie es ihm / ihr beschädigt *(damaged)* zurück. Da jetzt niemand zu Hause ist, hinterlassen Sie eine schriftliche Erklärung.

Beispiel:

Es tut mir leid wegen der kaputten Autotür. Ich bin mit Deinem[3] Auto in die Stadt gefahren, weil ich . . . In der Fifth Avenue habe ich an einer Verkehrsampel gewartet, und gerade in dem Augenblick kam . . . usw.

Wortschatz

STRONG VERB AND WEAK VERB PAIRS

German has a number of transitive weak verbs that evolved originally from strong verbs.[4] In each instance, the strong verb describes the basic activity and is usually intransitive (has no direct object). The weak verb expresses the idea of making this activity happen, takes the auxiliary **haben**, and can have a direct object.

1. **fahren, fuhr, ist / hat gefahren** to go, travel; to drive
   führen, führte, hat geführt (= fahren machen) to lead, to (make) walk, to show the way

---

[3] All forms of the personal pronouns **du** and **ihr** are capitalized in letters and notes (see Appendix 2).

[4] Most of these weak-verb infinitives developed from an umlauted form of the second principal part of the strong verb:
legen, lag ⟶ legen (lägen)
fahren, fuhr ⟶ führen.

Sie **sind** gestern nach Gera **gefahren.**	*They traveled to Gera yesterday.*
Gabi **hat** (den Wagen) **gefahren.**	*Gabi drove.*
Diese Straße **führt** nach Garmisch.	*This road leads (goes) to Garmisch.*
Sie **führt** den Hund an der Leine.	*She walks the dog on a leash.*

2. **fallen, fiel, ist gefallen** to fall
fällen, fällte, hat gefällt (= fallen machen) to fell

Es **ist** in letzter Zeit viel Regen **gefallen**.	*Lots of rain has fallen lately.*
Paul **hat** viele Bäume **gefällt**.	*Paul has felled many trees.*

3. **hängen, hing, hat gehangen**[5] to hang, be hanging
hängen, hängte, hat gehängt (= hängen machen) to hang (up)

Das Bild **hing** an *der* Wand.	*The picture was hanging on the wall.*
Der Maler **hängte** Bilder an *die* Wand.	*The painter hung pictures on the wall.*

4. **liegen, lag, hat gelegen**[5] to lie, be situated
legen, legte, hat gelegt (= liegen machen) to lay, put in a lying position

Sie **lag** in *der* Sonne.	*She lay in the sun.*
Sie **legte** ihr Buch auf *eine* Zeitung.	*She laid her book on a newspaper.*

5. **sinken, sank, ist gesunken** to sink
senken, senkte, hat gesenkt (= sinken machen) to lower

Die Sonne **sinkt** hinter den Horizont.	*The sun is sinking behind the horizon.*
Der Fischer **senkte** seinen Angelhacken ins Wasser.	*The fisherman lowered his fish hook into the water.*

6. **sitzen, saß, hat gesessen**[5] to sit, be sitting
setzten, setzte, hat gesetzt (= sitzen machen) to set, put in a sitting position

Er **hat** in *diesem* Sessel **gesessen.**	*He sat in this easy chair.*
Sie **hat** den Topf auf *den* Herd **gesetzt.**	*She set the pot on the stove.*

---

[5] The strong verbs **hängen, liegen,** and **sitzen** describe stationary action **(Wo?)** and require the dative case after two-way prepositions, whereas their weak-verb counterparts **hängen, legen,** and **setzen** describe directional action **(Wohin?)** and require the accusative case after two-way prepositions (see 16.4).

7. **springen, sprang, ist gesprungen** to jump, leap
sprengen, sprengte, hat gesprengt (= **springen machen**) to blow up; to break open

Der Hund **sprang** über die Mauer.	*The dog jumped over the wall.*
Die Truppen **sprengten** die Mauer.	*The troops blew up the wall.*

Other such pairs include:

erlöschen, erlosch, ist erloschen	to be extinguished, die out
löschen, löschte, hat gelöscht (= **erlöschen machen)**	to extinguish, put out
erschrecken, erschrak, ist erschrocken	to be frightened
erschrecken, erschreckte, hat erschreckt (= erschrecken machen)	to frighten
ertrinken, ertrank, ist ertrunken	to drown, die by drowning
ertränken ertränkte, hat ertränkt (= ertrinken machen)	to drown, kill by drowning
verschwinden, verschwand, ist verschwunden	to disappear
verschwenden, verschwendete, hat verschwendet (= verschwinden machen)	to squander
winden, wand, gewunden	to wind
wenden, wendete, gewendet (= winden machen)	to turn

A. **Welches Verb paßt?** Ergänzen Sie die Sätze durch die richtigen Verbformen.

Beispiel: Wann ____ sie nach Hause ____ ? (fahren / führen)
*Wann **sind** sie nach Hause **gefahren**?*

1. Wann ____ du sein Auto ____ . (fahren / führen)
2. Ich ____ eine Stunde hier ____ . (sitzen / setzen)
3. Wohin ____ du die Schlüssel ____ ? (liegen / legen)
4. Langsam ____ er den Kopf. (sinken / senken)
5. König Ludwig II ____ im Starnberger See ____ . (ertrinken / ertränken)
6. Ihr ganzes Geld ____ sie ____ . (verschwinden / verschwenden)
7. Sein Geld ____ auch ____ . (verschwinden / verschwenden)

B. **Satzpaare.** Bilden Sie Satzpaare mit fünf der obigen Verben.

Beispiel: Die Preise **sinken**. Die Geschäfte **senken** jetzt ihre Preise.

CHAPTER 6

Simple Past Tense / Past Perfect Tense

6.1 Simple Past Tense

A. Formation

1. The simple past tense **(das Präteritum)** is the second principal part of the verb (see 5.1). The simple past tense of *weak verbs* is formed by adding a **-t** plus a set of personal endings to the infinitive stem.

   If the infinitive stem ends in **-d**, **-t**, or in a single **-m** or **-n** preceded by a consonant other than **l** or **r**, then an **e** is added before the **-t** to facilitate pronunciation.

	-en *Verb*	*Verb with* **-d, -t, -m, -n** *stem ending*	**-ieren** *Verb*
	lernen	**arbeiten**	**studieren**
ich	lernt**e**	arbeitet**e**	studiert**e**
du	lernt**est**	arbeitet**est**	studiert**est**
er / sie / es	lernt**e**	arbeitet**e**	studiert**e**
wir	lernt**en**	arbeitet**en**	studiert**en**
ihr	lernt**et**	arbeitet**et**	studiert**et**
sie / Sie	lernt**en**	arbeitet**en**	studiert**en**

6

2. *Irregular weak verbs* (see also 5.1) form the simple past tense like the weak verbs, but they also change the stem vowel. The verbs **bringen** and **denken** have consonant changes as well. (The modal verbs are irregular; their tense formation is discussed in Chapter 8.)

	wissen			
ich	wußt**e**	*also:*	**brennen**	**brannte**
du	wußt**est**		**bringen**	**brachte**
er / sie / es	wußt**e**		**denken**	**dachte**
			kennen	**kannte**
wir	wußt**en**		**nennen**	**nannte**
ihr	wußt**et**		**rennen**	**rannte**
sie / Sie	wußt**en**		**senden**	**sandte / sendete**[1]
			wenden	**wandte / wendete**[1]

3. *Strong verbs* (see also 5.1) form the past-tense stem by changing the vowel of the infinitive stem; they *do not* add a **-t** to this stem, as do the weak verbs. Occasionally, there is a consonant change as well. The past-tense endings are also somewhat different from those of weak verbs, since there are no endings in the 1st and 3rd persons singular.

	gehen	**sitzen**
ich	ging	saß
du	ging**st**	saß**est**[2]
er / sie / es	ging	saß
wir	ging**en**	saß**en**
ihr	ging**t**	saß**t**
sie / Sie	ging**en**	saß**en**

For a listing of strong verbs, see Appendix 3.

4. The auxiliaries **sein** and **werden** are strong verbs; **haben** is a weak verb, but slightly irregular.

	haben	**sein**	**werden**
ich	**hatte**	**war**	**wurde**
du	**hattest**	**warst**	**wurdest**
er / sie / es	**hatte**	**war**	**wurde**
wir	**hatten**	**waren**	**wurden**
ihr	**hattet**	**wart**	**wurdet**
sie / Sie	**hatten**	**waren**	**wurden**

---

[1] For the use of these verb forms, see 5.1, footnote 1.

[2] Past-tense stems ending in **-s**, **-ss**, and **-ß** require an **e** before the **-st** in the 2nd person singular. This **e** often occurs with many other strong verbs as well, particularly in poetry: **du fand(e)st**; **du hielt(e)st**; **du schnitt(e)st**; *but:* **du kamst**; **du lagst**; **du warst**.

5. In the past tense, all verbs with separable prefixes function as they do in the present tense (see 2.4); the prefix goes to the end of a main clause, but reconnects to the verb in subordinate clauses.

Gregor **schlief** oft während der Vorlesung **ein**.	*Gregor often fell asleep during the lecture.*
Alle wußten, daß er oft während der Vorlesung **einschlief**.	*Everyone knew that he often fell asleep during the lecture.*

B. Use

1. The German simple past tense is sometimes called the *narrative past;* it has several English equivalents.

ich fragte {
I asked
I was asking
I did ask
I used to ask
I would ask (used to ask)

2. The German simple past tense and present perfect tense (see 5.2) usually have the same meaning. The present perfect tense, however, is normally used in conversation, whereas the past tense has a narrative flavor. The simple past is the preferred tense in stories, anecdotes, biographies, and historical accounts. It is also used in both written and spoken German to recount a series of connected past events — a practice that avoids the repeated use of the auxiliaries **haben** and **sein**.

Ich **kam**, **sah** und **siegte**.	*I came, saw, and conquered.*
Wir **fuhren** in die Stadt, **kauften** fürs Wochenende **ein**, **aßen** im Gasthof und **gingen** danach ins Kino.	*We drove to town, shopped for the weekend, ate in an inn, and went to the movies afterward.*

3. The past tense of **haben**, **sein**, and the modal verbs (see 8.2) is preferred over the present perfect tense, even in conversation (see 5.2).

Er **war** gestern hier, aber ich **konnte** ihm nicht helfen, denn ich **hatte** keine Zeit.	*He was here yesterday, but I could not help him, for I didn't have any time.*

4. In actual practice, spoken German is usually a mixture of the two tenses — past and present perfect — dictated by a sense of rhythm and style.

Am Sonntag **sind** wir aufs Land **gefahren**. In Pöllauberg **fanden** wir ein nettes Restaurant, von wo aus man fast die ganze Oststeiermark **sehen konnte**, da gutes Wetter **herrschte** *(prevailed)*. Nachher **besichtigten** wir die Kapelle im Ort, und dann **sind** wir ein paar Stunden **gewandert**. Früh am Abend **waren** wir schon wieder in Wien. Die paar Stunden in der frischen Luft **haben** mir gut **getan**.

6.2 Past Perfect Tense

A. *Formation*

The *past perfect* tense **(das Plusquamperfekt)** is a compound tense; it is formed with a past participle + the *past tense* of either **haben** or **sein** as an auxiliary verb. The choice of **haben** or **sein** follows the same rules as in the present perfect (see 5.2). The participle is placed at the end of the clause.

	hatte + ***Past Participle***	**war** + ***Past Participle***
ich	**hatte**	**war**
du	**hattest**	**warst**
er / sie / es	**hatte** + **gelesen**	**war** + **gelaufen**
wir	**hatten**	**waren**
ihr	**hattet**	**wart**
sie / Sie	**hatten**	**waren**

B. *Use*

1. The German past perfect tense corresponds to the English past perfect; it expresses that an action had taken place *prior* to some other past-time event. The past perfect tense does not occur by itself; there is always some other past-time context, whether expressed or implied.

Als es zu regnen anfing, **hatte** Rolf gerade die Blumen **gegossen**.	*When it began to rain, Rolf* ***had*** *just* ***watered*** *the flowers.*
Silke **kam** ziemlich spät nach Hause. Sie **war** im Konzert **gewesen**.	*Silke came home rather late. She* ***had been*** *at a concert.*

2. The past perfect tense is *not* used when describing a sequence of events, even though some actions occurred prior to others.

Wir **fuhren** ins Stadtzentrum, **aßen** und **gingen** dann ins Kino.	*We drove to town, ate, and then went to the movies.*

3. The past perfect is very common, however, in dependent clauses introduced by **nachdem**.

Nachdem wir **gegessen hatten**, gingen wir ins Kino.	*After we had eaten, we went to the movies.*

ÜBUNGEN

A. **Zu seiner / ihrer Zeit.** Vater / Mutter erzählt von seiner / ihrer Jugend. Damals machte man alles natürlich besser. Was sagt er / sie?

Beispiel: meine Mutter / uns jeden Morgen das Frühstück machen
Meine Mutter **machte** *uns jeden Morgen das Frühstück.*

1. Junge Leute / nicht soviel rauchen
2. wir / mehr im Freien spielen
3. Studenten / nicht immer gegen alles demonstrieren
4. ich / mehr in der Schule aufpassen
5. Schüler / mehr Hausaufgaben machen
6. Teenager / nicht denken / daß / mehr wissen als die Eltern
7. wir / öfter Museen und Theater besuchen
8. Leute / fleißiger arbeiten
9. Kinder / ihren Eltern besser zuhören

Was werden Sie Ihren Kindern (falls Sie später welche haben) von Ihrer Jugend erzählen? Machen Sie bitte fünf Aussagen.

Beispiel: Als ich ein Kind war, war alles nicht so teuer wie heute.

B. **Amadeus.** Ergänzen Sie die Sätze durch die folgenden Verben im Präteritum.

arbeiten	hören	machen	spielen
bringen	kennenlernen	reisen	sterben
geben	kommen	schreiben	werden
heiraten	komponieren	sein	ziehen *(to move)*

1. Mozart ____ 1756 in der Stadt Salzburg zur Welt. 2. Schon mit drei Jahren ____ er Klavier. 3. Wenig später ____ Wolfgang sein erstes Musikstück. 4. Sein musikalisches Talent ____ ihn berühmt. 5. Als Wunderkind ____ er mit seiner Schwester durch Europa. 6. In vielen aristokratischen Häusern ____ man ihn spielen. 7. Im Jahre 1780 ____ er nach Wien. 8. Dort ____ er als Musiklehrer und ____ private Konzerte. 9. Er ____ Konstanze Weber im Jahre 1782. 10. Bald danach ____ er Haydn ____ , und sie ____ gute Freunde. 11. Zwischen 1782 und 1791 ____ er Opern, Singspiele und Sinfonien. 12. Diese Werke ____ ihm Ruhm *(fame)*. 13. Als er 1791 ____ , ____ er erst 35 Jahre alt.

C. **Unser Jahrhundert.** Ergänzen Sie die Sätze mit jeweils zwei bis drei Aussagen.

Beispiel: In den 50er Jahren . . .
sahen die Autos ganz komisch aus.
hörte man gern Rock und Roll.
wußte man noch nichts von Vietnam.

1. In den tollen 20er Jahren dieses Jahrhunderts . . .

2. Während des Zweiten Weltkriegs . . .
3. In den 50er Jahren . . .
4. In den 60er Jahren . . .
5. Während der 80er Jahre . . .

D. **Kurzer Lebenslauf.** Schreiben Sie diesen Lebenslauf im Präteritum.

Ich heiße Karl Mohr. Ich bin 1958 in Trier geboren. Dort bin ich aufgewachsen und in die Schule gegangen. In Göttingen und in München habe ich Philosophie und Volkswirtschaft *(economics)* studiert. Mein Studium habe ich 1986 mit einem Diplom in Volkswirtschaft beendet. Im Juni 1988 habe ich eine Amerikanerin geheiratet und bin mit ihr in die Vereinigten Staaten gegangen. Zuerst habe ich als Wirtschaftsplaner bei der Firma Texas Instruments gearbeitet. 1989 sind wir nach White Plains im Staate New York gezogen, wo ich eine Stelle bei der Firma IBM bekommen habe.

Karl Mohr wurde (ist) 1958 in Trier geboren.[3] Dort . . .

E. **Ein Brand in der Brauerei.** Übersetzen Sie die Sätze ins Deutsche.

1. My uncle used to work in a brewery in Germany.
2. Every day he would go to work at seven o'clock and came home at three.
3. One day **(eines Tages)** a fire broke out.
4. Soon the entire brewery was burning.
5. By **(bis)** evening the brewery had burned down **(abbrennen)**.
6. After that, my uncle didn't have a job in the brewery anymore.
7. He always used to say that he had been "fired" **(„gefeuert" worden war)** from his job.

F. **Plusquamperfekt: Und wie war es damals?** Setzen Sie die Sätze in die Vergangenheit.

Beispiel: Barbara sucht einen Ehemann, der schon Karriere gemacht hat.
Barbara ***suchte*** *einen Ehemann, der schon Karriere* ***gemacht hatte****.*

1. Jemand hebt *(raises)* seine Hand, der noch nicht viel gesagt hat.
2. Herr Ulmer sitzt im Gasthaus. Er ist den ganzen Tag Ski gefahren.
3. Herr und Frau Meyer können ins Konzert gehen, weil sie Karten bekommen haben.
4. Nachdem du eingekauft hast, fährst du wohl mit der Bahn nach Hause.
5. Herr Schmied liegt tot in seinem blauen Mercedes. Jemand hat ihn erschossen.

[3] Either **ist geboren** or **wurde geboren** can be used to tell when someone was born, if the person is still alive. The passive **wurde geboren** must be used if the person is dead.

G. **Von Märchen, Sagen und Heldentaten.** Was war schon vorher geschehen? Ergänzen Sie die Sätze.

Beispiel: Dornröschen schlief ein, nachdem . . . (Finger stechen)
Dornröschen schlief ein, nachdem sie sich in den Finger gestochen hatte.

1. Als Rotkäppchen das Haus der Großmutter erreichte, . . . (der Wolf / Großmutter fressen)
2. Die Nibelungen machten Siegfried zu ihrem König, weil . . . (er / den Drachen Fafnir erschlagen)
3. Dornröschen wachte erst dann auf, nachdem . . . (hundert Jahre verfließen)
4. Die böse Hexe *(witch)* verbrannte, nachdem . . . (Gretel / sie in den Backofen stoßen)
5. Der Rattenfänger bekam die tausend Taler nicht, die *(which)* . . . (der Stadtrat *[city council]* von Hameln / ihm versprechen)

TIP ZUM MÜNDLICHEN ERZÄHLEN

Telling stories has become a lost art, but it still provides excellent language practice. Prepare for oral narratives by making only the most necessary chronological notes in telegram style, with verb infinitives last. The following oral topics can also be written as compositions.

A. **Aus meinem Leben.** Erzählen Sie anderen Leuten von einem besonderen Ereignis aus Ihrem Leben oder aus dem Leben eines anderen Menschen, den Sie kennen.

THEMENVORSCHLÄGE

1. Eine unvergeßliche Begegnung *(encounter)*
2. Das Schlimmste, was mir je passierte
3. Eine große Dummheit von mir
4. Ein unglaubliches Erlebnis *(experience)*
5. Der schönste Tag in meinem Leben
6. Eine große Überraschung *(surprise)*

REDEMITTEL

Einmal / einst war(en) . . .
Früher [wohnte] ich . . .
Eines Tages / eines Morgens / eines Abends / eines Nachts . . .
Schon vorher waren wir . . . [gegangen].
Ich hatte auch vorher. . . [getan].
Und plötzlich . . .
Na ja, wie gesagt, ich . . .

Später. . .
Zu meinem Entsetzen *(fright)* / zu meiner Überraschung . . .
Kurz danach . . .
Zum Schluß . . .

B. **Es war einmal.** Erzählen Sie im Kurs ein bekanntes Märchen oder eine von Ihnen erfundene Geschichte.

C. **Münchhausen erzählt.** Der „Lügenbaron" von Münchhausen (1720–1797) war deutscher Offizier, kam viel in der Welt herum und erzählte gern und oft von seinen unglaublichen und erlogenen Abenteuern *(adventures).* (Er erzählte sogar von seiner Reise zum Mond!) Erzählen Sie ein solches Abenteuer, in dem *Sie* die Hauptrolle eines Helden oder einer Heldin spielen. Je phantastischer, desto besser!

SCHRIFTLICHE THEMEN

TIPS ZUM SCHREIBEN *Choosing precise verbs*

Verbs are the key! Avoid general verbs such as **haben**, **sein**, and **machen** in favor of verbs that precisely convey the actions or events you are describing. For example, **gehen** denotes activity but does not describe it. Consider how many different ways there are to *go* in English: walk, run, stumble, hobble, limp, race, etc. (See **Wortschatz**, p. 62.) Once you have a precise English verb, look up its German equivalent. Then cross-check this verb as a German entry, to see whether it really means what you think it does. Have in mind a person (not necessarily your instructor) for whom you are writing, and continually ask yourself how you can make your narrative more interesting to this reader.

A. **Eine Bildgeschichte.** Erzählen Sie die Bildgeschichte auf Seite 61 im Präteritum. Benutzen Sie die Erzählskizze dabei.

Der Verdacht

bei Nacht • tragen • das Paket • die Brücke • ins Wasser werfen • Polizist sehen • glauben • stehlen • verhaften *(arrest)* • andere Polizisten • kommen • festhalten • telefonieren • das Baggerschiff • herausfischen • heraufholen • aufschneiden • eine Bowle • kitschig aussehen • erzählen • schenken • um Entschuldigung bitten • wieder ins Wasser werfen

FRÖHLICHE WEIHNACHTEN

B. **Lebenslauf.** Schreiben Sie einen Lebenslauf von *sich* oder von einem bekannten *(well-known)* Menschen. Der Lebenslauf muß nicht lang sein, aber er soll die wichtigsten Informationen enthalten.

Beispiel:

Helga Schütz wurde 1937 im schlesischen Falkenhain geboren und wuchs dann in Dresden auf. Nach einer Gärtnerlehre machte sie an der Potsdamer Arbeiter-und-Bauern-Fakultät ihr Abitur und studierte Dramaturgie an der Deutschen Hochschule für Filmkunst in Potsdam-Babelsberg. Für die Defa[4] schrieb sie Dokumentar- und Spielfilme — zum Beispiel „Die Leiden des jungen Werthers".

1970 erschien ihr erster Prosaband: „Vorgeschichten oder Schöne Gegend Probstein", eine Chronik von kleinen Leuten in der niederschlesischen Provinz. Im Westen erschienen im Luchterhand-Verlag ihre Erzählung „Festbeleuchtung" und die Romane „In Annas Namen" und „Julia oder Erziehung zum Chorgesang".

Helga Schütz wurde mit dem Heinrich-Greif-Preis, dem Heinrich-Mann-Preis und dem Theodor-Fontane-Preis ausgezeichnet. Dieses Jahr amtiert *(holds the position)* sie als „Stadtschreiberin" in Mainz. *(Die Zeit)*

Wortschatz

VERBS OF MOTION

The following strong verbs express various basic types of *going;* they require the auxiliary **sein**. **Fahren** and **fliegen** take the auxiliary **haben** when used with direct objects (see 5.2).

gehen to go
fahren to go *(by vehicle)*; to drive
fallen to fall
fliegen to fly
kommen to come
laufen to run
schwimmen to swim
steigen to climb

A number of additional verbs prove very useful for telling precisely *how* a person or thing moves. Because they describe motion, these verbs also require the auxiliary **sein**. Strong verbs are marked with an asterisk.

eilen to hurry, hasten
humpeln to hobble, limp
schlendern to saunter, stroll
schreiten* to stride

[4] **Defa: Deutsche Film-Aktiengesellschaft.** The official film company of the former German Democratic Republic.

klettern to climb *(a steep surface),* scramble
kriechen* to creep, crawl
rennen to run, race, dash
rutschen to slip, slide
sausen to rush, whiz
schleichen* to creep, slink, sneak
springen* to jump, leap, bound
stolpern to stumble
stürzen to fall; to plunge, rush
treiben* to drift, float
treten* to step, walk
waten to wade
watscheln to waddle

Die Kinder **rutschten** auf dem Eis hin und her. — *The children slid back and forth on the ice.*
Eine große Ente *(duck)* **watschelte** durch den Hof. — *A large duck waddled through the yard.*
Der Herr **trat** vor den Spiegel. — *The gentleman stepped in front of the mirror.*

A. **Genauer beschreiben.** Ersetzen Sie die kursivgedruckten Teile der Sätze durch Verben, welche die Art des Gehens genauer oder stärker zum Ausdruck bringen.

Beispiel: Autos **fuhren schnell** an uns vorbei.
*Autos **sausten** an uns vorbei.*

1. Ein Boot *ging* ruderlos den Strom hinunter.
2. In der Dunkelheit *lief* das Kind *über einen Stein* und *fiel zu Boden.*
3. Einige Wanderer *gingen bis zu den Knien im Wasser* durch den Bach *(stream).*
4. Reinhold *stieg* gern steile Felsen *(steep cliffs)* hinauf.
5. Drei Menschen in schwarzen Mänteln *kamen* aus dem Fahrstuhl *(elevator).*
6. Als sie von dem Unfall erfuhr *(found out), ging* die Ärztin *schnell* ins Krankenhaus.
7. Feierlich *(ceremoniously) ging* die Königin durch die Halle.

B. **Das passende Verb.** Bilden Sie Sätze mit den folgenden Subjekten und mit Verben, welche die Art des Gehens genau beschreiben.

Beispiel: ein Dieb
Ein Dieb schlich in das Haus.

1. Parkbesucher
2. einige Radfahrer in Eile
3. Autos auf dem Glatteis *(glare ice)*
4. die Preise *(prices)* während einer Depression
5. ein Hund mit verletztem *(injured)* Fuß
6. die Bewohner eines brennenden Hauses

THE VERB **MACHEN**

The verb **machen** has three main meanings.

1. **machen** to do *(synonymous with* **tun***)*

Was **machen / tun** Sie jetzt?	*What are you doing now?*
—Ich **mache / tue** nichts	*I am doing nothing.*

2. **etwas machen** to make, build, construct

Die Arbeiter **machten** ein Feuer.	*The workers made a fire.*

3. **jemanden / etwas** + *adjective* + **machen** to make, cause to be

Das **macht** ihn traurig, aber nicht böse.	*That makes him sad, but not angry.*

Machen occurs with a considerable number of noun complements. Some common examples include:

einen Ausflug machen to *go on* an outing
eine Reise machen to *take* a trip
einen Spaziergang machen to *take* a walk
eine Wanderung machen to *go* hiking
eine Ausnahme machen to make an exception
eine Aussage machen to make a statement
einen Fehler machen to make a mistake
Fortschritte machen to make progress
jemandem *(dative)* **(große) Freude machen** to make someone (very) happy
(einen) Lärm machen to make noise
Musik machen to make music
eine Pause machen to *take* a break
jemandem *(dative)* **Platz machen** to make room for someone
ein Photo machen to *take* a photograph
einen Schritt machen to *take* a step
Schulden machen to *incur* debts
jemandem *(dative)* **Sorgen machen** to *worry* someone
Unsinn machen to *do* something stupid
einen Unterschied machen to make a difference
ein Vermögen machen to make a fortune
einen Versuch machen to make an attempt

All of these expressions are negated with **kein-**.

Wir können **keine** Ausnahme machen.	*We cannot make an exception.*
Machen Sie **keinen** Unsinn!	*Don't do something foolish!*

A. **Anders ausdrücken.** Drücken Sie die Sätze mit dem Verb **machen** anders aus.

1. Wir kamen mit der Arbeit schnell vorwärts.
2. Eurer Besuch hat uns sehr gefreut.
3. Darf ich dich photographieren?
4. Alle Besucher mußten Eintrittskarten kaufen, aber Peter ließ eine Frau ohne Karte ein.
5. Sie hat ein fehlerfreies Examen geschrieben.
6. Er gab überall Geld aus, das er nicht hatte.
7. Die Kinder waren sehr laut.
8. Sie sprach vor Gericht *(court)* gegen den Angeklagten *(defendant).*
9. Im Laufe der Jahre wurde sie sehr reich.
10. Sie tut, was sie kann, um die Familie zusammenzuhalten.

B. **Was machen Sie?** Verwenden Sie Ausdrücke mit **machen** in Ihren Antworten.

Beispiel: Was machen Sie gern?
Ich mache gern Wanderungen.

1. Was machen Sie besonders gern?
2. Was machen Sie nicht besonders gern?
3. Was machen Sie oft?
4. Was machen Sie selten?

CHAPTER 7

Future Tense / Future Perfect Tense

7.1 Future Tense

A. *Formation*

1. The future tense **(das Futur)** is formed with the conjugated present tense of the auxiliary **werden** *(will)* + a main verb infinitive.

	werden	+ *Main Verb Infinitive*		
ich	**werde**	+ **gehen**	*I*	*will go*
du	**wirst**		*you*	
er / sie / es	**wird**		*he / she / it*	
wir	**werden**		*we*	
ihr	**werdet**		*you*	
sie / Sie	**werden**		*they / you*	

2. In the future tense the main verb infinitive is at the end of the sentence or clause.

Sie **wird** uns hoffentlich bald **einladen**. — *She will hopefully invite us soon.*

In dependent clauses, however, the conjugated auxiliary **werden** moves to final position.

Ich hoffe, daß sie uns bald **einladen wird**.	*I hope that she will invite us soon.*

B. Use

1. The future tense is used with or without time expressions to indicate that something *will* or *is going to* happen.

Wir **werden** eine bessere Wohnung **suchen**.	*We will look for a better apartment.*
Weißt du, ob Barbara auch nächstes Jahr hier **studieren wird**?	*Do you know whether Barbara is also going to study here next year?*

2. The present tense is often used in place of the future tense when an adverb of time (**bald**, **morgen**, **nächste Woche**, **im kommenden Jahr**, etc.) or the context indicates future time.

Das Semester **beginnt** *nächsten Montag*.	*The semester begins next Monday.*

3. The German future tense is also used with the particles **wohl** or **schon** to express *present probability*.

Das **wird** *schon* richtig **sein**.	*That's probably right.*
Die Polizei **wird** *wohl* etwas von dem Unfall **wissen**.	*The police probably know something about the accident.*

7

Future Perfect Tense

A. Formation

The future perfect tense **(das zweite Futur)** is formed by adding the conjugated auxiliary **werden** to a present perfect statement, thereby moving the present perfect auxiliary **haben** or **sein** to final position as an infinitive.

Present Perfect	*Future Perfect*
Sie **hat** die Arbeit **getan**. *She did the work.*	Sie **wird** die Arbeit **getan haben**. *She will have done the work.*
Sie **sind** nach Hause **gegangen**. *They have gone home.*	Sie **werden** nach Hause **gegangen sein**. *They will have gone home.*

B. *Use*

1. The future perfect is normally used with the particles **wohl** or **schon** to express past probability, the idea that something has probably already happened.

Inge **wird** ihr Auto wohl schon **verkauft haben**.	*Inge has probably already sold her car.*
Der Baum **wird** wohl während eines Sturms **umgestürzt sein**.	*The tree probably fell over during a storm.*

2. The future perfect may also express the idea that something *will have happened* by a certain time in the future. It is not used very often in this meaning.

Bis heute abend **wird** er unser Auto **repariert haben**.	*By this evening he will have repaired our car.*
Sie **werden** vor unserer Ankunft nach Bremen **abgeflogen sein**.	*They will have departed by plane for Bremen before our arrival.*

ÜBUNGEN

A. **Lottogewinner!** In einem Fernsehinterview erzählen Herr und Frau Lindemann, was sie mit ihrem Lottogewinn machen werden. Sie sprechen im Präsens. Erzählen Sie *im Futur* von den Plänen der Familie Lindemann.

Herr und Frau Lindemann	Mit unserem Lottogewinn von DM 500.000 machen wir erst mal eine Reise nach Amerika. Unsere Tochter reist mit. In Boston mieten wir uns einen Wagen und fahren durch Amerika nach San Francisco, und im Herbst eröffnen wir dann in Wuppertal eine Herrenboutique. Wir hoffen, daß viele Leute bei uns einkaufen.

B. **Im Deutschkurs: Was wird wohl geschehen sein?** Erklären Sie, warum die Leute sich wohl so benehmen *(behave)*.

Beispiel: Georg hat heute morgen einen schweren Kopf.
*Er **wird wohl** gestern abend zuviel **gelernt haben**.*

1. Martina ist ganz böse auf den Lehrer.
2. Gabi ist heute untröstlich *(inconsolable)*. Sie weint leise während des Unterrichts.
3. Stefan döst *(dozes)* in der letzten Reihe *(row)*, während der Lehrer spricht.
4. Ulrich sitzt ganz still auf seinem Platz. Er hat ein blaues Auge.
5. Jörg kommt immer zur Deutschstunde. Heute ist er aber nicht da.

C. **Zweites Futur: Bis dahin.** Was wird bis dahin schon geschehen sein?

Beispiel: Vor dem Ende dieses Jahres. . .

werde ich ein Auto **gekauft haben**.
wird Amerika einen neuen Präsidenten **gewählt haben**.
werden Freunde von mir nach Europa **gereist sein**.

1. Bis *(by)* zum nächsten Freitag . . .
2. Vor dem Ende des Semesters . . .
3. Bevor ich 30 werde, . . .
4. Vor dem Jahre 2000 . . .
5. Bis man AIDS besiegt haben wird, . . .

ANWENDUNG

A. **Was andere machen werden.** Fragen Sie jemanden im Kurs nach seinen / ihren Plänen und berichten Sie darüber.

THEMENVORSCHLÄGE

1. nächsten Sommer
2. nach dem Studium
3. im späteren Leben
4. wenn alles nach Plan geht

REDEMITTEL

Weißt du schon, was du tun wirst, wenn . . . ?
Hast du dir überlegt *(thought about)*, was . . . ?
Was hast du für . . . vor? (siehe **Wortschatz**, S. 70–71)
Wenn alles nach Plan geht, dann werde ich . . .
Vielleicht wird es mir gelingen *(succeed)*, . . . zu [tun].
Ich werde wohl . . .

B. **Prognosen für die Zukunft.** Diskutieren Sie mit anderen Studenten, wie die Welt Ihrer Meinung nach in 2, 5, 10, 20 oder 30 Jahren aussehen wird. Was wird wohl anders sein als heute? Was wird es (nicht mehr) geben?

THEMENVORSCHLÄGE

1. Umwelt
2. Politik
3. Technik
4. Europa
5. die ehemalige *(former)* Sowjetunion
6. Afrika
7. USA
8. Weltraum *(outer space)*

REDEMITTEL

Höchstwahrscheinlich werden wir (nicht) . . .
Ich denke, es wird wohl so sein: . . .
Es ist leicht möglich, daß . . .

Vielleicht werden die Menschen auch . . .
Es wird mich (nicht) überraschen, wenn . . .
Es kann sein, daß wir in (der) Zukunft . . .
Es wird wahrscheinlich (keine) . . . (mehr) geben.

SCHRIFTLICHE THEMEN

TIPS ZUM SCHREIBEN *Qualifying statements about the future*

There is a saying in English: "Man proposes, God disposes." (German: **Der Mensch denkt**, **Gott lenkt**.) In other words, things may not always turn out as planned. Thus when conjecturing about the future, or when telling of your own plans, you may want to qualify some of your statements with adverbial expressions such as **eventuell** *(possibly, perhaps),* **hoffentlich**, **unter Umständen** *(under certain circumstances),* **unter keinen Umständen** *(under no circumstances),* **vielleicht**, and **(höchst)wahrscheinlich** *([most] likely).* You can even stress the tentative nature of your future statements by beginning sentences with these qualifiers. Time expressions also work well in first position; they supply the reader with an immediate future context for what is to follow. Remember to use a mixture of present and future tense for the sake of stylistic variety and be sure to vary your verbs.

A. **Meine Zukunftspläne.** Erzählen Sie von Ihren Zukunftsplänen.

Beispiel: Ich bin jetzt im zweiten Studienjahr. In zwei Jahren werde ich mein Studium als *undergraduate* abschließen. Was danach kommt, weiß ich noch nicht ganz genau. Vielleicht werde ich weiterstudieren. Es kann aber sein, daß ich zuerst ein paar Jahre arbeite oder einen Beruf erlerne. Auf jeden Fall werde ich . . . usw.

B. **Die Zukunft.** Wie sehen Sie die Zukunft Ihres Landes? Schreiben Sie entweder aus positiver oder negativer Sicht.

Wortschatz

EXPRESSIONS FOR *TO INTEND* AND *TO BE ABOUT TO*

The following expressions convey the idea of *intent.* Although close in meaning, they are not always synonymous.

1. **wollen** to intend, want to do

Was machst du heute abend?	*What are you doing this evening?*
—Ich **will** ins Kino gehen.	*I intend to go to the movies.*

2. **vorhaben** to intend, have in mind, have planned

Wir **hatten** nichts Besonderes **vor**.	*We didn't have anything special in mind.*
Ich **habe** nicht **vor**, dieses Spiel zu verlieren.	*I do not intend to lose this game.*

3. **beabsichtigen** to intend, aim, mean (to do) *(very specific intention)*

Sie hat diese Situation nicht **beabsichtigt**.	*She did not intend this situation.*
Er hat nicht **beabsichtigt**, dich zu beleidigen.	*He did not aim to insult you.*

4. **es ist (meine) Absicht** it is (my) intent(ion)

Es **war** eigentlich nicht **seine Absicht**, so viele Gäste einzuladen.	*It was actually not his intent(ion) to invite so many guests.*

Note the difference:

Ich **habe** etwas **vorgehabt**.	*I was planning to do something (but nothing specific).*
Ich habe etwas **beabsichtigt**.	*I had a specific intent in mind.*

The following expressions indicate that someone *is about to do* something. They are virtually synonymous.

1. **gerade [tun] wollen**

Wir **wollten** gerade weggehen.	*We were just about to leave.*

2. **im Begriff sein [zu tun]**

Er war **im Begriff**, etwas zu sagen.	*He was (just) about to say something.*

3. **gerade dabeisein [zu tun]**

Sie **ist gerade dabei**, ihn anzurufen.	*She is (just) about to phone him.*

A. **Auf deutsch.** Drücken Sie die Sätze jeweils durch *zwei* verschiedene Ausdrücke auf deutsch aus.

Beispiel: What have you got planned for this evening?
Was hast du für heute abend vor?
Was willst du heute abend machen?

1. Do you really intend to write to the newspaper?
2. It is not our intention to confuse **(verwirren)** you.

3. What do you intend to do after graduation **(nach dem Studium)**?
4. They were just about to give up.

B. **Vorsätze** *(Resolutions / Intentions)*. Wollen Sie in der Zukunft gewisse Dinge unbedingt *(absolutely)* tun oder vermeiden *(avoid)*? Drücken Sie drei bis vier solche Vorsätze durch verschiedene Wendungen *(expressions)* aus.

THE VERBS **FORTFAHREN**, **FORTSETZEN**, AND **WEITER** [**-LAUFEN**, **-MACHEN**, ETC.]

These three verbs express the *continuation* of an action, but in different ways.

1. **fortfahren (zu tun)** *(intransitive)* to continue (doing)

Fahren Sie bitte **fort** zu lesen.	*Please continue reading.*
Wir **fahren** heute **fort,** wo wir gestern aufgehört haben.	*We are continuing today where we stopped yesterday.*

2. **etwas fortsetzen** *(transitive)* to continue something *(used with direct objects only)*

Sie **setzten** ihre Reise **fort**.	*They continued their journey.*

3. **weiter**[**-laufen, -machen, -tun,** etc.] to continue on, keep doing

Mach nur **weiter**!	*Just keep doing it!*
Wollen wir **weitergehen**?	*Do we want to continue on?* (literally, *to go further*)

A. **Weitermachen.** Beenden Sie die Sätze. Verwenden Sie die folgenden Verben.

fortfahren fortsetzen weiter[tun]

1. Es tut mir leid, daß ich Sie beim Lesen stören mußte. Sie können jetzt . . .
2. Diese Übersetzung ist gut. Du sollst . . .
3. Wir werden diese Diskussion morgen . . .
4. Wenn Sie zu der Brücke kommen, dann haben Sie den Campingplatz noch nicht erreicht. Sie müssen ein paar Kilometer . . .

B. **Was möchten Sie tun?** Machen Sie jeweils zwei Aussagen mit den Verben **fortsetzen** und **weiter[tun]**.

Beispiele: fortsetzen
Ich möchte mein Studium fortsetzen.

weiter-
Ich möchte weiterstudieren.

CHAPTER 8

Modal Verbs

8.1 Overview of Modal Verbs

There are six modal verbs in German. They are used with other verbs to express the following attitudes and conditions with respect to an action.

Modals	*Attitudes / Conditions*	
dürfen	permission	*may, to be allowed to, to be permitted to*
können	ability; possibility	*can, to be able to*
mögen	liking; conjecture	*to like to; may*
müssen	necessity; compulsion	*must, to have to*
sollen	obligation	*to be supposed to, are to*
wollen	desire; intention	*to want to, to intend to*

8.2 Present and Past Tenses of Modal Verbs

A. Forms

1. Modal verbs are conjugated somewhat irregularly in the present tense. With the exception of **sollen**, the stem vowel of the infinitive either changes or loses its umlaut in the present-tense singular. The 1st and 3rd person singular forms have no endings.

Present Tense of Modal Verbs

	dürfen	können	mögen	müssen	sollen	wollen
ich	**darf**	**kann**	**mag**	**muß**	**soll**	**will**
du	**darfst**	**kannst**	**magst**	**mußt**	**sollst**	**willst**
er / sie / es	**darf**	**kann**	**mag**	**muß**	**soll**	**will**
wir	dürfen	können	mögen	müssen	sollen	wollen
ihr	dürft	könnt	mögt	müßt	sollt	wollt
sie / Sie	dürfen	können	mögen	müssen	sollen	wollen

2. Modal verbs with an umlaut in the infinitive lose this umlaut in the past tense. **Mögen** also undergoes a consonant change.

Past Tense of Modal Verbs

	dürfen	können	mögen	müssen	sollen	wollen
ich	durfte	konnte	mochte	mußte	sollte	wollte
du	durftest	konntest	mochtest	mußtest	solltest	wolltest
er / sie / es	durfte	konnte	mochte	mußte	sollte	wollte
wir	durften	konnten	mochten	mußten	sollten	wollten
ihr	durftet	konntet	mochtet	mußtet	solltet	wolltet
sie / Sie	durften	konnten	mochten	mußten	sollten	wollten

B. Sentence Structure with Modals

1. A conjugated modal verb occupies second position in main clauses and has a complementary main verb infinitive in final position

	Modal	+	*Main Verb Infinitive*		
ich	**muß**			*I*	
du	**mußt**			*you*	
er / sie / es	**muß**	+	**gehen**	*he / she / it*	*must go*
wir	**müssen**			*we*	
ihr	**müßt**			*you*	
sie / Sie	**müssen**			*they / you*	

Compare:

Er fährt morgen nach Ulm. *(nonmodal statement)* — *He is driving to Ulm tomorrow.*

fährt →
Er **muß** morgen nach Ulm **fahren**. *(modal statement)* — *He has to*[1] *drive to Ulm tomorrow.*

2. A separable prefix (see 2.4, 30.1) remains attached to an infinitive used after a modal verb.

Können Sie bitte die Tür **zumachen**? — *Can you please shut the door?*

3. In dependent clauses, the conjugated modal moves to final position.

Sie weiß, daß er morgen nach Ulm **fahren muß**. — *She knows that he has to drive to Ulm tomorrow.*

4. When the main verb is obvious from previous context, it is often left out or replaced by **das** or **es**. This omission is also common in spoken English.

Wer kann hier gut rechnen? — *Who here can calculate well?*
—Ich **kann** (es). — *I can (do it).*

Wer sollte hier aufräumen? — *Who was supposed to clean up here?*
—Hans **sollte** (es). — *Hans was supposed to (do it).*

5. Verbs of motion **(gehen**, **fahren**, **fliegen**, **laufen)** and the verbs **tun** and **machen** are usually understood from context and thus are often omitted after modals even though they cannot be omitted in English.

Er **muß** aus geschäftlichen Gründen nach Zürich. — *He has to go to Zurich for business reasons.*
Unser Auto ist kaputt. Was **sollen** wir jetzt? — *Our car is shot. What are we (supposed) to do now?*

8.3 Individual Modal Verbs

A. Dürfen

1. **Dürfen** means *may* in the sense of having permission or being allowed. It is commonly used in polite questions.

Sie **dürfen** nächste Woche zu Hause bleiben. — *They may / have permission to stay home next week.*
Darf ich Sie etwas fragen? — *May I ask you something?*

---

[1] The preposition **zu** is not used in modal constructions, even though the word *to* may occur in the English equivalent.

Sie will ihn nicht besuchen. — *She doesn't want to visit him.*

2. In the negative (with **nicht** or **kein-**), **dürfen** means *must not* or *may not.* (Compare with **müssen nicht** in Section D.)

In vielen Ländern **darf** man **nicht** ohne Führerschein Auto fahren.	*In many countries one must not / is not permitted to drive a car without a license.*
Du **darfst keinem** Menschen sagen, wie alt ich bin.	*You may not tell anybody how old I am.*

B. Können

1. **Können** means *can* or *to be able to.* It expresses either ability or possibility.

Könnt ihr uns verstehen? *(ability)*	*Can you / are you able to understand us?*
So etwas **kann** passieren. *(possibility)*	*Such a thing can happen.*
Wir **konnten** das Rätsel nicht lösen. *(ability)*	*We were not able to solve the riddle.*

2. **Können** also has a special meaning of *to know* a language or *to know how to do* something.

Sie **kann** Deutsch.	*She knows German.*
Er **kann** schwimmen.	*He knows how to swim.*

3. **Können** is sometimes used interchangeably with **dürfen,** just as *can* and *may* are often confused in English. Strict grammarians of German (and English) still regard this usage as substandard.

Wo **kann / darf** ich hier parken?	*Where can / may I park here?*

C. Mögen

1. The verb **mögen** is used mainly in its subjunctive II form **möchte(n)** *(would like)* (see 27.2) to express a wish or request (see 27.4).

Er **möchte** im Sommer nach Italien fahren.	*He would like to travel to Italy in the summer.*
Herr Ober, ich **möchte** ein Glas Saft bitte.	*Waiter, I would like a glass of juice please.*

2. In positive statements in the indicative, **mögen** *(to like)* is used mainly with direct object nouns and pronouns; it does not normally occur with a following infinitive.

Magst du solche Leute?	*Do you like such people?*
—Ja, ich **mag** sie.	*Yes, I like them.*

3. **Mögen** does occur frequently in negative statements, both with direct objects and with following infinitives. In a general statement, **nicht mögen** means *to not like (to);* in reference to a specific time, it means *to not want (to).*

Sie **mögen** Wein nicht.	*They do not like wine.*
Sie **mögen** *jetzt* keinen Wein.	*They do not want any wine now.*
Thomas **mag** nicht tanzen.	*Thomas does not like to dance.*

MORE COMMON:

Thomas tanzt nicht gern.

BUT:

Thomas **mag** *jetzt* nicht tanzen.	*Thomas does not want to dance now.*

4. **Mögen** *(may)* is used occasionally in the indicative to express conjecture or possibility.

Das **mag** schon sein.	*That may very well be.*

OR:

Das kann schon sein.

Er **mag** krank sein, aber er muß dennoch kommen.	*He may be sick, but he must come nevertheless.*

D. Müssen

1. **Müssen** is the equivalent of English *must* or *have to* and can express either necessity or probability.

Die Schüler **müssen** jetzt ihre Aufgaben machen. *(necessity)*	*The pupils have to / must do their assignments now.*
Ich kann meine Schlüssel nicht finden. Jemand **muß** sie haben. *(probability)*	*I can't find my keys. Someone must have them.*
Sie **muß** es getan haben. *(probability)*	*She must have done it.*
Gestern **mußten** die Geschäfte um halb sieben schließen. *(necessity)*	*Yesterday the stores had to close at six-thirty.*

2. When used negatively, **müssen nicht** means *to not have to.*

Mußt du die Aufgabe schreiben?	*Do you have to write the assignment?*
—Nein, Ich **muß** sie **nicht** schreiben.	*No, I do not have to write it.*

Remember that *must not* is expressed by **nicht dürfen** (see Section A).

Ich **darf** es **nicht** tun.	*I must not do it.*

3. As an alternative to **müssen nicht**, German often uses **brauchen nicht** + a following infinitive which may or may not be preceded by **zu**.[2]

Sie **brauchen** uns nicht **zu schreiben**.	*You do not have to write us.*
Du **brauchst** keine Angst **haben**.	*You don't have to be afraid.*

E. Sollen

1. **Sollen** means *to be supposed to,* or *are to.* It implies a rather strong order or obligation.[3]

Du **sollst** aufstehen und auf die Kinder aufpassen.	*You are to get up and watch the children.*
Was **sollten** wir tun?	*What were we supposed to do?*

2. In questions or suggestions, **sollen** can express future time in the sense of English *shall.*

Wo **soll** ich dich heute abend treffen?	*Where shall I meet you this evening?*

3. **Sollen** can also mean *to be said to,* indicating that the statement is hearsay and thus may or may not be true.

Die Familie Krupp **soll** sehr reich sein.	*The Krupp family is said to be very rich.*
Lee Harvey Oswald **soll** John F. Kennedy erschossen haben.	*Lee Harvey Oswald is said to have shot John F. Kennedy.*

F. Wollen

1. **Wollen** means *to want to.* It can also mean *to intend to* (see **Wortschatz** 7).

Diese Firma **will** nach Braunschweig übersiedeln.	*This firm wants to / intends to move to Braunschweig.*
Niemand **wollte** das Risiko eingehen.	*No one wanted to take the risk.*

---

[2] The use of the **brauchen nicht** with the **zu** omitted was originally considered colloquial but is now acceptable.

[3] The subjunctive II form **sollte(n)** *(should)* (see 27.2, 27.7) is normally used instead of the indicative to express suggestion or recommendation, (what one *ought to do*) as opposed to obligation (what one *is supposed to do*).

Du **sollst** hier bleiben. *(obligation)*	*You are to stay here.*
Du **solltest** hier blieben. *(recommendation)*	*You ought to stay here.*

2. **Wollen** can also mean *to claim to.*

Hans **will** alles besser wissen.	*Hans claims he knows everything better (than we do).*
Hertha **will** die Vase nicht zerbrochen haben.	*Hertha claims not to have broken the vase.*

3. **Wollen** is often used as a main verb with a direct object.

Alle **wollen** den Frieden.	*Everyone wants peace.*

8.4 Wollen, daß and möchten, daß

Wanting someone else to do something cannot be expressed by **wollen** or **möchten** *(would like)* plus a following infinitive, as in English (for example, *Paula wants Paul to cook*). Instead, German requires a subsequent **daß**-clause with a different noun or pronoun subject.

Paula **will**, **daß** Paul kocht.	*Paula wants Paul to cook.*
Ich **möchte**, **daß** du mir hilfst.	*I would like you to help me.*

8.5 Perfect Tenses of Modal Verbs

A. *Formation*

1. When no infinitive accompanies a modal verb, German uses present perfect and past perfect tenses that are formed with a past participle of the modal + the auxiliary verb **haben**.

haben +	***Past Participle (No Infinitive)***	
	gedurft.	*He has / had been permitted to do it.*
	gekonnt.	*He has / had been able to do it.*
Er hat / hatte es	**gemocht**.	*He has / had liked it.*
	gemußt.	*He has / had had to do it.*
	gesollt.	*He was / had been supposed to do it.*
	gewollt.	*He has / had wanted to do it.*

2. When modal verbs are accompanied by infinitives, German requires perfect tenses that are formed with an infinitive of the modal verb rather than with a past participle. This results in a *double infinitive* construction in which the modal infinitive always comes last. The auxiliary verb is **haben**.[4]

Some speakers use an infinitive structure (**ich habe es dürfen / können**, etc.) *without* an accompanying main verb infinitive; such usage is considered regional.

haben +	***Double Infinitive***[5]	
Sie hat / hatte es	**tun dürfen.**	*She has / had been permitted to do it.*
	tun können.	*She has / had been able to do it .*
	tun müssen.	*She has / had had to do it.*
	tun sollen.	*She was / had been supposed to do it.*
	tun wollen.	*She has / had wanted to do it.*

3. In dependent clauses, the conjugated auxiliary **haben** precedes the two infinitives.

Wer weiß, ob sie den Artikel **haben lesen können**?	*Who knows whether they have been able to read the article?*

B. Use

1. Modals usually occur in the present perfect tense without accompanying infinitives when the complementary verb is understood from context and thus unnecessary.

Hat sie gestern in die Stadt **gemußt**?	*Did she have to go into town yesterday?*
Kannst du Französisch?	*Do you know French?*
—Ja, aber ich habe es früher besser **gekonnt**.	*Yes, but I knew it better before.*

2. There is virtually no difference in meaning between the simple past tense and the present perfect tense of modals. The past tense is much more common.

Ich **habe** den Aufsatz noch nicht **schreiben können**.	*I **have** not yet **been able** to write the composition.*

MORE COMMON:

Ich **konnte** den Aufsatz noch nicht **schreiben**.	*I **was** not yet **able** to write the composition.*

8.6 Future Tense of Modal Verbs

The future tense with modals is formed using the conjugated auxiliary **werden**; the modal becomes an infinitive and moves to final position, resulting in a double infinitive construction.

[5] **Mögen** is excluded here, since it is only used negatively and is extremely rare in a double infinitive construction.

werden + ***Double Infinitive***			
Er / Sie wird es	**tun dürfen.**	*He / She*	*will be permitted to do it.*
	tun können.		*will be able to do it.*
	tun müssen.		*will have to do it.*
	tun sollen.		*will be supposed to do it.*
	tun wollen.		*will want to do it.*

Compare:

Er muß bald abfahren. *(modal statement)* — *He must depart soon.*

muß →

Er **wird** bald **abfahren müssen.** *(future modal statement)* — *He will have to depart soon.*

In dependent clauses, the conjugated future auxiliary is placed directly before the double infinitive.

Ute schreibt, daß sie uns im März nicht **wird besuchen können.** — *Ute writes that she will not be able to visit us in March.*

ÜBUNGEN

A. **Auf englisch.** Drücken Sie die Sätze auf englisch aus.

1. Der Film ist zu Ende. Was sollen wir jetzt?
2. Was wollte der Fremde?
3. Morgen muß Hans nicht in die Schule.
4. Was soll das heißen?
5. Meine Eltern sind auf einer Europareise. Jetzt müssen Sie in der Schweiz sein.
6. Wir können nach der Vorlesung nach Hause.
7. Darf man hier rauchen?
8. In Hamburg soll es oft regnen.
9. Das darf man hier nicht.

B. **Ratschläge** *(advice)* **mit Modalverben.** Wie viele Ratschläge können Sie in den folgenden Situationen geben? Wer hat die besten Ratschläge?

Beispiele: Günther Dünnleib ist etwas zu dick geworden. (Er . . .)
*Er **soll** ein paar Kilo abnehmen.*
*Er **muß** viel laufen und Sport treiben.*

Ihre Freundin Monika sucht eine Arbeitsstelle. (Du . . .)
*Du **kannst** zum Arbeitsamt gehen.*
*Du **sollst** die Annoncen in der Zeitung lesen.*

1. Ich habe hohes Fieber und fühle mich nicht wohl. (Du . . .)

2. Ein Bekannter / eine Bekannte von Ihnen sucht ohne Erfolg eine neue Wohnung. (Er / Sie . . .)
3. Unser Briefträger, Herr Glück, hat im Lotto DM 500.000 gewonnen. (Sie *[you]* . . .)
4. Freunde wollen im Restaurant essen, aber sie haben ihr Geld zu Hause liegenlassen. (Ihr *[you]* . . .)
5. Wir (du und ich) haben morgen eine schwere Prüfung in Deutsch. (Wir . . .)
6. Ein Bekannter / eine Bekannte von uns hat einen schrecklichen Minderwertigkeitskomplex *(inferiority complex)*. Es wird jeden Tag mit ihm / ihr schlimmer. (Er / Sie . . .)
7. Die Eltern von einem / einer Bekannten fliegen nächste Woche zum ersten Mal nach Europa. (Sie *[they]* . . .)

C. **Mit Modalverben geht's auch.** Drücken Sie den Inhalt dieser Sätze mit Modalverben aus.

Beispiel: Hier ist Parkverbot.
Hier darf man nicht parken.

1. Max spricht und versteht kein Serbokroatisch.
2. Die Studenten fanden die Leseaufgabe unmöglich.
3. Man sagt, daß zuviel Sonne ungesund ist.
4. Den Rasen bitte nicht betreten!
5. Tun Sie das lieber nicht!
6. Während des Flugs war das Rauchen verboten.
7. Fridolin behauptet immer, daß er alles besser weiß.
8. Erlauben Sie, daß ich eine Frage stelle?
9. Es ist nicht nötig, daß du mitkommst.

D. **Schuhe kaufen.** Drücken Sie die Sätze auf deutsch aus.

1. I wanted to buy shoes yesterday, but I had to work and couldn't.
2. They are supposed to be quite inexpensive at the **(beim)** Kaufhof.
3. Gerda claims to have found a pair for less than **(weniger als)** 60 DM.
4. That I can hardly **(kaum)** believe.
5. Mother also wants me to buy some shoes for her.
6. I hope that you will be able to do that.

E. **Forderungen!** *(Demands)* O weh! o weh! Was wollen oder möchten Leute von Ihnen? Machen Sie bitte vier Aussagen.

Beispiele: Meine Mutter **will, daß** ich gute Noten bekomme.
Mein(e) Freund(in) **möchte, daß** ich ihn / sie oft anrufe.

TOUROPA
Die Urlaubsexperten
Wir wollen, daß Sie zufrieden sind.

Und was müssen Sie Gott sei Dank *nicht* tun? Machen Sie drei Aussagen.

Beispiele: Ich **muß nicht** auf meine kleine Schwester aufpassen.
Ich **brauche nicht** beim Kochen **(zu)** helfen.

F. **Alles nur vom Hörensagen.** Ist es wahr, was andere vom Hörensagen berichten? Machen Sie vier Aussagen! Lesen Sie Ihre Aussagen im Unterricht vor.

Beispiele: Elvis Presley soll noch am Leben sein.
Friedrich der Große soll seinen Vater gehaßt haben.

REAKTIONEN

Das stimmt gewiß.
Das mag sein.
Sehr unwahrscheinlich!
Unsinn!

G. **Damals.** Drücken Sie die Sätze im Perfekt aus.

Beispiel: Als Kind wollte ich oft meinen Eltern helfen.
Als Kind habe ich oft meinen Eltern helfen wollen.

1. Früher mußte ich meinen Eltern oft helfen.
2. Manchmal durfte ich nicht ausgehen, wenn ich ihnen nicht geholfen hatte.
3. Es stimmte aber nicht, daß ich ihnen nicht helfen wollte.
4. Aber manchmal konnte ich es nicht, weil ich etwas anderes tun mußte.
5. Das konnten meine Eltern nicht immer verstehen.

H. **Eine schöne Zukunft?** Erzählen Sie davon.

Beispiel: Heute **muß** ich noch (nicht) . . . , aber in zwei Jahren . . .
*Heute muß ich noch **studieren**, aber in zwei Jahren **werde** ich nicht mehr **studieren müssen**.*

1. Heute muß ich (nicht) . . . , aber in vier Jahren . . .
2. Heute kann ich (nicht) . . . , aber ich weiß, daß ich in acht Jahren . . .
3. Heute will ich (nicht) . . . , aber in zwölf Jahren . . .
4. Heute darf ich (nicht) . . . , aber ich hoffe, daß ich in zwanzig Jahren . . .
5. Heute soll ich (nicht) . . . , aber in 30 Jahren . . .

ANWENDUNG

A. **Gebote** *(commands)* **und Verbote.** Als Kind gab es sicher manches, was Sie (nicht) tun *durften, konnten, mußten* oder *sollten,* aber doch (nicht) tun *wollten.* Erzählen Sie in einer Gruppe davon. Fragen Sie auch Ihren Professor / Ihre Professorin, wie es in seiner / ihrer Kindheit war. Machen Sie einige Aussagen im Präteritum **(ich mußte tun)** und einige Aussagen im Perfekt **(ich habe tun müssen)**.

THEMENVORSCHLÄGE

1. Beim Essen
2. In der Schule
3. Im Haushalt
4. Auf Reisen
5. Mit Freunden

REDEMITTEL

Damals mußte ich . . .
Manchmal durfte ich nicht . . .
Es hat mich immer geärgert, daß ich . . . nicht habe [tun] dürfen.
Abends sollte ich . . . , aber . . .
Erst viel später durfte / konnte ich . . .

Variation: Was müssen oder sollen Sie *jetzt* tun, was Sie nicht gern tun? Was will man heute von Ihnen?

B. **Rollenspiel: Ausreden.** Jemand im Kurs bittet Sie, etwas zu tun, was Sie absolut nicht tun wollen. Machen Sie Ausreden. Diese Person soll sich nicht so leicht mit einem *nein* zufriedengeben *(be content).* Sie müssen also viele Ausreden parat *(ready)* haben.

THEMENVORSCHLÄGE

1. heute abend ausgehen
2. ihm / ihr ein Auto / Geld / Bücher leihen *(loan)*
3. zum Essen mitkommen
4. ihm / ihr mit der Deutschaufgabe helfen
5. an einer Protestaktion teilnehmen

REDEMITTEL

Ach, es tut mir schrecklich leid, aber ich will . . .
Ja, das wäre schön, aber ich kann nicht . . .
Ach, weißt du, ich möchte ja . . . , aber . . .
Danke vielmals für die Einladung, aber ich muß / soll / darf nicht . . .
Das würde ich gern tun, aber . . .
Das klingt sehr interessant, aber leider muß ich . . .

SCHRIFTLICHE THEMEN

TIPS ZUM SCHREIBEN *Providing explanation*

Modal verbs do not describe; they help provide reasons and motivations. Thus in explanations you can repeat them more frequently than you should other verbs. To link ideas by explaining *why* something happens, consider using adverbial conjunctions such as **daher**, **darum**, **deshalb**, and **deswegen** *(therefore, for* *that reason)* (see **Wortschatz** 23). These conjunctions are really adverbs and can either begin a clause or occur elsewhere in it.

Ich habe keine Zeit, (und) **daher** kann ich nicht kommen.	*I have no time, and thus I can't come.*
Ich habe keine Zeit, und ich kann **daher** nicht kommen.	

A. **Bildgeschichte.** Erzählen Sie die folgende Bildgeschichte im Präteritum. Verwenden Sie mehrere Modalverben und benutzen Sie die Erzählskizze dabei.

der Drachen • in den Baum fliegen • hängenbleiben • das Tor • der Pförtner *(gateman)* • nicht hineingehen • nach Hause • Vater bitten • holen • sich fein anziehen • denken, daß • auf den Baum klettern • der Junge wird in Zukunft . . . *(Modalverb im Futur)*

B. **Motivationen.** Erklären Sie die Handlungsweise *(behavior)* eines Charakters in einem Buch, in einem Film oder aus der Geschichte. Warum wollte, konnte oder mußte dieser Mensch so handeln *(act)* oder sich so benehmen *(behave)*? (Siehe **handeln**, **Wortschatz** 27.)

Beispiel:

Werther wollte die ganze Welt umarmen *(embrace)*, aber das konnte er nicht. Deshalb konnte er es auch nicht akzeptieren, daß Lotte ihn zwar liebte, ihn aber nicht heiraten wollte. Gegen Ende des Romans sollte er sie nicht mehr besuchen, aber . . . Zum Schluß nahm er sich dann deswegen das Leben. (Goethe, *Die Leiden des jungen Werthers*)

C. **Sich entschuldigen.** Schreiben Sie einen Brief, in dem Sie sich bei jemandem dafür entschuldigen, daß Sie etwas *nicht tun können* oder *nicht getan haben* (z.B. nicht geschrieben; nicht angerufen; nicht zur Geburtstagsfeier gekommen). Nennen Sie die Gründe dafür. (Siehe Appendix 2, *Letter-Writing*)

Beispiel:

Es tut mir leid, daß ich gestern nicht auf Ihrer Geburtstagsfeier dabeisein konnte. Ich wollte kommen, aber ich war schon eingeladen worden und mußte deshalb . . . usw.

Wortschatz

EXPRESSIONS FOR *TO LIKE*

German has several ways of expressing likes and dislikes.

1. **gern haben** to like *(persons or things)* in the sense of having an affection for

Sie **hat** ihn **gern**.	*She likes him.*
Ich **habe** Schlangen nicht **gern**.	*I do not like snakes.*

2. **mögen** to like (*synonymous with* **gern haben**)

Magst du solche Filme?	*Do you like such movies?*
Petra **mag** den Jungen nicht.	*Petra does not like the boy.*

3. **gern** *(+ verb)* to like to do an activity

Erika **spielt gern** Klavier.	*Erika likes to play the piano.*
OR:	
Sie **spielt** Klavier **gern**.	
Ihre Eltern **reisen** nicht so **gern**.	*Her parents do not like to travel very much.*

4. **möchten** (+ *verb infinitive*) would like (to do)

Ich **möchte** Kaffee ohne Sahne.	*I would like coffee without cream.*
Möchtet ihr Karten **spielen**?	*Would you like to play cards?*

5. **jemand(em)** *(dative)* **gefallen** to like, to be pleasing to someone *(Note that the thing liked is the subject in German.)*

Wie **gefällt dir** mein neuer Hut? (**Hut** = *the subject*)	*How do you like my new hat?*
Es **gefiel ihr** nicht, wenn er zornig wurde.	*She didn't like it when he got angry.*

6. **(keine) Lust haben zu** (not) to feel like doing, have a desire to do

Er **hatte** große **Lust zum** Wandern.	*He really felt like going hiking.*
Wir **haben** keine **Lust**, länger hier **zu** bleiben.	*We have no desire to stay here any longer.*

7. **(keine) Lust haben auf** *(accusative)* not to feel like having

Hast du **Lust auf** ein Eis?	*Do you feel like having some ice cream?*

8. **jemandem** *(dative)* **(keinen) Spaß machen** (not) to be fun for someone

Die Party hat **uns (keinen) Spaß gemacht**. — *The party was (not any) fun for us.*

A. **So bin ich.** Erzählen Sie in jeweils *einem* Satz,

1. was Sie überhaupt nicht gern haben,
2. was Ihnen besonders gut gefällt,
3. was Ihnen nicht gefällt,
4. was Ihnen großen Spaß oder absolut keinen Spaß macht,
5. was Sie besonders gern tun,
6. was Sie eines Tages unbedingt *(absolutely)* tun möchten,
7. wozu Sie wirklich keine Lust haben.

B. **Lob** *(praise)* **und Kritik.** Was gefällt Ihnen an der Kultur oder Politik Ihres Landes? Was gefällt Ihnen nicht? Drücken Sie Ihr Gefallen oder Mißfallen in vier bis fünf Aussagen und durch verschiedene Wendungen *(expressions)* aus.

THE VERB **GELTEN**

Gelten (galt, gegolten) has several different meanings, all related to the idea of worth or validity.

1. **gelten** to be worth, valid

Dieser Eurailpaß **gilt** noch zwei Wochen. — *This Eurail Pass is valid for two more weeks.*

2. **gelten** + *dative (stressed)* to be directed at, be intended for

Ihre Bemerkung **galt** *ihm.* — *Her comment was directed at him.*

3. **gelten für / als** to be considered, pass as

Er **gilt als** (ein) weiser Mann.
Er **gilt für** weise. (*adjective only after* **für**) — *He is considered a wise man.*

4. **gelten** + **zu** + *infinitive* to be the matter at hand, the main thing

Es **gilt**, den Verbrecher zu finden. — *The main thing is to find the criminal.*

5. **gelten lassen** to let pass, not dispute

Wir **lassen** sein Argument **gelten**. — *We do not dispute his argument.*

RELATED WORDS

gültig valid, in effect

Dieser Paß ist noch **gültig**. — *This passport is still valid.*

die Gültigkeit validity

Dieser Vertrag hat keine **Gültigkeit**. — *This contract has no validity.*

Alles mit *gelten*. Drücken Sie den Inhalt der folgenden Sätze mit dem Verb **gelten** aus.

Beispiel: Wen meinte er mit dieser Kritik?
Wem galt seine Kritik?

1. Wie lange kann ich mit diesem Skipaß noch fahren?
2. Es ist jetzt sehr wichtig, daß du fleißig lernst und gute Noten bekommst.
3. Seine Worte waren an dich gerichtet *(directed at)*.
4. Japanisch soll sehr schwer sein.
5. Ich muß deiner Behauptung widersprechen *(contradict)*.

CHAPTER 9

Infinitives

9.1 Infinitive Phrases

9

A. *Infinitive Phrases with* zu

1. Infinitive phrases with **zu** occur in German much as they do in English with the word *to.* In the case of separable prefix verbs, the **zu** links the prefix and the infinitive together as one word.

Der Redner begann **zu lachen**.	*The speaker began to laugh.*
Sie versuchen **abzunehmen**.	*They are trying to lose weight.*

2. Simple two-word infinitive phrases may either precede or follow main verb past participles and separable prefixes.

Das Mädchen fing **zu schreien** an.	*The girl began to scream.*
Das Mädchen fing an **zu schreien**.	
Ihr Freund hat versprochen **zu schreiben**.	*Her friend promised to write.*
Ihr Freund hat **zu schreiben** versprochen.	

3. Infinitive phrases of *more than two words* follow all other elements of the sentence and are normally set off by a comma.[1] The infinitive is always at the end of its phrase.

Der Redner begann, **über Atomstrom zu sprechen**.	*The speaker began to talk about atomic power.*

4. The English expressions *to tell* **(sagen)** *(someone) to do* and *to know* **(wissen)** *(what) to do* are not normally rendered in German with an infinitive phrase; German uses a dependent clause and the verb **sollen**.

Die Professorin **sagte** (uns), **daß** wir schweigen **sollten**.	*The professor told us to remain quiet.* (literally, *that we should be quiet)*
Er **weiß** nicht, **was** er tun **soll.**	*He doesn't know what to do.*

B. *Adverbial Phrases with* um . . . zu, ohne . . . zu, *and* (an)statt . . . zu

Um *([in order] to)*, **ohne** *(without)*, and **(an)statt** *(instead of)* can introduce infinitive phrases with **zu**. These phrases are set off by a comma. When the phrase begins with **ohne** or **(an)statt**, its English equivalent uses a verb form ending in *-ing*.

Sie gingen nach München, **um** das Deutsche Museum **zu besuchen**.	*They went to Munich (in order) to visit the German Museum.*
Man sollte nichts kaufen, **ohne** es vorher **zu sehen**.	*One should not buy anything without seeing it first.*
Sie sehen zu Hause fern, **(an)statt** ins Kino **zu gehen**.	*They watch television at home, instead of going to the movies.*

C. *Infinitives without* zu

1. Infinitives occurring after the verbs of perception **fühlen**, **hören**, **sehen**, **spüren** *(perceive, feel)* and after **lassen** (see **Wortschatz**, p. 95) are not preceded by **zu**. In this regard they are like modal verbs (see 8.2).[2]

Wir **sehen** sie mit Freunden **tanzen**.	*We see them dance / dancing with friends.*

---

[1] If the infinitive in the infinitive phrase is considered to be part of the main predicate, the comma may be omitted.

Sie versuchten früher aufzustehen.

OR:

Sie versuchten, früher aufzustehen.

[2] The verb **heißen** can also occur in infinitive phrases without **zu** in its older meaning of *to bid*.
Der König **heißt** die Soldaten eintreten. *The king bids the soldiers (to) enter.*

Sie **spürte** etwas auf ihrer Schulter **kriechen**.	*She felt something crawl / crawling on her shoulder.*

With the verbs of perception, German often uses a subordinate clause instead of an infinitive phrase.

Ich hörte, **wie** Minna mit Dirk **sprach**.	*I heard Minna talking with Dirk.*

2. After **helfen**, **lehren**, and **lernen**, the **zu** is optional.

Der Junge **hilft** der alten Frau **(zu) gehen**.	*The boy helps the old lady (to) walk.*
Erika **lehrte** die Kinder **(zu) schwimmen**.	*Erica taught the children to swim.*

OR:

Sie **lehrte** die Kinder, **wie** man schwimmt.

D. Infinitives as Nouns

Virtually any infinitive can be capitalized and used as a neuter noun. Such nouns usually correspond to English gerunds.

Das Skifahren wird immer beliebter (und teurer).	*Skiing is becoming more and more popular (and expensive).*
Die Kinder haben jetzt keine Zeit **zum Spielen**.	*The children have no time now for playing.*

9.2 Double Infinitives

Like the modal verbs, **hören**, **sehen**, and **lassen** (see **Wortschatz**, p. 95) form the perfect tenses with a double infinitive construction rather than with a past participle when these verbs occur together with another infinitive (see 8.5).

Compare:

Wir **haben** die Mannschaft **gesehen**.	*We saw the team.*
Wir **haben** die Mannschaft **spielen sehen**.	*We saw the team play.*
Hast du je Marlene Dietrich **singen hören?**[3]	*Have you ever heard Marlene Dietrich sing?*

---

[3] A past participle is occasionally used with **hören**, though this usage is quite colloquial and regarded by some German speakers as substandard.

Ich habe ihn fluchen **gehört**. — *I heard him cursing.*

The future tense of all verbs accompanied by infinitives without **zu** also results in a double infinitive construction.

Wir **werden** die Kinder **schwimmen lehren**.	*We will teach the children to swim.*

Such verbs also occur as double infinitives when used after modals.

Sie **will** das Flugzeug **landen sehen**.	*She wants to see the plane land.*

In dependent clauses, an auxiliary verb precedes the double infinitive construction.

Die Polizei weiß, daß niemand den Dieb **hat einbrechen sehen**.	*The police know that no one saw the thief break in.*
Glaubst du, daß wir die Delphine **werden springen sehen?**	*Do you think we will see the dolphins jump?*

ÜBUNGEN

A. **Wie geht es weiter?** Beenden Sie die Sätze einmal mit **zu** plus Infinitiv und einmal mit mehr als zwei Wörtern.

Beispiel: Ich habe vor . . . (arbeiten)
Ich habe zu arbeiten vor.
OR: *Ich habe vor zu arbeiten.*
Ich habe vor, im Sommer zu arbeiten.

1. Die Touristen haben die Absicht *(intention)* . . . (weiterfahren)
2. Wann fängst du an . . . ? (übersetzen)
3. Es scheint jetzt . . . (regnen)
4. Mein Nachbar versucht . . . (singen)
5. Du sollst auch nicht vergessen . . . (schreiben)

B. **Mit oder ohne Komma? Ihre Meinung bitte.** Beenden Sie die Sätze mit Infinitivkonstruktionen.

Beispiel: Es macht mir Spaß, . . .
Es macht mir Spaß, Deutsch zu lernen.

1. Ich möchte jemanden bitten . . .
2. Alle Länder der Erde sollten versuchen . . .
3. Manche Leute wünschen nur . . .
4. Jeder Mensch sollte das Recht haben . . .
5. Unsere Regierung sollte aufhören . . .
6. In unserem Land sollten wir endlich einmal beginnen . . .

C. **Aussagen.** Machen Sie mit den Präpositionen **um, ohne** und **(an)statt** und einer Infinitivkonstruktion Aussagen über sich selbst oder andere Menschen, die Sie kennen.

Beispiele: Meine Schwester redet manchmal, ohne zu denken.
Ich lerne Deutsch, um es mit meinen Verwandten *(relatives)* zu sprechen.

D. **Sätze ohne Infinitive.** Drücken Sie die Sätze auf deutsch aus.

1. I don't know what to do.
2. He says for me to do it.
3. She doesn't know how to do it.
4. Tell them not to do it.
5. We don't know where to do it.

E. **Sätze mit Infinitiven.** Machen Sie aus zwei Sätzen einen Satz.

Beispiele: Hans spielt. Ich sehe es. *(Präsens)*
Ich sehe Hans spielen.

Die Kinder lachten. Ich habe sie gehört. *(Perfekt)*
Ich habe die Kinder lachen hören.

1. Barbara kocht das Essen. Niemand hilft ihr. *(Präsens)*
2. Ich möchte Ski laufen. Wer kann mich das lehren? *(Präsens)*
3. Ihr Herz schlug heftig *(was pounding)*. Sie fühlte es. *(Präteritum)*
4. Leute rannten aus dem Haus. Wir sahen es. *(Präteritum)*
5. Die Kinder schrien. Ein Jäger *(hunter)* hat sie gehört. *(Perfekt)*
6. Der Baum ist im Sturm umgefallen. Niemand hat es gesehen. *(Perfekt)*
7. Arbeiter werden morgen den Maibaum *(May pole)* aufstellen. Wir werden es sehen. *(Futur)*.

F. **Einiges über mich.** Ergänzen Sie die Aussagen. Verwenden Sie Infinitive.

Beispiel: Morgens höre ich . . .
Morgens höre ich meine Eltern frühstücken.

1. Ich sehe gern . . .
2. Wenn ich morgens aufwache, höre ich als erstes . . .
3. Als ich noch ganz klein war, lehrte mich jemand . . .
4. Gestern habe ich . . . (sehen / hören)
5. Ich würde gern . . . lernen.

G. **Anders ausdrücken.** Drücken Sie *Ihre* Aussagen in Übung F durch den Gebrauch von Nebensätzen *(clauses)* anders aus.

Beispiel: *Morgens höre ich, wie meine Eltern frühstücken.*

ANWENDUNG

Ungewöhnliche Erfahrungen und Erlebnisse. Tauschen *(exchange)* Sie ungewöhnliche Erfahrungen mit anderen Studenten im Kurs aus. Wer hat das Ungewöhnlichste gesehen oder gehört?

REDEMITTEL

Ja, weißt du, daß ich einmal . . . habe [tun] sehen?
Das ist interessant, aber einmal sah / hörte ich . . . [tun].
Das ist doch gar nichts. Ich habe sogar . . . [tun] sehen / hören.
[X] hat erzählt, daß er / sie einmal . . . hat [tun] sehen.

SCHRIFTLICHE THEMEN

TIPS ZUM SCHREIBEN ***Expressing your own views***

When writing about your own views, get to the point quickly. To let readers know that you are expressing your opinions rather than indisputable facts, use phrases such as the following:

ich finde, (daß)
ich glaube, (daß)
meiner Meinung / Ansicht nach
ich halte es für . . . (*See* **Wortschatz** *25*.)

A. **Verpflichtungen** *(obligations)*. Was wollen oder sagen andere Leute (z.B. Ihre Eltern oder Lehrer), daß Sie tun sollen? Macht es Ihnen Spaß, das zu tun? Tun Sie es ungern? Was *lassen* (siehe **Wortschatz**, Seite 95) Ihre Eltern Sie nicht tun? Verwenden Sie in Ihrem Aufsatz grammatische Strukturen aus diesem Kapitel.

Beispiel:

Meine Eltern sagen immer, daß ich ihnen mehr helfen soll. Sie lassen mich z.B. jeden Tag vor dem Essen den Tisch decken. Ich helfe meiner Mutter auch manchmal das Abendessen kochen. Nun, ich finde es schön, zum Haushalt etwas beizutragen *(contribute)*, aber ich habe keine Lust, das jeden Tag zu tun. Schließlich will ich mein eigenes Leben führen, und niemand kann von mir erwarten, daß . . . usw.

B. **Was man ungern tut.** Müssen Sie manchmal etwas tun, was Sie als besonders schwierig oder unangenehm empfinden? Erzählen Sie davon.

Beispiel:

Ich finde es besonders unangenehm, in eine neue Wohnung umzuziehen. Natürlich versuche ich, Leute zu finden, die mir dabei helfen, aber wenn meine Freunde mich kommen sehen . . . usw.

Wortschatz

THE VERB **LASSEN**

The verb **lassen** has three main meanings.[4]

1. When **lassen** is followed by a noun or pronoun object but no subsequent infinitive, it means *to leave* someone or something in a place or condition.

Die Kinder **lassen** ihre Bücher in der Schule.	*The children are leaving their books at school.*
Seine Worte **haben** mich kalt **gelassen**.	*His words left me cold (that is, I was not moved by them).*

2. When used with a following infinitive, **lassen** means *to let* or *to have* someone *do* something; context determines which meaning is intended. The infinitive is not preceded by **zu** (see 9.1).

Sie **läßt** ihren Sohn ihr Auto zur Arbeit **fahren**.	*She lets her son drive her car to work.*
Sie **läßt** ihren Sohn die Blumen **gießen**.	*She has her son water the flowers.*

3. If **lassen** has no direct object agent (see **ihren Sohn** in the preceding examples), its English equivalent is *to let be done* or *to have done.*

Sie **läßt** ihr Auto zur Arbeit **fahren**.	*She lets her car be driven to work.*
Sie **läßt** die Blumen **gießen**.	*She has the flowers watered (by someone else).*

With accompanying infinitives, the perfect tenses are formed with a double infinitive rather than a past participle (see 9.2).

Sie hat ihre Haare länger **wachsen lassen**.	*She let her hair grow longer.*
Unser Nachbar hat sein Haus **streichen lassen**.	*Our neighbor had his house painted.*

---

[4] See also **sich lassen** (29.6).

In the preceding constructions, the objects of the verb **lassen** are in the accusative case. A dative object (see 10.5) is sometimes used with **lassen** to indicate *to* or *for whom* the activity is done.

Frau Schwarz ließ **ihrer Tochter** ein Haus bauen. — *Mrs. Black had a house built for her daughter.*

MORE COMMON:

Frau Schwarz ließ ein Haus **für ihre Tochter** bauen.

The dative *reflexive* pronoun (see 15.2) is commonly used with **lassen**.

Ich **muß** *mir* die Haare **schneiden lassen**. — *I have to have my hair cut.*

Sie **läßt** *sich* nicht **helfen**. — *She doesn't let anybody help her.* (literally, *she does not let herself be helped)*

In a few contexts, **lassen** can mean *to make* or *cause* an involuntary reflex action. Such usage is not very common.

Ihre Worte **ließen** ihn erröten. — *Her words made him blush.*

A. **Machen lassen.** Bilden Sie mit den Wörtern Sätze, in denen man etwas machen läßt. Verwenden Sie auch die angegebenen Zeitformen. Übersetzen Sie Ihre Sätze.

Beispiel: Professorin / Studenten / Text / übersetzen *(Präsens)*
Die Professorin läßt die Studenten den Text übersetzen.
The professor has / lets the students translate the text.

1. Die Eltern / Arzt / holen *(Präsens)*
2. Studentin / Freund / ihr Fahrrad / reparieren *(Präteritum)*
3. Stadt / eine Firma / mehrere alte Häuser / abreißen *(Perfekt)*
4. Morgen / Lehrer / seine Schüler / eine Prüfung / schreiben *(Futur)*
5. Lehrerinnen / wollen / ihren Schülern / Film / zeigen *(Präsens)*
6. König / Besucher / eintreten *(Präteritum)*

B. **Man kann doch nicht alles selber machen.** Beantworten Sie die Fragen. Verwenden Sie das Verb **lassen**.

1. Was machen Sie, wenn Ihre Haare zu lang sind?
2. Was muß man machen, wenn der Kühlschrank kaputt ist?
3. Was haben Sie in der letzten Woche machen lassen?
4. Was ließen Ihre Eltern Sie früher oft machen?
5. Was würden Sie gern machen lassen?

THE VERBS **BRINGEN ZU** AND **ZWINGEN ZU**

These two phrases both express the idea of "getting" someone to do something.

1. The structure **jemanden bringen zu** means *to bring to the point of doing* or *to get someone to do.* The object of **zu** is normally either a capitalized infinitive used as a noun (see 9.1) or a following clause introduced by a **da**-compound (see 17.1).

Niemand konnte ihn **zum Sprechen bringen**.	*No one could get him to speak.*
Wir haben ihn endlich **dazu gebracht,** etwas **zu sagen**.	*We finally got him to say something.*

2. The expression **jemanden zwingen zu** is much stronger than **jemanden bringen zu**; it means *to force* or *compel someone to do.* The **zu** is often followed by a capitalized infinitive noun; but the **dazu** construction is optional before a following clause (see 17.1).

Der Teufel hat mich **zum Lügen gezwungen**.	*The devil made (forced) me (to) tell a lie.*
Man sollte Menschen nie **(dazu) zwingen**, etwas gegen ihren Willen **zu tun**.	*One should never force people to do something against their will.*

A. ***Bringen* oder *zwingen*?** Drücken Sie die Sätze auf deutsch aus.

1. No one is making you play if you don't want to.
2. How can we get them to forget this insult **(die Beleidigung)**?
3. The devil made me do it.
4. They cannot get him to do anything.
5. Can we get them to help us?

B. **Fragen.** Beantworten Sie die Fragen.

1. Wozu sollte man einen Menschen nie zwingen?
2. Wozu wird man Sie nie zwingen können?
3. Wozu haben Sie jemanden einmal gebracht?
4. Wozu hat man Sie einmal gegen Ihren Willen gebracht?

CHAPTER 10

Cases and Declensions

10.1 Cases

Every German noun has number (singular or plural), gender (masculine, feminine, or neuter; see 11.1), and case. The case of a noun indicates its function within a sentence. There are four cases in German:

Nominative:	sentence subject
Accusative:	sentence direct object
Dative:	sentence indirect object
Genitive:	possessive, relationship between nouns

Case is usually indicated by an article (see Chapter 12) accompanying the noun.

10.2 Noun Declensions

A. Regular Declensions

A noun listed in all four cases with its definite or indefinite article is called a declension.

	Masc.		*Fem.*		*Neut.*		*Pl.*	
Nom.	der ein	Tisch	die eine	Vase	das ein	Buch	die keine	Tische
Acc.	den einen	Tisch	die eine	Vase	das ein	Buch	die keine	Tische
Dat.	dem einem	Tisch(e)	der einer	Vase	dem einem	Buch(e)	den keinen	Tische**n**
Gen.	des eines	Tisch(e)s	der einer	Vase	des eines	Buch(e)s	der keiner	Tische

1. In the dative singular, monosyllabic masculine and neuter nouns have an optional **-e** ending that is usually omitted, except in a few set expressions such as **nach Hause**; **auf dem Lande**.

2. If a noun plural does not already end in **-n**, an **-n** must be added in the dative plural.

   EXCEPTION: noun plurals ending in **-s (die Autos, den Autos)**.

3. Masculine and neuter nouns add either **-s** or **-es** in the genitive. The **-es** is usually added when a noun is monosyllabic **(das Geld**, **des Geldes)**; it is required when the noun ends in **-s**, **-sch**, **-ß**, **-x**, or **-z (das Schulhaus**, **des Schulhauses)**. Nouns ending in **-nis** double the **s** before the **-es (das Mißverständnis**, **des Mißverständisses)**.

   The ending **-s** is usually used when the noun has more than one syllable (**des Buches**, *but:* **des Lehrbuchs**) or ends in a vowel or a silent **h (der See**, **des Sees**; **der Schuh**, **des Schuhs)**.

B. *Declension of Weak Nouns*

In addition to the regular declensions, there is a special category of masculine nouns commonly referred to as *weak nouns;* they decline somewhat differently (see 11.4).

10.3 Nominative Case

A. *Subjects*

1. The nominative case indicates the *sentence subject,* that is, the word that generates the action of the verb. A singular subject requires a singular verb; a plural subject, a plural verb.

   Singular

Der Hund *beißt* nicht.	*The dog does not bite.*
Die Temperatur *steigt* schnell.	*The temperature is climbing rapidly.*
Das Auto *kostet* zuviel.	*The car costs too much.*

Plural

Die Leute verstehen uns nicht.	*The people do not understand us.*

2. In German, the subject does not always precede the conjugated verb, as it usually does in English. If a sentence begins with an element other than the subject, the subject is normally placed immediately after the verb, which must remain in second position. This sequence is known as inverted word order (see 1.1).

Heute beginnt **die Vorlesung** um zehn nach neun.	*Today the class begins at ten after nine.*

B. Predicate Nominatives

The nominative case is also used with nouns that follow the verbs **sein, bleiben,** and **werden**. Such nouns are called *predicate nominatives*. A predicate nominative renames or describes the subject.

Dieses Gebäude *ist* **eine Fabrik**.	*This building is a factory.*
Frau Klein *blieb* **der Chef**.	*Mrs. Klein remained the boss.*
Der Arbeiter *wurde* **ein reicher Mann**.	*The worker became a rich man.*

10.4 Accusative Case

A. Direct Objects

1. The accusative case indicates the *sentence object*, that is, the target of the action expressed by the verb. This target noun (or pronoun) is called the *direct object* or the *accusative object*.

subject verb → accusative object

Wir lesen **die Zeitschrift**.	*We read the magazine.*
Er hat **keinen Ausweis**.	*He has no identification.*

2. Two accusative objects may be used after the verbs **fragen**, **kosten**, and **lehren**.[1]

[1] In colloquial German there is a strong tendency to put nouns of person after **kosten** and **lehren** in the dative case when another object is in the accusative. This practice is usually considered substandard.

Sie lehrt **ihn**.	*She teaches him.*

BUT:

Sie lehrt **ihn** (OR **ihm**) Deutsch.	*She teaches him German.*

Sie fragt **den Lehrer** etwas **Interessantes**.	*She asks the teacher something interesting.*
Das Auto hat **mich ein Vermögen** gekostet.	*The car cost me a fortune.*
Die Frau lehrt **das Kind ein Lied**.	*The woman teaches the child a song.*

B. Other Uses

The accusative is used after the expression **es gibt** (see 17.2), after numerous prepositions (see 16.2 and 16.4), and in some time expressions (see 22.1).

10.5 Dative Case

A. Indirect Objects

1. The dative case often indicates the person (less often the thing) *to* or *for whom* an activity is done.[2] This person or thing is known as the *indirect object* or the *dative object;* it occurs frequently together with an accusative object.

Er hat **den Kindern** (*Dat. Obj.*) **einen Hund** (*Acc. Obj.*) gekauft.	*He bought the children a dog.*

2. Dative objects generally precede accusative nouns.

Sie schreibt **den Kindern**.	*She writes (to) the children.*
Sie schreibt **den Kindern einen Brief.**	*She writes the children a letter.*
Sie schreibt **ihnen einen Brief.**	*She writes them a letter.*

Dative objects always follow accusative object pronouns (see 13.1).

Sie schreibt **ihn den Kindern.**	*She writes it to the children.*
Sie schreibt **ihn ihnen**.	*She writes it to them.*

---

[2] The idea of doing something *to* or *for* someone cannot be expressed by **zu**. German uses **zu** to convey the idea of *motion* or *direction* toward a person or a specific place.

Compare:

Sie gibt ihrem Vater ein Hemd. *(giving)*	*She is giving a shirt to her father.*
Ich bringe das Buch **zur** Bibliothek. *(motion or direction)*	*I am bringing the book to the library.*

B. *Verbs with Dative and Accusative Objects*

Dative and accusative objects often occur together with the following types of verbs:

verbs of giving:	**bringen, geben, leihen** *(to lend),* **reichen** *(to hand, pass),* **schenken, spendieren** *(to buy, pay for, treat)*
verbs of showing:	**beibringen** *(to teach),* **beweisen** *(to prove),* **erklären, zeigen**
verbs of telling:	**beschreiben** *(to describe),* **erzählen**, **mitteilen** *(to inform),* **sagen**
verbs of recommending:	**empfehlen, vorschlagen** *(to suggest)*

Der Chef hat **seinen Kollegen eine Runde** spendiert.	*The boss paid for a round (of drinks) for his colleagues.*
Kann jemand **den Studenten diesen Satz** erklären?	*Can someone explain this sentence to the students?*

C. *Dative of Possession*

1. The dative can express not only *to* or *for whom,* but also *whose.* In this usage it is often called the dative of possession.

Der Fischer klopfte **dem Touristen** auf die Schulter.	*The fisherman tapped the tourist on the shoulder* (that is, *on the tourist's shoulder*).
Der Fischer rettet **dem Touristen** das Leben.	*The fisherman saves the tourist's life.*

2. The dative of possession is particularly common with parts of the body and articles of clothing (see also dative reflexives, 15.2).

Ziehe **dem Kind** die Schuhe an!	*Put the child's shoes on!* (that is, *put the shoes on the child!*)
Ich habe **mir** das Bein gebrochen.	*I broke my leg.*

D. *Verbs with Dative Objects*

1. A fairly large number of verbs in German take a dative object where English speakers might expect the accusative. (See **Wortschatz**, p. 108.)

Wir helfen **der** Frau.	*We help the woman.*
Er traut **keinen** Politikern.	*He trusts no politicians.*

2. With some verbs, the dative object in German is normally translated in English as the subject. (See **Wortschatz**, p. 110).

Der Film **gefällt** *den Kindern.*	*The children like the film.* (that is, *the film is pleasing to the children*)
Der Patient **tut** *dem Arzt* **leid**.	*The doctor feels sorry for the patient.*
Es **geht** *mir* gut.	*I feel fine.*

3. The verb **glauben** takes a dative object with persons but an accusative object with things.

Wir glauben **dem Sprecher** nicht.	*We do not believe the speaker.*
Ich glaube **seine Antwort** nicht.	*I do not believe his answer.*

E. *Other Uses*

The dative case is also used after a number of prepositions (see 16.3 and 16.4.), in time expressions with certain prepositions (see 22.1), and with some adjectives (see **Wortschatz** 18).

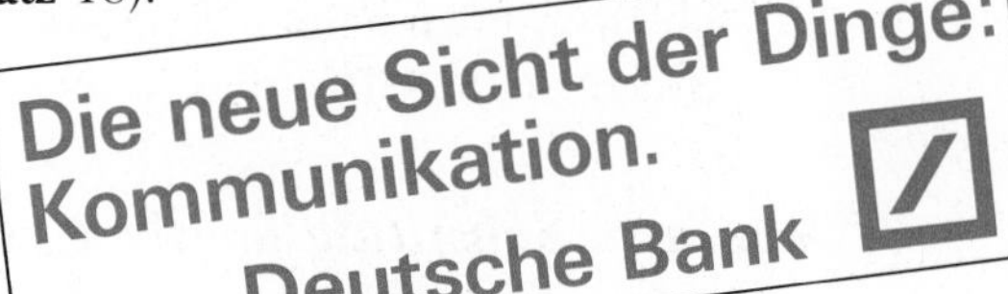

Die neue Sicht der Dinge:
Kommunikation.
Deutsche Bank

10.6 Genitive Case

A. *General Use*

1. The genitive case in German establishes a relationship between two nouns, one being part of or belonging to the other. The noun in the genitive normally follows the other noun and provides more information about it. In English, such a relationship is usually expressed with an *of*-phrase or with the possessive *'s*. German does not use an apostrophe + **s** to indicate possession.

der Name **des Mannes**	*the name of the man* *the man's name*
die Lage **dieses Geschäfts**	*the location of this store* *this store's location*
die Zensuren **der Schüler**	*the grades of the pupils* *the pupils' grades*

2. With proper names and family-member terms used as names, German adds an **-s** without an apostrophe.

Wilhelms Wagen	**Bärbels Brief**
Vaters Vase	**Mutters Mantel**

3. If the name ends in an **s** sound (**-s**, **-ß**, **-z**, **-tz**), no **-s** is added. In writing, the omission of this **-s** is indicated by an apostrophe. When speaking, a construction with **von** + dative is often used instead of the genitive (see Section B).

Agnes' Garten or **der Garten von Agnes**

4. The genitive is *not used* after units of measurement, as it is in English.

   Ich möchte eine Tasse Kaffee. (**Tasse** *and* **Kaffee** *are both accusative.*) — *I would like a cup **of** coffee.*

   Sie hat eine Packung Rosinen gekauft. — *She bought a package **of** raisins.*

5. The genitive occurs occasionally as the object of certain reflexive verbs. In this usage the genitive often sounds archaic and tends to be replaced with a prepositional phrase.

   Freut euch **des Lebens**! — *Rejoice in life!*

   MORE COMMON:

   Freut euch über das Leben!

   Ich kann mich **seines Namens** nicht mehr entsinnen. — *I can no longer recall his name.*

B. Von *as a Substitute for the Genitive Case*

1. The word **von** (+ dative) is often used as a genitive substitute.

   das Haus unsres Onkels
das Haus **von** unsrem Onkel } *the house of our uncle / our uncle's house*

   die Bürger **von** Frankfurt — *the citizens of Frankfurt*

2. **Von** is always used if there is no article or adjective before the noun to indicate case.

   die Arbeit **von** Ausländern — *the work of foreigners*

C. Other Uses of the Genitive

The genitive is also used with certain adjectives and adverbs (see **Wortschatz** 18), a few prepositions (see 16.5), and some expressions of time (see 22.1).

ÜBUNGEN

A. **Nominativ oder Akkusativ?** Ergänzen Sie die Artikel. Nicht jeder Artikel braucht eine Endung!

1. Er hat d-____ Saft beim Sparmarkt gekauft.
2. Wo findet man hier ein-____ Buchladen *(m.)*?
3. D-____ Student kennt ein-____ Arzt hier im Ort.

4. Wie gefällt dir d-____ Wein?
5. D-____ Buch wurde ein-____ Erfolg *(success) (m.).*
6. In den Augen der Kinder war d-____ Lehrer auch ein-____ Freund.

B. **Das habe ich getan.** Machen Sie mit jedem Verb und einem Akkusativobjekt eine Aussage darüber, was Sie heute oder gestern getan (oder nicht getan) haben. Verwenden Sie die Artikel **der** oder **ein-**.

bekommen	lesen	sehen
kaufen	schreiben	treffen

Beispiele: Ich habe heute **eine Prüfung** in Deutsch geschrieben.
Ich habe gestern **den Deutschprofessor** in der Stadt getroffen.

C. **Nachmittags in der Stadt**. Wer tut was? Verwenden Sie Akkusativ *und* Dativ mit Artikeln oder Possessivpronomen *(see 12.4)*. Wiederholen Sie kein Substantiv.

Beispiel: Der Kellner bringt ____. (die Gäste / eine Getränkekarte)
Der Kellner bringt ***den Gästen eine Getränkekarte****.*

1. Die Kellnerin empfiehlt ____. (der Gast / ein Rotwein)
2. Großvater kauft ____. (seine Enkeltochter / eine Pizza)
3. Ein Touristenführer zeigt ____. (die Besucher / das Stadtzentrum)
4. Katrin schreibt ____. (ihre Kusine / ein Brief)

Und wie kann es weitergehen?

5. Einige Kinder schicken . . .
6. Schullehrer Lempel erzählt . . .
7. Eine Verkäuferin verkauft . . .
8. Hans spendiert . . .

Ersetzen Sie das Dativobjekt in den Sätzen 1 bis 4 durch Pronomen *(see 13.1)*.

Ersetzen Sie das Akkusativobjekt in *Ihren* Sätzen 5 bis 8 durch Pronomen.

Ersetzen Sie beide Objekte in den Sätzen 1, 3, 5 und 7 durch Pronomen.

Beispiele: Der Kellner bringt **ihnen** (den Gästen) **eine Getränkekarte**.
Der Kellner bringt **sie den Gästen**.
Der Kellner bringt **sie ihnen**.

D. **Schenken.** Was würden Sie diesen Leuten gern kaufen / geben / schenken? Fragen Sie andere Leute. Berichten Sie darüber.

Beispiel: Freund
Ich würde meinem Freund gern eine CD kaufen.

1. Mutter	3. Bruder	5. Freunde
2. Vater	4. Schwester	6. Ihre Schule / Universität

E. **Anders ausdrücken.** Verwenden Sie bitte die folgenden Verben mit Dativobjekten.

ähneln *(resemble)*	danken	gehören
gehorchen *(obey)*	schmeicheln *(flatter)*	widersprechen *(contradict)*

Beispiel: Ich glaube nichts, was ein Politiker sagt.
*Ich traue **keinem** Politiker.*

1. Hans sieht wie sein Vater aus.
2. Kinder sollen tun, was die Eltern sagen.
3. Das ist der Wagen von meinem Lehrer.
4. Wenn der Professor *ja* sagt, soll man nicht *nein* sagen.
5. Otto sagt allen Leuten immer das, was sie gern über sich hören.
6. Ich möchte ihm meinen Dank für seine Hilfe aussprechen.

F. **Worterklärungen.** Erklären Sie die Wörter. Verwenden Sie den Genitiv.

Beispiele: der Familienvater
*Das **ist** der Vater der / einer Familie.*

die Hosentaschen
*Das **sind** die Taschen einer Hose.*

1. die Bleistiftspitze
2. der Berggipfel
3. der Hausbesitzer
4. die Bauernhöfe (pl.)
5. der Arbeiterstreik
6. die Autofahrer
7. die Lehrbuchpreise

G. **Interessante Tatsachen.** Was wissen Sie? Machen Sie fünf Aussagen mit dem Genitiv oder mit **von** und dem Dativ.

Beispiele: Das Leben **einer** Fliege *(fly)* ist sehr kurz.

Die meisten Knochen **eines** Menschen sind in den Händen und den Füßen.

Die Zähne **von einem** Nilpferd *(hippopotamus)* sind nicht sehr scharf.

H. **Filmtitel.** Wie könnten diese Filme auf deutsch heißen?

1. The Name of the Rose
2. Life of Brian
3. In the Heat **(die Hitze)** of the Night
4. The Diary **(das Tagebuch)** of Anne Frank
5. The Hunchback (**der Glöckner** = *bell-ringer*) of Notre Dame
6. Star Wars (**der Stern, -e** = star)
7. Coal Miner's **(der Bergarbeiter)** Daughter

ANWENDUNG

A. **Fragen zum Überlegen.** Diskutieren Sie mit jemandem in Ihrem Kurs über die folgenden Fragen. Berichten Sie Ihre Ideen in einer größeren Gruppe.

Welche Gegenstände sind im Leben von Studenten am wichtigsten?
Welche größeren Käufe würden Sie machen, wenn Sie das Geld dafür hätten?
Welche fünf Tiere würden Sie auf Ihre kleine Arche mitnehmen?
Welche vier Dinge möchten Sie unbedingt *(absolutely)* haben, wenn Sie allein auf einer kleinen Südseeinsel wären?
Welche fünf Erfindungen haben der Menschheit am meisten geholfen?

B. **Ich kenne jenen Ort.** Jemand im Kurs hat vor *(plans),* einen Ort (z.B. eine Stadt, einen Park) zu besuchen, den Sie gut kennen. Erzählen Sie ihm / ihr, was es dort alles zu tun und zu sehen gibt.

REDEMITTEL

Du mußt unbedingt . . . sehen.
Vielleicht kannst du auch . . . besichtigen.
Dort gibt es . . .
[X] ist auch für ein / das . . . berühmt.
Der . . . ist dort besonders gut / bekannt . . .
Empfehlen kann ich dir auch . . .

C. **Familienverhältnisse** *(family relationships)***.** Bringen Sie Familienphotos zur Deutschstunde mit. Zeigen Sie Ihre Bilder und erklären Sie die Familienverhältnisse.

VOKABELVORSCHLÄGE: FAMILIENMITGLIEDER

der Schwager	brother-in-law	**die Schwägerin**	sister-in-law
der Stiefvater	stepfather	**die Stiefmutter**	stepmother
der Stiefbruder	stepbrother	**die Stiefschwester**	stepsister
der Halbbruder	half-brother	**die Halbschwester**	half-sister
die Großeltern	grandparents	**das Enkelkind, -er**	grandchild

REDEMITTEL

Wir sind [acht] in unserer Familie
Das hier sind . . .
Auf diesem Bild siehst du . . .
[X] ist der / die . . . von . . .

SCHRIFTLICHE THEMEN

TIPS ZUM SCHREIBEN *Checking for correct cases*

After writing a first draft of your composition, be sure to check whether all the nouns (and pronouns) are in the correct cases. A common error is to put nouns following the linking verbs **sein** or **werden** in the accusative case when they are really predicate nominatives. Although prepositional phrases and adverbs setting a time or place make good sentence openers, dative and accusative objects normally do not, since they complete the idea of the verb and should thus logically follow it.

A. **Eine berühmte Familie.** Erzählen Sie von einer berühmten Familie. Das kann auch die Familie aus einem Buch, einem Film oder aus der Vergangenheit *(past)* sein. Erklären Sie die verwandtschaftlichen Verhältnisse.

Beispiel:

Prinz Charles ist der Sohn von der Königin Elisabeth von England und das Enkelkind des Königs Georg des Fünften. Verheiratet ist er mit Diane, der Tochter eines . . . Sein Bruder Andrew hat die Tochter eines . . .

B. **Eltern und Kinder.** Wie sehen Sie das ideale Verhältnis zwischen Eltern und ihren Kindern? Wie können / sollen Eltern und Kinder einander helfen?

Beispiel:

Wenn Kinder jung sind, müssen ihre Eltern selbstverständlich für sie sorgen. Sie sollen ihren Kindern vieles erklären und ihnen auch manches beibringen. Dafür *(in return)* sollen die Kinder ihrerseits *(for their part)* ihren Eltern gehorchen und bereit sein . . .

Wortschatz

VERBS WITH DATIVE OBJECTS; IMPERSONAL VERBS

The following verbs take dative objects, even though some of them do not necessarily imply an activity *to* or *for* someone.

DATIVE OBJECTS ONLY

ähneln to resemble
antworten to answer
begegnen (*aux.* **sein**) to encounter, meet
danken to thank
einfallen (*aux.* **sein**) to occur to, come to mind
folgen (*aux.* **sein**) to follow
folgen (*aux.* **haben**) to obey
gehorchen to obey
gehören to belong to
genügen to suffice
geschehen (*aux.* **sein**) to happen
gratulieren to congratulate
helfen to help
imponieren to impress
nutzen / nützen to be of use
passen to suit, fit
passieren (*aux.* **sein**) to happen
raten to advise
schaden to harm
schmecken to taste, taste good
schmeicheln to flatter
trauen to trust
weh tun to hurt, pain
widersprechen to contradict

Sie ähnelt ihrer Mutter. — *She resembles her mother.*
Zu diesem Thema fällt mir nichts ein. — *Nothing occurs to me on this topic.*
Ihr Mut hat allen imponiert. — *Her courage impressed everyone.*
Was ist dir passiert? — *What happened to you?*

DATIVE OBJECTS AFTER SOME PREFIX VERBS **(ENT-, NACH-, ZU-)**

Verbs of motion with the inseparable prefix **ent-** or the separable prefix **nach-** as well as some additional verbs with these prefixes also require dative objects.

entgehen (*aux.* **sein**) to escape, elude, avoid
entkommen (*aux.* **sein**) to escape, get away
entlaufen (*aux.* **sein**) to run away
entsagen to renounce, give up
entsprechen to correspond to, fulfill
entstammen (*aux.* **sein**) to be descended from
nachgehen (*aux.* **sein**) to walk behind, follow; to pursue, investigate
nachlaufen (*aux.* **sein**) to run after
nachsehen / schauen to gaze after

Der Dieb konnte der Polizei entkommen. — *The thief was able to escape from the police.*
Diese Arbeit entspricht nicht unseren Erwartungen. — *This work does not fulfill our expectations.*
Einige Forscher sind diesem Problem schon nachgegangen. — *Some researchers have already investigated this problem.*
Er schaute den Vögeln nach. — *He gazed after the birds.*

Some common verbs with the separable prefix **zu** also take dative objects.

zuhören to listen to
zulächeln to smile at
zureden to (try to) persuade, urge
zusagen to be to one's liking; to accept *(an invitation)*
zustehen to befit, suit
zustimmen to agree with someone or with what someone says

Solches Benehmen steht ihm nicht zu. — *Such behavior does not befit him.*
Man hat ihm zugeredet, länger zu bleiben. — *People urged him to stay longer.*
Ich stimme deiner Kritik nicht zu. — *I do not agree with your criticism.*

IMPERSONAL VERBS

Several common verbs used impersonally (see 17.2) take a dative object that is normally translated as the subject in English.

1. **jemandem fehlen** to be lacking

   Uns fehlt die Zeit zu diesem Projekt. — *We are lacking the time for this project.*

2. **jemandem gefallen** to be pleasing (see **Wortschatz** 8)

   Wie gefällt dir dieser Park? — *How do you like this park?*

3. **jemandem gelingen** to succeed

   Der Versuch ist ihm nicht gelungen. — *He did not succeed in his attempt.*

4. **jemandem (gut / schlecht) gehen** to be fine / not fine

   Es geht ihr jetzt wieder gut. — *She is now fine again.*

5. **jemandem leid tun** to feel sorry for

   Der arme Mann tat ihnen leid. — *They felt sorry for the poor man.*

A. **Situationen und Reaktionen.** Erzählen Sie, was Sie in diesen Situationen tun oder sagen. Verwenden Sie Verben mit Dativobjekten.

Beispiel: Ihr(e) Freund(in) hat Geburtstag.
Ich gratuliere meinem Freund / (ihm) / meiner Freundin / (ihr) zum Geburtstag

1. Ein Bekannter hat Sie schon öfter belogen *(told lies to).*
2. Ihr Hund reißt Ihnen die Leine aus der Hand und läuft weg.
3. Freunde geben Ihnen Geschenke zum Geburtstag.
4. Im Radio kommen spannende Nachrichten.
5. Ein Freund erzählt Ihnen, daß seine Großmutter gestern gestorben ist.
6. Die Professorin meint, daß Sie mehr studieren sollten.
7. Ein ganz toller Mann / eine ganz tolle Frau geht an Ihnen vorbei.
8. Sie wissen, daß Ihre Deutschprofessorin heute eine Auszeichnung für gutes Unterrichten erhalten hat.

B. **Aussagen.** Machen Sie wahre Aussagen mit den folgenden Verben.

1. imponieren	3. begegnen	5. raten	7. zuhören
2. widersprechen	4. entstammen	6. schmecken	8. gelingen

CHAPTER 11

Noun Genders, Noun Plurals, Weak Nouns

11.1 Noun Gender

All German nouns, whether they represent persons, things, or ideas, have *grammatical* gender **(das Genus)** that is indicated by the definite article: **der** = masculine, **die** = feminine, **das** = neuter. While the nouns for male beings are usually masculine and the nouns for female beings feminine (examples of *natural* gender), all other nouns can be any of the three genders. For example, a tree is **der Baum**, a plant **die Pflanze**, and a leaf **das Blatt**. Although there is no apparent rationale for this classification, guidelines for predicting genders do exist. The most useful ones are listed in the following sections.

When learning nouns, it is best to learn them with their gender and their plural ending. Try to remember nouns in common phrases that contain articles or inflected adjectives, making the gender easier to recall: **ein herrlicher Tag; aus der Flasche; schlechtes Wetter**. Also, learn words in thematic groupings (foods, clothing, household furnishings, classroom objects, pets, means of transportation, etc.).[1]

11

[1] A good place to look up topical vocabulary is in a pictorial dictionary. One of the best and most comprehensive bilingual pictorial dictionaries is the *Oxford-Duden Bildwörterbuch: Deutsch und Englisch* published by Duden Verlag and Oxford University Press. It is based upon the German version of Duden's *Bildwörterbuch*. Both of these books list vocabulary by topic areas and with accompanying illustrations.

A. *Masculine Nouns*

The following types of nouns are usually masculine:

1. Words designating male beings, their professions, and their nationalities

der Mann, ¨er	**der Arzt, ¨e**	**der Engländer, -**
der Sohn, ¨e	**der Chemiker, -**	**der Franzose, -n**

2. Agent nouns derived from verbs by adding the suffix **-er** to the infinitive stem

der Arbeiter, - (arbeiten)	**der Maler, - (malen)**
der Fahrer, - (fahren)	**der Schreiber, - (schreiben)**

3. Days of the week, months of the year, seasons, and most weather elements

(der) Montag	**der Frühling**	**der Regen**
(der) Mai	**der Herbst**	**der Schnee**

4. Names of most *non-German* rivers, unless they end in **-a** or **-e**

der Mississippi	BUT:	**die Wolga**
der Mekong		**die Themse**
der Nil		**die Seine**

5. Nouns ending in the suffixes **-ig, -ling, -or,** or **-us**

der Käfig, -e *(cage)*	**der Liebling, -e**
der Honig, -e	**der Schwächling, -e** *(weakling)*
der Motor, -en	**der Sozialismus**
der Faktor, -en	**der Zirkus, -se**

6. Most nouns ending in **-en**

der Garten, ¨	**der Kragen, -** *(collar)*	**der Osten**
der Hafen, ¨ *(harbor)*	**der Magen, -** *(stomach)*	**der Süden**

B. *Feminine Nouns*

The following types of nouns are usually feminine.

1. Words designating female beings, their professions, and their nationalities

die Frau, -en	**die Ärztin, -nen**	**die Französin, -nen**
die Tochter, ¨	**die Chemikerin, -nen**	**die Engländerin, -nen**

2. Agent nouns formed by adding the feminine suffix **-in** to masculine agent forms

die Arbeiterin, -nen	**die Malerin, -nen**
die Fahrerin, -nen	**die Schreiberin, -nen**

3. Most nouns for things ending in **-e** (plural **-n**)

die Krawatte, -n **die Maschine, -n** **die Sprache, -n**

4. Nouns ending in the suffixes **-anz, -ei, -enz, -ie, -ik, -ion, -heit, -keit, -schaft, -tät, -ung,** or **-ur**.

die Dissonanz, -en	**die Musik**	**die Landschaft, -en**
die Konditorei, -en	**die Religion, -en**	**die Rivalität, -en**
die Frequenz, -en	**die Dummheit, -en**	**die Bedeutung, -en**
die Demokratie, -en	**die Schwierigkeit, -en**	**die Prozedur, -en**

5. Names of many *German* rivers

die Donau **die Elbe** **die Havel** **die Isar** **die Mosel**

EXCEPTIONS: **der Rhein** **der Inn** **der Lech** **der Main** **der Neckar**

C. Neuter Nouns

The following types of nouns are usually neuter:

1. Names of continents, cities, and most countries. By themselves, they do not require any article; but when they are modified by adjectives, an article must be used.

ein vereinigtes Europa **das alte Frankfurt** **das neue Deutschland**

2. Nouns for many metals

das Blei *(lead)*	**das Eisen** *(iron)*	**das Gold**
das Metall	**das Silber**	**das Uran**

EXCEPTIONS: **der Stahl, die Bronze**

3. Letters of the alphabet

ein kleines G **das große H**

4. Infinitives and other parts of speech when used as nouns

(das) Lesen *(reading)*	**das Ich** *(ego)*
(das) Schreiben *(writing)*	**das Für und Wider** *(arguments for and against)*

5. Nouns ending in the suffix **-tum**

das Christentum **das Judentum**

EXCEPTIONS: **der Reichtum, ¨er** *(wealth)*; **der Irrtum, ¨er** *(error)*

6. Nouns with the diminuitive suffixes **-chen, -lein** (and their dialect variations **-erl, -el, -le, -li**). Also nouns with the suffixes **-ment** and **-(i)um**.

das Mädchen, -
das Büchlein, -
das Busserl, - *(kiss, smooch)*
das Häusle, -

das Experiment, -e
das Datum, die Daten
das Museum, die Museen
das Kompendium, -dien

7. Some collective nouns beginning with the prefix **Ge-**

Berge → das Gebirge
Büsche → das Gebüsch

Wolken → das Gewölk
Schreie → das Geschrei *(screaming)*

D. *Compound Nouns*

In compound words, both gender and plural are governed by the last word in the compound.

das Eisen *(iron)*
die Eisenbahn *(railroad)*
der Eisenbahnschaffner *(railroad conductor)*
die Eisenbahnschaffneruniform *(railroad conductor's uniform)*

E. *Nouns with Dual Gender*

1. Some words appear to have two separate genders, but are really homonyms. Here are some common examples:

der Band, ¨e *volume*	**das Band, ¨er** *ribbon, tape*
der Flur, -e *hallway*	**die Flur, en** *meadow, pasture*
der Gefallen, - *favor*	**das Gefallen** *pleasure*
der Gehalt, -e *content(s)*	**das Gehalt, ¨er** *salary, wages*
der Kunde, -n *customer, client*	**die Kunde** *news, notice, information*
der Messer, - *gauge*	**das Messer, -** *knife*
der See, -n *lake*	**die See, -n** *sea*
der Tor, -en *fool*	**das Tor, -e** *gate*

2. When **Teil** is perceived to be part of something, it is usually masculine: **der erste Teil**, **der Ersatzteil** *(replacement part)*. When it designates a totally separate element, it is usually neuter **(Er hat sein Teil, ich habe meins)**. Compounds with **-teil** do not follow this distinction: **der Vorteil** *(advantage)*, **das Urteil** *(verdict)*.

3. **Meter** and its compounds and **Liter** are now usually used with the masculine, although some dictionaries still list neuter as the officially preferred gender. (See **Wortschatz** 21.)

11.2 Noun Plurals

There are five basic plural endings for German nouns: **-, -e, -er, -en,** and **-s**. In some instances, the noun stem vowel also has an umlaut. In the plural, all nouns take the same article **(die)**. The following guidelines should be considered rules of thumb only, for there are exceptions.

A. *No Plural Ending*

Most masculine and neuter nouns ending in **-el, -en, -er** take no plural ending, though many that are masculine do take an umlaut.

der Sessel, die Sessel
der Wagen, die Wagen
der Fahrer, die Fahrer
das Kissen *(pillow)*, **die Kissen**
das Fenster, die Fenster
der Mantel, die Mäntel
der Garten, die Gärten
der Vater, die Väter

B. *Plural Ending* -e

1. A large number of monosyllabic masculine and neuter nouns take an **-e** ending in the plural. Some of these masculine nouns also take an umlaut.

der Tisch, die Tische
das Jahr, die Jahre
der Bach, die Bäche
der Stuhl, die Stühle

EXCEPTIONS: **der Mann, die Männer; der Wald, die Wälder**

2. About thirty monosyllabic feminine nouns also take the plural ending **-e**; all also have an umlaut in the plural.

die Angst, die Ängste
die Hand, die Hände
die Bank, die Bänke
die Wand, die Wände

Also: **die Brust, die Faust** *(fist)*, **die Frucht, die Haut** *(skin; hide)*, **die Kraft** *(strength)*, **die Kuh, die Kunst, die Laus, die Luft, die Macht** *(power)*, **die Maus, die Nacht, die Wand, die Wurst**, and a few others.

C. *Plural Ending* -er

Many monosyllabic neuter words take an **-er** plural ending and also have an umlaut when possible.

das Buch, die Bücher
das Dorf, die Dörfer
das Bild, die Bilder
das Kleid, die Kleider

D. Plural Ending -(e)n

Almost all feminine nouns, including all those with feminine suffixes, take an **-(e)n** plural ending, but no umlaut.

die Mauer, die Mauern   **die Zeitung, die Zeitungen**
die Stunde, die Stunden   **die Universität, die Universitäten**

Nouns with the feminine suffix **-in** double the **-n** before the plural ending.

die Autorin, die Autorinnen   **die Polizistin, die Polizistinnen**

E. Plural Ending -s

Many foreign words, particularly those ending in the vowels **-a** or **-o**, take an **-s** plural ending.

das Büro, die Büros   **die Kamera, die Kameras**

11.3 Nouns Without Plurals

Some categories of German nouns, for example nouns designating materials (sugar, wool, steel) or abstract concepts (love, hate, intelligence) have no plural.

Many collective nouns beginning with **Ge-** are also only singular.

das Gebirge *mountains*   **das Geschirr** *dishes*
das Gebüsch *bushes*   **das Gewölk** *clouds*

In addition, a few German nouns usually occur only in the singular, though their English equivalents are often expressed in the plural.

die Brille *eyeglasses*   **die Schere** *scissors*
die Hose *pants, trousers*   **das Vieh** *one or more head of cattle*

11.4 Weak Noun Declensions

A. Regular Weak Nouns

A particular group of masculine nouns adds **-en** in all cases singular and plural except the nominative singular.

	Sing.		***Pl.***	
Nom.	der	Mensch	die	Mensch**en**
Acc.	den	Mensch**en**	die	Mensch**en**
Dat.	dem	Mensch**en**	den	Mensch**en**
Gen.	des	Mensch**en**	der	Mensch**en**

Nouns of this type include the following:

1. Some nouns denoting male beings in general

der Bote *(messenger)*	**der Junge**	**der Kunde** *(customer)*
der Experte	**der Knabe** *(boy)*	**der Riese** *(giant)*

2. A number of nouns indicating nationality or religious affiliation

der Chinese	**der Türke**	**der Katholik**
der Grieche	**der Buddhist**	**der Protestant**
der Russe	**der Jude**	

3. All nouns designating male beings and ending in the foreign suffixes **-ant, -arch, -ast, -ege, -ent, -ist, -oge, -om, -oph, -ot**

der Komödiant	**der Student**	**der Philosoph**
der Monarch	**der Polizist**	**der Pilot**
der Enthusiast	**der Psychologe**	
der Kollege	**der Astronom**	

Most of these nouns have feminine equivalents with the suffix **-in**.

die Monarchin **die Pilotin** **die Expertin** **die Russin**

B. Weak Noun Variations

1. The weak noun **der Bauer** *(farmer, peasant)* (*fem.:* **die Bäuerin**) takes **-n** instead of **-en** in both singular and plural.

	Sing.	Pl.
Nom.	der Bauer	die Bauer**n**
Acc.	den Bauer**n**	die Bauer**n**
Dat.	dem Bauer**n**	den Bauer**n**
Gen.	des Bauer**n**	der Bauer**n**

2. In the singular only, **der Nachbar** (*fem.:* **die Nachbarin**) can be declined either regularly **(des Nachbars, dem Nachbar)** or as a weak noun **(des Nachbarn, dem Nachbarn)**. The plural is **die Nachbarn**.

3. The weak noun **der Herr** (*fem.:* **die Herrin** *[lady, mistress]*) takes **-n** in the singular (except in the nominative) and **-en** in the plural, even when it means *Mr.*

	Sing.	Pl.
Nom.	der Herr	die Herr**en**
Acc.	den Herr**n**	die Herr**en**
Dat.	dem Herr**n**	den Herr**en**
Gen.	des Herr**n**	der Herr**en**

Kennen Sie Herrn Barth? *Do you know Mr. Barth?*

4. A few weak nouns have a genitive singular ending in **-ens**.

	Sing.		*Pl.*	
Nom.	der	Name	die	Namen
Acc.	den	Namen	die	Namen
Dat.	dem	Namen	den	Namen
Gen.	des	Nam**ens**	der	Namen

Other common nouns of this type include:

der Friede(n) *(peace)* **der Glaube** *(belief)*
der Gedanke *(thought)* **der Wille** *(will)*

5. The neuter noun **das Herz** is also irregular.

	Sing.		*Pl.*	
Nom.	**das**	**Herz**	**die**	**Herzen**
Acc.	**das**	**Herz**	**die**	**Herzen**
Dat.	**dem**	**Herzen**	**den**	**Herzen**
Gen.	**des**	**Herzens**	**der**	**Herzen**

ÜBUNGEN

A. ***Der, die* oder *das*?** Geben Sie Genus und Plural.

1. Diktatur
2. Spitze *(point)*
3. Winter
4. Pessimist
5. Männlein
6. Schreibkunst
7. Meldung *(announcement)*
8. Getreide *(grain)*
9. Käfig *(cage)*
10. Häftling *(prisoner)*
11. Name
12. Baustelle
13. Nation
14. Portugiese
15. Wissenschaft *(science)*
16. Bogen *(bow, arch)*
17. Trainerin
18. Partei
19. Kollege
20. Herz
21. Geldverdiener *(wage earner)*
22. Delaware *(river)*
23. Anachronismus
24. Fabrik *(factory)*
25. Schläfchen
26. Anwalt *(lawyer)*
27. Band

B. **Substantive mit schwacher Deklination.** Ergänzen Sie die Sätze mit passenden Substantiven.

Beispiel: Hannibal ritt auf einem ____ über die Alpen.
Hannibal ritt auf einem ***Elefanten*** *über die Alpen.*

1. Im Weißen Haus findet man den ____ .
2. Bei einem Autounfall ruft man einen ____ .
3. Fliegen ist der Beruf eines ____ .
4. Wenn wir Paßfotos brauchen, gehen wir zu einem ____ .
5. Eine Person, die an die Lehren von Karl Marx glaubt, nennt man einen ____ .
6. Der Papst im Vatikan ist das geistliche Oberhaupt *(head)* der ____ .
7. Im Geschäftsleben hat der ____ immer recht.

ANWENDUNG

A. **Themenbereiche** *(topic areas)*. Wählen Sie *(choose)* ein Thema, das Sie interessiert. (Sie müssen sich nicht unbedingt *[absolutely]* an die Themenvorschläge halten.) Schlagen *(Look up)* Sie acht bis zehn Substantive zu diesem Thema nach. Merken Sie sich Genus und Plural von diesen Wörtern. Schreiben Sie Ihre Wörter *ohne* Genus und Plural auf eine Karte oder ein Blatt Papier. Nennen Sie auch den Themenbereich, zu dem Ihre Wörter gehören. Geben Sie die Karte an jemanden im Kurs weiter, der dieses Thema nicht gewählt hat. Er / sie soll versuchen, Bedeutung, Genus und Plural von diesen Wörtern zu erraten *(guess)*. Wenn er / sie ein Wort nicht erraten kann, erklären Sie es ihm / ihr auf deutsch.

Thema: der Gartenbau

Beispiel:		
	Spaten	der Spaten, - *(spade)*
	Harke	die Harke, -n *(rake)*
	Pflanze	die Pflanze, -n *(plant)*
	Samen	der Samen, - *(seed)*
	Beet	das Beet, -e *(bed, patch)*
	Schlauch	der Schlauch, ¨e *(hose)*
	Erde	die Erde, -n *(soil)*
	Dünger	der Dünger, - *(fertilizer, manure)*

THEMENVORSCHLÄGE

1. das Automobil / Autotypen
2. der Computer / das Computerwesen
3. die Photographie
4. das Flugzeug / das Fliegen
5. die Gesundheit / das Gesundheitswesen
6. das Haus und Haustypen
7. die Kirche / die Religion
8. die Küche / Küchengeräte
9. die Landschaft
10. der menschliche Körper

11. die Musik / Musikinstrumente
12. die Politik / die Regierung
13. die Reise / das Reisen
14. der Rundfunk und das Fernsehen
15. die Sternkunde (Astronomie)
16. das Telefon / das Telefonieren
17. Tiere und Pflanzen
18. der Urlaub
19. das Wetter / die Wetterkunde (Meteorologie)
20. der Zirkus

B. **Erklären und informieren.** Informieren Sie andere Studenten im Kurs über ein Thema aus den Themenvorschlägen in **Anwendung** A.

SCHRIFTLICHE THEMEN

TIPS ZUM SCHREIBEN *Checking for correct genders and plurals*

After writing the first draft of a composition, go back and reread it for meaning. Make any revisions necessary so that your ideas are clear. Then check to make sure all nouns and articles are used in the proper gender and with the correct plural endings.

A. **Beschreibung eines Ortes oder eines Gegenstands.** Beschreiben Sie ausführlich *(in detail)* einen Gegenstand oder einen Ort mit allem, was dazu gehört *(belongs)*.

THEMENVORSCHLÄGE

1. Ihr Auto
2. ein Garten (mit Gemüse und Blumen)
3. Ihr Heimcomputer
4. ein Spielplatz
5. etwas Besonderes, was Sie besitzen.

Beispiel:

Mein Computer ist ein Laptop-Gerät mit Festplatte *(hard disk)* und einem 3,5 Diskettenlaufwerk *(disk drive)*. Der Schirm ist farbig und recht klein. Im Computer befinden sich aber viele Software-Programme, darunter ein Textverarbeitungsprogramm *(word processing program)* und einige Videospiele. Zum System gehört auch ein 24-Nadeldrucker *(dot matrix printer)* mit einer Druckgeschwindigkeit *(printing speed)* von 160 Charakteren pro Minute. Mir gefällt besonders die Tastatur *(keyboard)*, denn . . . usw.

B. **Kurze Einleitung** *(introduction)*. Schreiben Sie eine kurze Einleitung zu einer Aktivität, die Sie besonders interessiert. Sie können z.B. erklären, welche Gegenstände man dazu braucht und wozu man sie braucht.

Beispiel:

Zum Bergsteigen braucht man eine gute Ausrüstung. Dazu gehören vor allem stabile Schuhe und ein Rucksack. Man darf eine Wanderkarte, einen Kompaß, Wanderproviant *(hiking rations)* und eine warme Jacke auch nicht vergessen. Wer in felsige *(rocky)* Regionen hoch hinaufkommt, soll auch . . .

Wortschatz

VOCABULARY AND EXPRESSIONS FOR DISCUSSING LITERARY TEXTS

Discussion of literary texts requires specialized vocabulary.

TEXT COMPONENTS

der Text, -e text
das Werk, -e work
der Abschnitt, -e OR: **der Absatz, ¨-e** paragraph
der Autor, -en / die Autorin, -nen author
die Bedeutung, -en meaning, significance
der Charakter, -e character
die Handlung, -en plot
die Nebenhandlung, -en subplot
der Humor humor
der Inhalt, -e content(s)
die Ironie irony
der Leser, - reader
die Seite, -n page
der Stil, -e style
das Symbol, -e OR: **das Sinnbild, -er** symbol
der Teil, -e part
das Thema, Themen topic, theme
der Titel, - title
die Wirkung, -en effect, impact, reaction

GENRES AND RELATED VOCABULARY

die Gattung, -en major genre of writing
die Dramatik (dramatisch) drama
die Lyrik (lyrisch) lyric
die Epik (episch) epic
die Gattung(sart), -en category of literary work
die (Auto)biographie, -n (auto)biography
die Ballade, -n ballade
das Epos, -pen epic, verse narrative
die Erzählung, -en narrative, story, tale
die Kurzgeschichte, -n short story

das Gedicht, -e poem
der Reim, -e rhyme
der Rhythmus, -men rhythm
der Vers, -e verse
die Zeile, -n line
der Roman, -e novel
das Kapitel, - chapter
das Schauspiel, -e / **das Theaterstück, -e** } play

das Drama, -men drama
der Akt, -e act
die Rolle, -n role
die Szene, -n scene
das Lustspiel, -e / **die Komödie, -n** } comedy
das Trauerspiel, -e / **die Tragödie, -n** } tragedy

EXPRESSIONS

Dieser Text handelt von [einem] . . .	This text is about [a] . . .
Der Text behandelt [den] . . .	The text treats [the] . . .
In diesem Abschnitt steht, daß . . .	It says in this paragraph that . . .
In dem Text heißt es, daß . . .	It says in the text that . . .
Geschrieben wurde der Roman [von] . . .	The novel was written [by] . . .
Am Anfang . . .	In the beginning . . .
Die Erzählung beginnt mit . . .	The story begins with . . .
Im Laufe der Geschichte . . .	In the course of the story . . .
Gegen Ende . . .	Toward the end . . .
Zum Schluß . . .	In the end / Finally . . .
Das weist darauf hin, daß . . .	That indicates that . . .
Dieser [Vers] ist so zu deuten:	This [verse] can be interpreted as follows:
Die Autorin will damit zum Ausdruck bringen, daß . . .	By that, the author means to say that . . .
Das symbolisiert . . .	That symbolizes . . .
Zusammenfassend läßt sich sagen, daß . . .	In summary it can be said that . . .

A. **Gattungen.** Zu welchen Gattungen oder Gattungsarten gehören die folgenden Werke der Weltliteratur?

Beispiel: *Göttliche Komödie* (Dante Alighieri)
Dantes **Göttliche Komödie** *ist ein Epos.*

1. *Romeo und Julia* (William Shakespeare)
2. *Faust* (Johann Wolfgang Goethe)
3. *Krieg und Frieden* (Leo Tolstoi)
4. *Das Leben Dantes* (Giovanni Boccaccio)
5. *Die Perle* (John Steinbeck)
6. *Lysistrate* (Aristophanes)
7. „Die Lorelei" (Heinrich Heine)

8. *Der Zauberberg* (Thomas Mann)
9. *Der Fänger im Roggen* (J. D. Salinger)
10. „Der Rabe" (Edgar Allan Poe)

B. **Das kann ich empfehlen.** Können Sie für jede der folgenden Gattungsarten ein Werk empfehlen, das Ihnen gefällt?

1. Roman
2. Drama
3. Gedicht
4. Erzählung
5. Komödie
6. Ballade
7. (Auto)biographie

C. **Textanalyse.** Besprechen Sie einen kurzen literarischen Text (Erzählung, Kurzgeschichte oder Gedicht), der Ihnen besonders gefällt. Gehen Sie auf Elemente wie Stil, Handlung, Symbol und Bedeutung ein. Verwenden Sie einige der Ausdrücke in diesem **Wortschatz**.

CHAPTER 12

Articles and Possessive Adjectives / Articles Used As Pronouns

12.1 Definite Articles

A. *Declension*

The definite article **(der bestimmte Artikel)** — English *the* — has masculine, feminine, neuter, and plural forms. It declines with the noun it modifies (see 10.2).

	Masc.	*Fem.*	*Neut.*	*Pl.*
Nom.	**der Tisch**	**die Vase**	**das Buch**	**die Tische**
Acc.	**den Tisch**	**die Vase**	**das Buch**	**die Tische**
Dat.	**dem Tisch(e)**	**der Vase**	**dem Buch(e)**	**den Tischen**
Gen.	**des Tisches**	**der Vase**	**des Buches**	**der Tische**

B. *Use*

1. German includes the definite article in reference to a specific noun. This usage parallels English.

   Kennst du **den** Mann von nebenan? — *Do you know the man from next door?*

2. Definite articles are used instead of possessive adjectives with parts of the body and with articles of clothing when it is clear to whom they belong.

Sie hat **den** Mantel ausgezogen und (sich) **die** Hände gewaschen. — *She took off **her** coat and washed **her** hands.*

BUT:

Sie hat **seinen** Mantel getragen. — *She wore **his** coat.*

3. The definite article is also used in the following instances where it is usually omitted in English:

a. With names of days, months, seasons, and meals.

Sie kommen **am** (= an dem) Mittwoch **zum** (= zu dem) Abendessen. — *They are coming for dinner on Wednesday.*
Der Frühling beginnt **im** (in dem) März. — *Spring begins in March.*

b. With means of transportation.

Er fährt mit **dem** Zug, nicht mit **dem** Auto. — *He is traveling by train, not by car.*

c. With names of streets, intersections, squares, churches, etc., even when they are in English. Also with names of lakes, canyons, mountains, and rivers.

Der Stephansdom in Wien steht **am** (= an dem) Stephansplatz am Ende **der** Kärntnerstraße. — *St. Stephan's Cathedral in Vienna stands in Stephan's Square at the end of Kärntner Street.*
Freunde von uns wohnen **am** Eriesee. — *Friends of ours live on Lake Erie.*

Speakers of German are apt to use English words for places in English-speaking countries, but with the same genders as their German equivalents: **in der Third Avenue** (= **in der Straße**); **am Washington Square** (= **am [an dem] Platz**).

d. With names of some countries, usually masculine, feminine, or plural: **der Jemen, der Kongo, der Sudan,** (sometimes **der Iran** and **der Irak**); **die Schweiz, die Tschechoslowakei, die Türkei, die Vereinigten Staaten**.

Zürich ist die größte Stadt in **der** Schweiz. — *Zurich is the largest city in Switzerland.*

e. With geographical and proper names modified by preceding adjectives.

das alte Deutschland — *old Germany*
die junge Frau Scherling — *young Mrs. Scherling*

f. With first or last names in very colloquial German, where the article usually suggests that the speaker knows that person.

Die Christina hat nicht **den** Klaus geheiratet, sondern **den** Michael.	*Christina didn't marry Claus, but rather Michael.*

g. With nouns that denote concepts, abstractions, and beliefs.

Lenin war ein wichtiger Kämpfer für **den** Kommunismus.	*Lenin was an important fighter for communism.*
Das Christentum ist fast 2.000 Jahre alt.	*Christianity is nearly 2,000 years old.*

h. With a number of words such as **Arbeit, Kirche, Schule,** and **Stadt,** particularly with prepositions.

Nach **der** Arbeit muß ich in **die** Stadt.	*After work I have to go into town.*
Vor **der** Schule gehen sie **zur** Kirche.	*Before school they go to church.*

C. *Omission of the Definite Article*

German generally omits the definite article (a) with pairs of nouns, (b) before a musical instrument when expressing playing that instrument, and (c) with family last names in the plural.

Es geht um **Leben und Tod**. *(pair of nouns)*	*It is a matter of life and death.*
Er spielt **Violine**, und sie spielt **Klavier**. *(playing an instrument)*	*He plays the violin and she plays the piano.*
Wir essen heute abend **bei Höflechners**. *(plural family name)*	*We are eating this evening at the Höflechners.*

BUT:

Wir essen heute abend **bei Höflechner**. *(singular)*	*We are eating this evening at Höflechner's.*

12.2 Indefinite Articles

A. *Declension*

The endings of the indefinite article **(der unbestimmte Artikel)** — English *a(n)* — are very similar to those of the definite article; the three differences are highlighted in the chart at the top of p. 127.

	Masc.		*Fem.*		*Neut.*		*Pl.*	
Nom.	**ein □**	**Vater**	**eine**	**Mutter**	**ein □**	**Kind**	**keine**[1]	**Väter**
Acc.	**einen**	**Vater**	**eine**	**Mutter**	**ein □**	**Kind**	**keine**	**Väter**
Dat.	**einem**	**Vater**	**einer**	**Mutter**	**einem**	**Kind(e)**	**keinen**	**Vätern**
Gen.	**eines**	**Vaters**	**einer**	**Mutter**	**eines**	**Kindes**	**keiner**	**Väter**

B. *Use*

Indefinite articles generally refer to nonspecific nouns, that is, *a* book as opposed to *the* book, just as in English. A nonspecific noun normally has no article in the plural.

Wir suchen **eine Blume**.	*We are looking for a flower.*
Gibt es **Blumen** in deinem Garten?	*Are there flowers in your garden?*

C. *Omission of the Indefinite Article*

German does *not* use the indefinite article before nouns of *occupation, nationality,* or *general class of person* (religious denomination, military rank, marital status, etc.) when they are used as predicate nominatives or after **als** *(as)*.

Erwin Rommel war Deutscher und General.	*Erwin Rommel was* ***a*** *German and* ***a*** *general.*
Bärbl arbeitet als Steuerberaterin.	*Bärbl works as* ***a*** *tax advisor.*

12.3 Der-Words

A number of other article modifiers **(Artikelwörter)**, for example **dies-**, take the same endings as the direct article. For this reason they are called **der**-words.

A. *Declension of the Article* dies-

	Masc.		*Fem.*		*Neut.*		*Pl.*	
Nom.	**dieser**	(der)	**diese**	(die)	**dieses**	(das)	**diese**	(die)
Acc.	**diesen**	(den)	**diese**	(die)	**dieses**	(das)	**diese**	(die)
Dat.	**diesem**	(dem)	**dieser**	(der)	**diesem**	(dem)	**diesen**	(den)
Gen.	**dieses**	(des)	**dieser**	(der)	**dieses**	(des)	**dieser**	(der)

[1] There is no plural for the article **ein**; for this reason **kein** is used here as the plural article.

B. Der-*Words Declined like* dieser

The following **der-**words decline like **dieser**.

all-	*all (sing. and pl.)*	**manch-**	*many a; (pl.) some*
dies-	*this; (pl.) these*	**solch-**	*such (a); (pl.) such*
jed-	*each, every*	**welch-**	*which*
jen-	*that; (pl.) those*		

C. Use of der-*Words*

1. **All-** occurs mainly in the plural and **jed-** only in the singular.[2]

Alle Geschäfte sind jetzt geschlossen.	*All stores are closed now.*
Jedes Geschäft war geschlossen.	*Every store was closed.*

2. When followed by a **der-** or **ein-**word, **all-** has no ending in the singular and an optional ending in the plural.

Was hat die Firma mit **all** *dem* Geld gemacht?	*What did the firm do with all the money?*
Sie hat **all(e)** *ihre* Verwandten in Luxemburg besucht.	*She visited all her relatives in Luxemburg.*

3. **Jen-** is fairly uncommon as a noun modifier and used mainly in contrast to **dies-**.

Willst du **dieses** Getränk oder **jenes (Getränk)**?	*Do you want this drink or that one?*

4. **Manch-** is common in the plural, but much less frequent in the singular. When the singular does occur, it is often used in conjunction with **ein-**. In such instances, **manch-** is not declined and **ein-** takes indefinite article endings.

Manche Leute lernen nie von ihren Fehlern.	*Some people never learn from their mistakes.*
Ich habe **manch eine / manche** Person getroffen, die einfach nicht gern reist.	*I have met many a person who simply does not like to travel.*

---

[2] Use of **all-** in the singular is infrequent; it is found mainly in a few common phrases such as:
Aller Anfang ist schwer. *Every beginning is difficult.*

5. **Solch-** is common in the plural, but less so in the singular, where speakers of German prefer **so ein- / solch ein-** *(such a* or *a [. . .] like that).*

Solche Leute wie Jim brauchen wir. Kennst du **so einen / solch einen** Menschen?	*We need such people as Jim. Do you know such a person / a person as that?*
Jedes Kind möchte **so ein / solch ein** Fahrrad haben.	*Every child would like to have such a bicycle / a bicycle like that.*

6. **Welch-** is most commonly used as an interrogative article (see 14.2), but the forms **welch ein-** or **was für ein-** occur often in exclamations.

Welch ein / was für ein herrliches Wetter!	*What glorious weather!*

12.4 Ein-Words (Possessive Adjectives)

A. *Forms*

1. Every pronoun (see 13.1) and noun has a corresponding possessive adjective **(das Possessivpronomen).**[3]

Pronoun	*Noun*	*Possessive Pronoun*	
ich		**mein**	*(my)*
du		**dein**	*(your)*
er	**der**-noun	**sein**	*(his; its)*
sie	**die**-noun	**ihr**	*(her; its)*
es	**das**-noun	**sein**	*(his; its)*
man		**sein**	*(his; their)*
wir		**unser**	*(our)*
ihr		**euer**	*(your)*
sie	plural noun	**ihr**	*(their)*
Sie		**Ihr**	*(your)*

[3] German grammarians classify possessive adjectives as possessive pronouns, hence the term **Possessiv**pronomen. A possessive adjective used as a pronoun (see 12.5) is a **substantiviertes Possessivpronomen.**

2. Possessive adjectives have the same endings as the indefinite article (see 10.1). For this reason they are called **ein**-words.

	Masc.	*Fem.*	*Neut.*	*Pl.*
Nom.	**mein**	**meine**	**mein**	**meine**
Acc.	**meinen**	**meine**	**mein**	**meine**
Dat.	**meinem**	**meiner**	**meinem**	**meinen**
Gen.	**meines**	**meiner**	**meines**	**meiner**
Nom.	**unser**[4]	**uns(e)re**	**unser**	**uns(e)re**
Acc.	**uns(e)ren**	**uns(e)re**	**unser**	**uns(e)re**
Dat.	**uns(e)rem**	**uns(e)rer**	**uns(e)rem**	**uns(e)ren**
Gen.	**uns(e)res**	**uns(e)rer**	**uns(e)res**	**uns(e)rer**

B. Use

1. The *endings* of possessive adjectives are determined by the case, number, and gender of the nouns they modify.

Meine Mutter arbeitet bei Siemens. *(nominative)*	*My mother works for Siemens.*
Habt ihr **euren** Wagen gefunden? *(accusative)*	*Did you find your car?*
Er arbeitet mit **unserem** Vater zusammen. *(dative)*	*He works together with our father.*
Sie ist die Frau **seines** Onkels. *(genitive)*	*She is his uncle's wife.*

2. The *choice of possessive adjective* is determined by the noun or pronoun to which it refers.

Monika liebt **ihr**|**en** Mann.	*Monika loves her husband.*
Heinz liebt **sein**|**e** Frau.	*Heinz loves his wife.*

3. Since **er, sie,** and **es** can refer to things as well as persons, the possessive forms **sein-** and **ihr-** can both mean *its* in English.

Der Ahorn verliert **seine** Blätter im Winter.	*The maple tree loses* ***its*** *leaves in the winter.*
Die Tanne verliert **ihre** Nadeln nicht.	*The fir does not lose* ***its*** *needles.*

4. Possessive adjectives are not normally used with articles of clothing and parts of the body (see 12.1).

---

[4] The **-er** is part of the adjective, not an ending. When **unser** and **euer** have an ending, the interior unstressed **-e-** is often dropped.

12.5 Der- and ein-Words Used as Pronouns

A. Der-*Word Pronouns*

1. When a noun is understood from context and thus not repeated, the accompanying definite article or **der**-word can function as a pronoun.

Ich nehme diese Lampe. **Welche** willst du?	*I'll take this lamp. Which one do you want?*
—Ich möchte **die** da.	*I'd like the one there.*
Manche mögen es heiß.	*Some (people) like it hot.*

2. The pronouns **dies**- and **jen**- often express the idea of the *latter* and the *former,* respectively.

Der Kommunismus und der Sozialismus verschwinden jetzt in Osteuropa. Über **jenen** haben wir schon gesprochen, und mit **diesem** werden wir morgen anfangen.	*Communism and socialism are disappearing in Eastern Europe. We have already talked about the former, and we will begin with the latter tomorrow.*

3. The shortened neuter pronoun forms **dies** *(this, these)* and **das** *(that, those)* occur with the verb **sein** when there is no reference to a previous noun. They are frequently used in pointing out objects. The verb can be either singular or plural, depending upon whether one or more items are being pointed out.

Das ist mein Auto. *(no previous reference)*	*That is my car.*
BUT:	
Hier siehst du zwei Autos. **Dieses** ist meins. *(previous reference)*	*Here you see two cars. This one is mine.*
Das sind unsere Bücher.	*Those are our books.*
Hast du meine Bücher gesehen?	*Have you seen my books?*
—Nein, **diese** hier sind unsere Bücher.	*No, these (ones) here are my books.*

B. Ein-*Word Pronouns*

Ein-words, including **so ein-, manch ein-,** and **was für ein-,** can also function as pronouns as long as they retain their endings. In the three instances where the article **ein-** has no ending, a **der**-word ending must be added to indicate number, gender, and case, as highlighted in the chart on p. 132.

Ein-Word Pronoun Declension

	Masc.	*Fem.*	*Neu.*	*Pl.*
Nom.	ihr**er**	ihre	ihr**es**	ihre
Acc.	ihren	ihre	ihr**es**	ihre
Dat.	ihrem	ihrer	ihrem	ihren
Gen.	ihres	ihrer	ihres	ihrer

Hier ist mein Buch. Wo ist **dein(e)s**? — *Here is my book. Where is **yours**?*

Ich brauche einen Bleistift. —Hier liegt **einer**. — *I need a pencil. Here is **one**.*

Sie will Briefmarken kaufen, aber sie findet **keine**. — *She wants to buy stamps, but she can't find **any**.*

Wir haben ein Zwei-Mann-Zelt. In was für **einem**[5] schlaft ihr? — *We have a two-person tent. What kind (of **one**) are you sleeping in?*

ÜBUNGEN

A. **Die Hansestadt[6] Hamburg.** Ergänzen Sie die Sätze durch passende Formen von **der** oder **ein**.

1. Im 9. Jahrhundert wurde „Hammaburg" an ____ Elbe gegründet.
2. Im Mittelalter entwickelte sich ____ Stadt Hamburg zu ____ wichtigen Handelsmetropole.
3. Mit ____ Aufkommen ____ Dampfschiffahrt *(steamboat travel)* wurde Hamburg ____ wichtiger Hafen für Seefahrer aus ____ ganzen Welt.
4. Trotz seines Alters ist Hamburg ____ neuzeitliche Stadt.
5. ____ Bombenangriffe *(bombing raids)* von 1943–45 zerstörten ____ Stadtzentrum sehr schwer. Fast 55.000 Menschen kamen ums Leben *(perished)*.
6. Heute umfaßt *(comprises)* ____ Hafen ____ Gebiet *(n.)* von 16 km Länge.
7. In ____ Stadtteil Stellingen gibt es ____ sehenswerten Tierpark.
8. Im Westen ____ Stadt liegt ____ Hafenviertel St. Pauli mit ____ vielbesuchten *Reeperbahn*.[7]
9. Mit mehr als 1,8 Millionen Einwohnern gehört Hamburg zu ____ Weltstädten Europas.

---

[5] The use of **was für** does not influence the case, which in this instance depends upon the preposition **in** (see 14.2).

[6] During the Middle Ages, Hamburg was a member of the Hanseatic League, a powerful alliance of key port cities along the North and Baltic Seas.

[7] The *Reeperbahn* is a street known for its bars, nightclubs, arcades, and other forms of amusement.

B. **Mit oder ohne Artikel?** Beantworten Sie die Fragen.

Beispiel: Wie heißt der größte See Österreichs?
Er heißt der Neusiedlersee.

1. In welchen Straßen oder Stadtteilen befinden sich
   (a) das Weiße Haus?
   (b) die besten New Yorker Modegeschäfte?
   (c) das Haus des englischen Premierministers?
   (d) die berühmten Jazzclubs von New Orleans?
2. Wie heißt der höchste Berg
   (a) Deutschlands?
   (b) der Schweiz?
   (c) Österreichs?
   (d) der USA?
3. Wie heißt der längste Fluß
   (a) der Welt?
   (b) der USA?
   (c) Deutschlands?
4. Welcher Fluß fließt
   (a) durch Paris?
   (b) durch Florenz?
   (c) durch Hamburg?
   (d) durch Kairo?
   (e) an der Grenze von Nordamerika und Mexiko?
5. Prag, Teheran und Bern sind die Hauptstädte von welchen Ländern?
6. Womit kommt man am schnellsten
   (a) von New York nach Philadelphia?
   (b) von Athen nach Frankfurt?
   (c) vom 2. Stock zum 99. Stock?
   (d) von der Erde zum Mond?
7. Wie heißen berühmte Kirchen in
   (a) Köln?
   (b) München?
   (c) Wien?
8. Mit welchen -ismen (Religionen, politische Bewegungen usw.) assoziieren Sie die Namen
   (a) Karl Marx?
   (b) Buddha?
   (c) John Calvin?
   (d) Martin Luther?
   (e) Henry Ford?
   (f) Adolf Hitler?

   Beispiel: Bei dem Namen . . . denke ich an . . .

C. **Gewohnheiten.** Was machen Sie in der Regel *vor, während* und / oder *nach* den folgenden Aktivitäten?

Beispiel: die Deutschstunde
Vor der Deutschstunde lerne ich gewöhnlich neue Vokabeln.

1. das Frühstück
2. die Schule
3. die Deutschstunde
4. die Arbeit
5. das Abendessen

Fragen Sie andere Studenten, was sie vor, während oder nach diesen Aktivitäten machen.

D. **Beruf und Nationalität.** Ergänzen Sie die Sätze.

Beispiel: Mein Großvater war ____ und ____ .
*Mein Großvater war **Deutscher** und **Klavierbauer**.*

1. Von Beruf ist mein Onkel / meine Tante ____ .
2. Meine Mutter ist ____ . Früher war sie ____ .
3. Ich bin jetzt ____ .
4. Mein Vater arbeitet als ____ .
5. Meine Vorfahren waren ____ .
6. Beruflich möchte ich ____ werden.

E. **Welcher Artikel paßt?** Ergänzen Sie die Sätze durch passende Artikelwörter. Verwenden Sie jedes Artikelwort.

Beispiel: ____ Computer möchte ich kaufen.
***Diesen** Computer möchte ich kaufen.*

all-	manch-	solch-
dies-	so ein-	welch-
jed-		

1. Ich möchte ____ Buch kaufen.
2. ____ Leute sprechen immer zuviel. Ich mag ____ Leute nicht.
3. Amerika hat nicht ____ Kriege gewonnen.
4. Zu Weihnachten hat Sissi ____ Familienmitglied (n.) etwas geschenkt.
5. Mit ____ Zug wollen wir fahren?
6. Lilo trägt eine hübsche Bluse, und ihre Freundin möchte auch ____ Bluse haben.

F. **Jeder für sich.** Bilden Sie mit jedem der folgenden Pronomen oder Substantive einen Satz, der auch ein Possessivpronomen *(possessive adjective)* enthält. Wiederholen Sie kein Verb.

Beispiele: sie
*Sie schreibt **ihrem** Freund.*

der Vogel
*Der Vogel baut **sein** Nest.*

1. ich
2. du
3. die Katze
4. der Mensch
5. das Mädchen
6. wir
7. ihr
8. die Arbeiter
9. Sie
10. man

G. **Jedem das Seine.** *(To each his own.)* Wie kann es weitergehen? Setzen Sie die Reihe mit fünf bis sieben Ideen fort. Wer hat die besten Ideen?

dem Hund *(Dativ)* sein Knochen *(Nominativ)*
der Katze ihre Milch
dem Politiker seine Lügen
dem Basketballspieler seine Millionen
den Kindern ihre Spiele

H. **Im Sportgeschäft.** Verwenden Sie jedes der folgenden Artikelwörter als Pronomen.

der- dies- welch- jen- so ein-

Verkäuferin: Hier sind unsre Tennisschläger.
Maria: ____ können Sie empfehlen?
Verkäuferin: Besonders populär sind ____ .
Maria: ____ hier gefällt mir vom Preis her, aber ich glaube, ich nehme lieber ____ .
Verkäuferin: Mit ____ spiele ich auch.

I. **Sind das deine Schallplatten?** Drücken Sie die Sätze auf deutsch aus.

1. This is my room, and that one belongs to my sister.
2. Are those your records?
3. These are mine, but those I borrowed from Robert.
4. Can we listen to **(hören)** this one?
5. Sure, but I like these better.
6. Okay then **(Na gut)**, put on **(auflegen)** that one.

J. **Der Kassettenrecorder.** Setzen Sie passende Pronomen ein.

Bernd: Mensch, du hast ja einen tollen Kassettenrecorder. ____ *(One like that / such a one)* möchte ich auch haben.
Uta: Aber du hast doch ____ *(one),* nicht wahr?
Bernd: Ja, aber ____ *(mine)* ist eigentlich zu groß zum Herumtragen, weißt du. ____ *(Yours)* kann man überallhin mitnehmen.
Uta: Ich würde dir gern ____ *(mine)* leihen, aber wir fahren morgen in Urlaub. Frage den Franz, vielleicht hilft er dir mit ____ *(his).*
Bernd: Gute Idee. Was für ____ *(what kind of one)* hat er?

ANWENDUNG

A. **Religion und Politik.** Berichten Sie oder diskutieren Sie mit anderen Studenten über eine Religion oder eine politische Ideologie, die Sie interessiert.

REDEMITTEL

Als politische Ideologie finde ich den Kommunismus . . .
Vom Buddhismus weiß ich, daß . . .
Vom Kapitalismus kann man sagen, daß . . .
Im Christentum / Judentum / Islam gibt es . . .

B. **Bei uns zu Hause.** Erzählen Sie anderen Studenten im Kurs über das Leben bei Ihnen zu Hause. Berichten Sie, was Sie von diesen Leuten erfahren.

REDEMITTEL

Bei uns zu Hause muß jeder sein / ihr- (eigenes). . .
Vater hat sein-. . .
Mutter hat ihr-. . .
Von unserem. . . muß ich auch erzählen.
Und wie ist es bei euch?
Habt ihr auch eur-. . . ?

SCHRIFTLICHE THEMEN

TIPS ZUM SCHREIBEN *Editing your writing*

When preparing an introduction or a description of a person or place, read aloud what you have written. Do the sentences provide essential information in a manner which is easy for your listeners to comprehend? Have you managed to avoid beginning every sentence with the name of the person or place or with the subject pronouns **er** and **sie**? When you use the possessive pronouns **sein** and **ihr**, do they match the nouns to which they refer in number and gender?

A. **Wir stellen vor.** Kennen Sie jemanden aus einem anderen Land, der jetzt in Ihrer Heimat studiert oder arbeitet? Stellen Sie diese Person in einem kurzen Bericht vor. Erwähnen *(mention)* Sie Nationalität, Beruf, Wohnort, Adresse (in welcher Straße, bei wem), Beruf der Eltern, besondere Interessen und Leistungen *(accomplishments)* usw.

Beispiel:

Ich möchte meine Freundin Seiko Nimamura vorstellen. Sie ist Japanerin und Studentin. Abends arbeitet sie als Kassiererin in einem Studentencafé am University Square. Ihr Vater ist Ingenieur in Tokio, ihre Mutter Übersetzerin. Sie wohnt jetzt bei Familie Möller in der Grand Avenue. Nach ihrem Studium möchte sie Journalistin werden und . . . usw.

B. **Kurze Stadtbeschreibung.** Stellen Sie eine Stadt kurz vor. Gehen Sie kurz auf die historische Entwicklung dieser Stadt ein. (Siehe als Modell Übung B, Seite 133 in diesem Kapitel.)

Wortschatz

RAUM, PLATZ, ORT, STELLE

The following nouns are commonly used to indicate spaces and places. In some instances, their uses overlap.

1. The noun **der Raum, -̈e** means *space* or *room* as a general area or volume. It often occurs as a compound noun: **der Lebensraum** *(living space),* **der Weltraum** *(outer space),* **das Weltraumschiff, die Raumfahrt** *(space travel).* **Der Raum** can also mean *a* room, though **das Zimmer** is much more common.

Die Stadt braucht mehr **Raum** zum Bauen.	*The city needs more room for building.*
Wir müssen diesen kleinen **Raum** noch möblieren.	*We must still furnish this small room.*

2. The noun **der Platz, -̈e** also means *space* or *room,* but in a more specific sense than **der Raum**. It often denotes a definite *space* or *place* that someone or something occupies or where an activity takes place. In this context it occurs frequently as a compound noun: **der Arbeitsplatz** *(place of work, work station),* **der Marktplatz** *(marketplace),* **der Parkplatz** *(parking lot),* **der Spielplatz** *(playing field),* **der Tennisplatz** *(tennis court).* **Der Platz** can also refer to a *seat* or a *square* in a town.

Ich brauche einen besseren **Platz** zum Arbeiten.	*I need a better place to work.*
Kannst du mich später am **Sportplatz** abholen?	*Can you pick me up later at the sports field?*
Nehmen Sie bitte **Platz**.	*Please take a seat.*

3. The noun **der Ort, -e** can mean a *place, spot,* or *site* but does not denote an exact point. It can also refer to a town, village, or hamlet.

Wir suchen einen **Ort**, wo wir allein sein können.	*We are looking for a spot where we can be alone.*
Hier ist nicht **der Ort**, über solche Dinge zu sprechen.	*Here is not the place to talk about such things.*
Sein **Geburtsort** ist Salzburg.	*His birthplace is Salzburg.*

4. The noun **die Stelle, -n** refers to a precise *spot, place,* or *location,* usually on or within a larger entity, such as the human body. It can occasionally occur interchangeably with **der Ort**, but always refers to a more defined *spot.* **Die Stelle** can also mean *stead* (that is, in someone's place). Finally, **die Stelle** can denote a *passage* in a book or a *job* or *position.*

An dieser **Stelle** im Wald wachsen besonders große Pilze.	*Particularly large mushrooms grow in this spot in the woods.*
An dieser **Stelle** (an meinem Arm) tut es weh.	*This spot on my arm hurts.*
An deiner **Stelle** würde ich anders handeln.	*In your position I would act differently.*
Lesen Sie diese **Stelle** im Buch noch einmal.	*Read this passage in the book once more.*
Sie sucht eine bessere **Stelle**.	*She is looking for a better position.*

5. The uses of **Ort, Stelle,** and **Platz** often overlap, but with subtle differences in meaning.

An dieser **Stelle** ist der Mann gestorben. *(the specific spot)*
An diesem **Ort** ist der Mann gestorben. *(the general location)*

ALSO:

In diesem **Ort** ist der Mann gestorben. *(village or town)*
Auf diesem **Platz** ist der Mann gestorben. *(the place / seat where he was sitting)*

A. **Welches Wort paßt?** Ergänzen Sie durch passende Substantive. (Ab und zu paßt mehr als ein Wort hinein, aber dann hat der Satz auch eine etwas andere Bedeutung.)

1. Der Kommissar fuhr zu d-___ ____ des Mordes.
2. Wer Golf spielen will, braucht ein-____ zum spielen.
3. Sie erzählt gern von d-___ ____, wo sie aufgewachsen ist.
4. In vielen deutschen Städten gibt es kaum noch ____ zum Bauen.
5. An Ihr-___ ____ hätte ich nicht so gehandelt.
6. An dies-___ ____ ist der Unfall passiert.
7. Hier ist d-___ richtige ____ für einen Garten.
8. Wir brauchen mehr ____ .

B. **Von großer Bedeutung.** Nennen Sie jeweils zwei *Orte, Plätze,* und *Stellen,* die für Sie große Bedeutung haben oder hatten.

Beispiel: Seattle bedeutet mir viel, denn in diesem Ort bin ich geboren und aufgewachsen.

CHAPTER 13

Personal, Indefinite, and Demonstrative Pronouns

13.1 Personal Pronouns

A. *Forms*

Personal pronouns **(das Personalpronomen, -)** have four cases.

	Nom.	*Acc.*	*Dat.*	*Gen.*[1]
1st Pers. Sing.	**ich**	**mich**	**mir**	(meiner)
2nd Pers. Sing.	**du**	**dich**	**dir**	(deiner)
3rd Pers. Sing.	**er**	**ihn**	**ihm**	(seiner)
	sie	**sie**	**ihr**	(ihrer)
	es	**es**	**ihm**	(seiner)
1st Pers. Pl.	**wir**	**uns**	**uns**	(unser)
2nd Pers. Pl.	**ihr**	**euch**	**euch**	(euer)
3rd Pers. Pl.	**sie**	**sie**	**ihnen**	(ihrer)
2nd Pers. Formal Sing. & Pl.	**Sie**	**Sie**	**Ihnen**	(Ihrer)

[1] Genitive case pronoun forms have become archaic. They do, however, form the basis for the possessive adjectives (see 12.4).

Sie *(you)* can be either singular or plural in meaning, but as a subject it always requires a third-person plural verb. All forms of **Sie** (except the reflexive **sich**) are capitalized.[2]

B. Du (ihr) *versus* Sie

The familiar *you*-forms **du** and **ihr** are generally reserved for persons with whom one is on a first-name basis. In German-speaking countries, however, first names are not used nearly as readily as in the United States or Canada. Neighbors, for example, might never address each other by first names, maintaining a comfortable distance with **Herr, Frau**, and **Sie**. Some social classes and groups use **du** more than others. For example, blue collar workers tend to use first names with one another, while white collar workers frequently do not, unless they have socialized together frequently and become good friends. In classrooms, this distinction often becomes blurred when instructors address students by their first name but still say **Sie**. Nevertheless, the following guidelines usually hold true:

1. The formal **Sie** is used when addressing strangers and people with whom one is either not on a first-name basis or toward whom one wishes to maintain a certain distance or respect. Saying **Sie** to someone is **siezen**. This is the most widely used form of *you*. When in doubt, use **Sie**.

2. The familiar **du** (plural **ihr**) is used when addressing family members, children up to about the age of fourteen, good friends, fellow students, and animals.[3] **Du** *(thou)* is also used in prayers. Saying **du** to someone is **duzen**.

C. Third-Person Pronouns

1. The third-person pronouns **er** and **sie** (and plural **sie**) may refer to male and female beings respectively. They can also refer to objects and concepts, depending upon the *grammatical* gender of the noun (see 11.1). Thus **er, sie**, and **es** could all be translated as *it*.

Woher hast du den Ring?	*Where did you get the ring?*
—Ich habe **ihn** in Ulm gekauft. **Er** war gar nicht so teuer.	*I bought **it** in Ulm. **It** was not all that expensive.*
Hast du deine Jacke hier?	*Do you have your jacket here?*
—Nein, ich habe **sie** nicht dabei.	*No, I do not have **it** with me.*

2. There is no gender distinction in the plural; the pronoun **sie (sie, ihnen)** substitutes for all plural nouns.

---

[2] Historically, this form is a capitalized **sie** *(they)*, similar to the majestic plural "we."

[3] The familiar plural **ihr** is often used instead of **Sie** when referring to people as representatives of a group rather than as individuals.

Wie macht **ihr** das in der Schweiz? *How do you (Swiss) do that in Switzerland?*

13.2 Indefinite Pronouns

A. *Forms*

The following indefinite personal pronouns **(das Indefinitpronomen, -)** are masculine in form, but they refer to persons of either sex. Their possessive is **sein,** their reflexive **sich**.

	man *(one)*	**jedermann** *(everyone)*	**jemand** *(someone)*	**niemand** *(no one)*
Nom.	**man (einer)**	**jedermann (jeder)**	**jemand**	**niemand**
Acc.	**(einen)**	**jedermann (jeden)**	**jemand(en)**	**niemand(en)**
Dat.	**(einem)**	**jedermann (jedem)**	**jemand(em)**	**niemand(em)**
Gen.	**(——)**	**jedermanns (——)**	**jemands**	**niemands**

B. *Use*

1. **Man** is normally used when talking about *one, you, they,* or *people* in general. It often occurs as a substitute for the passive voice (see 29.6). **Man** is a subject form only; in other cases the pronoun forms **einen** (accusative) or **einem** (dative) are often used.

   Man weiß nie, was **einem** passieren kann. — *You (one) never know(s) what can happen to you (one).*

   When **man** is used in a sentence, it cannot be subsequently referred to as **er**.

   Wenn **man** nichts zu sagen hat, soll **man** (*not:* **er**) schweigen. — *If one has nothing to say, one (he) should remain silent.*

2. **Jedermann** *(everyone, everybody)* and **jeder** are interchangeable in general statements, though **jeder** is more common. Both pronouns are often used in combination with the masculine relative pronoun (see 26.2).[4]

   Jedermann / Jeder, *der* Zeit hat, sollte mitkommen. — *Everyone who has time should come along.*

3. **Jemand** *(somebody, someone, anybody, anyone)* and **niemand** *(nobody, no one)* can be used with or without endings in the accusative and dative.

   Sie sagte **niemand(em)** die Wahrheit. — *She told no one the truth.*

   Suchen Sie **jemand(en)**? — *Are you looking for someone?*

---

[4] When referring to women, German speakers might avoid **jedermann** and use **jede** (feminine) with the possessive **ihr-**, but then the reference is specific, rather than general.

Jede muß **ihre** Aufgabe morgen abgeben. — *Everyone (that is, each of the women) has to hand in her assignment tomorrow.*

4. **Jemand** and **niemand** usually have no endings when followed by **anders** (see **Wortschatz**, p. 148).

Wir haben dich gestern mit **jemand anders** (*or:* mit **jemand anderem**) gesehen.	*We saw you yesterday with someone else.*

For the use of **irgend** with **jemand** and with other pronouns and adverbs, see **Wortschatz**, p. 149.

5. **Jemand** is sometimes used in combination with the masculine relative pronoun (see 26.2).

Jemand, der sehr reich ist, muß nicht arbeiten.	*Someone who is very rich does not have to work.*

13.3 Demonstrative Pronouns

A. *Forms*

The demonstrative pronoun **(das Demonstrativpronomen, -)** is essentially a definite article used as a pronoun (see 12.5); only the forms of the genitive and the dative plural differ slightly from those of the definite article.[5]

	Masc.	*Fem.*	*Neut.*	*Pl.*
Nom.	der	die	das	die
Acc.	den	die	das	die
Dat.	dem	der	dem	**denen**
Gen.	**dessen**	**deren**	**dessen**	**deren**

B. *Use*

1. Demonstrative pronouns are used instead of personal pronouns to indicate stress or emphasis. German speakers often use them when pointing out someone or something, frequently with vocal emphasis or in combination with a strengthening **da** or **hier**.

Ich suche einen Computer. Darf ich **den da** probieren?	*I am looking for a computer. May I try that one there?*
Du, nimm die große Wurst. —Welche? —**Die hier**.	*Hey, take the large sausage.* *Which one?* *This one here.*

[5] The forms of the demonstrative pronoun are identical with those of the relative pronoun (see 26.2).

2. Demonstratives are also used with or without emphasis to indicate familiarity with specific persons or things. In such instances, they often begin the sentence. This usage is quite colloquial.

Kennst du Eva Schmidt? —Ja, **die** (*instead of* **sie**) kenne ich.	*Do you know Eva Schmidt?* *Yes, I know her.*
Siehst du Udo und Gabi oft? —Ja, mit **denen** (*instead of* **ihnen**) bin ich viel zusammen.	*Do you often see Udo and Gabi?* *Yes, I am with them a lot.*

3. The genitive demonstratives **dessen** (*his*) and **deren** *(her)* are used mainly to eliminate the ambiguity of **sein** or **ihr** when they could refer to either of two preceding nouns of the same gender. **Dessen** and **deren** refer to the last previously mentioned male noun or female noun.

Der Arbeiter hat den Chef mit **seiner** Frau gesehen. *(ambiguous)*	*The worker saw the boss with his wife.*
Der Arbeiter hat den Chef mit **dessen**[6] Frau gesehen.	*The worker saw the boss with his (the boss's) wife.*
Julia hörte Stefanie mit **ihrem** Vater sprechen. *(ambiguous)*	*Julie heard Stefanie speaking with her father.*
Julia hörte Stefanie mit **deren** Vater sprechen.	*Julia heard Stefanie speaking with her (Stefanie's) father.*

C. *The Demonstrative* derselbe

1. The demonstrative pronoun **derselbe** *(the same one[s])* consists of two parts: the first part **(der- / die- / das-)** declines as an article, the second part **(selb-)** and any subsequent adjectives take secondary (nonspecific) adjective endings (see 18.2.).

	Masc.	*Fem.*	*Neut.*	*Pl.*
Nom.	**der**selbe	**die**selbe	**das**selbe	**die**selben
Acc.	**den**selben	**die**selbe	**das**selbe	**die**selben
Dat.	**dem**selben	**der**selben	**dem**selben	**den**selben
Gen.	**des**selben	**der**selben	**des**selben	**der**selben

Ich habe diese Bilder gekauft. Sind das **dieselben**, die du gestern gesehen hast?	*I bought these pictures. Are they the same ones that you saw yesterday?*

---

6 Literally, **dessen Frau** means *the wife of that one*, that is, the latter-mentioned person.

2. **Derselbe** *(the same)* is used more often as an adjective than as a pronoun. It indicates *the very same.* **Der gleiche** indicates *one that is similar.*[7]

Klaus und Angela wohnen in **demselben** Haus.	*Klaus and Angela live in the (very) same house.*
Sie fahren auch **den gleichen** Wagen.	*They also drive the same (make of) car.*

ÜBUNGEN

A. **Welches Pronomen paßt?** Ergänzen Sie durch Personalpronomen.

1. Heinz und Heidi suchen Hilfe und fragen: „Wer hilft ____ ?“
2. Siggi fühlt sich mißverstanden und lamentiert: „Ach, niemand versteht ____ .“
3. Bärbl spricht enthusiastisch von ihrem neuen Freund: „Er liebt ____ und spricht immer von ____ .“
4. Die Kinder fragen: „Wer will mit ____ spielen?“
5. Die Lehrerin fragt: „Kinder, wie geht es ____ ?“
6. Ich schreibe: „Werner, wir besuchen ____ bald.“
7. „Herr Braun, wann kommen ____ uns besuchen?“
8. Ich möchte mit Frau Seidlhofer sprechen: „Frau Seidlhofer, darf ich mit ____ sprechen?“

B. **Situationen: *du, ihr* oder *Sie*?** Welche Anredeform gebrauchen Sie in den folgenden Situationen in einem deutschsprachigen Land?

1. Sie sprechen im Zugabteil mit einer Mutter und ihrer kleinen Tochter.
2. Sie sprechen mit einer Verkäuferin im Kaufhaus.
3. Sie sind in ein Studentenheim eingezogen und treffen einige Studentinnen zum ersten Mal.
4. Sie treffen zum ersten Mal die 24-jährige Schwester eines Studienfreundes.
5. Sie spielen Volleyball im Sportverein, aber Sie kennen die anderen Spieler nicht. Es sind Jugendliche und Erwachsene dabei.
6. Bei einem Tanzabend im Studentenheim bitten Sie eine Person in Ihrem Alter um einen Tanz. Sie kennen diese Person nicht.
7. Sie sprechen mit den Tieren im Tierpark.
8. Sie treffen (ganz unerwartet) Ihren Deutschprofessor aus Amerika.
9. Sie sitzen im Gasthaus, und ein Betrunkener, den Sie nicht kennen, redet Sie mit *du* an.

---

[7] This distinction is often ignored in colloquial German, but should be observed in writing.

C. **Pronomen statt Nomen.** Welche Substantive kann man im folgenden Text durch Pronomen ersetzen, ohne das Textverständnis zu erschweren? (*Note:* Since accusative pronoun objects must always precede any other object, you may have to adjust the order of pronoun objects in some of these sentences.)

Gestern wollte ich meinen Freund Willi besuchen und Willi eine kleine Mundharmonika zum Geburtstag schenken. Willi war aber nicht zu Hause. Ich rief bei seiner Freundin Monika an, aber Willi war auch nicht bei seiner Freundin. Monika hatte Willi an diesem Tag noch nicht gesehen, aber Willi hatte seiner Freundin Monika versprochen, Monika am Nachmittag anzurufen. Monika meinte, ich sollte Willi und Monika am Abend besuchen und mit Willi und Monika zusammen ein Stück von dem Kuchen essen, den Monika für Willi gebacken hatte. Am Abend war ich bei Willi und Monika. Ich nahm die Mundharmonika aus meiner Tasche und gab Willi die Mundharmonika. Ich glaube, die Mundharmonika hat Willi gut gefallen. Etwas später brachte Monika den Kuchen und stellte den Kuchen auf den Tisch. Der Kuchen hat sehr lecker geschmeckt.

D. **Was sagen Sie?** Wie reagieren Sie auf die folgenden Fragen oder Bemerkungen? Verwenden Sie passende Personalpronomen.

Beispiel: Wie gefallen dir meine neuen Schuhe?
Sie sind schön. Wo hast du sie gekauft?

1. Mensch, ich kann meine Sonnenbrille nicht finden!
2. Darf ich deinen Taschenrechner benutzen?
3. Hast du je den deutschen Film *Das Boot* gesehen?
4. Du, dein neuer Mantel gefällt mir echt gut.
5. Kennst du die kleine Geschichte *Eis* von Helga Novak?
6. Gehst du einkaufen? Ich brauche ein Brot und eine Flasche Milch.
7. Du, weißt du, daß Birgit ihren Wagen verkaufen will?
8. Was hältst du von der Rede des neuen Bürgermeisters?
9. Ich esse weißen Spargel gern. Und du?

E. **Was bedeuten diese Sprüche?** Können Sie die Sprichwörter erklären oder anders ausdrücken? Verwenden Sie Strukturen mit **man, jemand** oder **jemand** + Relativpronomen.

Beispiel: Morgenstunde hat Gold im Munde.
Wenn man früh aufsteht, kann man den Tag besser nützen.

OR:

Wenn jemand früh aufsteht, kann er / sie den Tag besser nützen.

OR:

Jemand, der früh aufsteht, kann den Tag besser nützen.

1. Wer im Glashaus sitzt, soll nicht mit Steinen werfen.
2. Wie man sich bettet, so schläft man.

3. Es ist noch kein Meister vom Himmel gefallen.
4. In der Kürze liegt die Würze.
5. Kleider machen Leute.

F. **Fragen.** Beantworten Sie die Fragen. Verwenden Sie Demonstrativpronomen.

Beispiel: Wie gefallen dir deutsche Filme?
__Die__ gefallen mir gut.

1. Siehst du die Fernsehsendung *60 Minuten* oft?
2. Hast du den neuesten Film von Wim Wenders gesehen?
3. Wie gefallen dir Science-fiction Romane?
4. Heinrich Böll ist dir hoffentlich bekannt. Hast du von ihm schon etwas gelesen?
5. Kennst du die Autorin Christa Wolf?

G. **Wer ist gemeint?** Ändern Sie die Sätze so, daß klar wird, daß mit dem Possessivpronomen die zuletzt genannte Person gemeint ist.

Beispiel: Sie fuhren mit Freunden in ihrem Auto.
Sie fuhren mit Freunden in __deren__ Auto.

1. Annette saß mit Monika in ihrem Zimmer.
2. Zwei Arbeiter sahen einige fremde Männer mit ihren Kindern spielen.
3. Herr Schroeder rief seinen Nachbarn an und sprach mit seiner Tochter.
4. Johanna sprach mit ihrer Mutter in ihrem Schlafzimmer.
5. Herr Schmidt sprach mit Herrn Weiß über seine Kinder.

H. **Immer wieder dasselbe.** Ergänzen Sie durch Wörter, die *the same* bedeuten.

Beispiel: Er belegt *(the same)* Kurse wie ich.
Er belegt __dieselben__ Kurse wie ich.

1. Wir haben *(the same)* Fehler gemacht.
2. Du hast mit *(the same)* Frau gesprochen wie wir.
3. Er sagt immer *(the same).*
4. Ich glaube, wir haben beide den Namen *(of the same)* Schauspielers geschrieben.
5. *(The same)* Leute haben auch uns geholfen.

ANWENDUNG

A. **Das habe ich mitgebracht.** Bringen Sie etwas (oder ein Foto davon) mit, was Sie im Kurs gern zeigen würden. Erklären Sie anderen Studenten diesen Gegenstand und stellen Sie Fragen über die Gegenstände anderer Studenten.

REDEMITTEL

Ich möchte dir / euch mein- . . . zeigen / vorstellen.
Er / sie / es ist / kann . . .
Sein- / ihr- . . . sind aus Holz / Metall usw.
Ich habe ihn / sie / es . . . bekommen / gekauft / gebaut usw.
Hast du auch . . . ?
Wie sieht dein . . . aus? Hast du ihn / sie / es auch dabei?
Und nun möchte ich dir / euch etwas anderes zeigen.

B. **So macht man das.** Suchen Sie jemanden im Kurs, der etwas nicht macht oder machen kann, was Sie können. Geben Sie Ihrem Partner / Ihrer Partnerin eine genaue Anleitung *(instruction)* für diese Tätigkeit *(activity).*

THEMENVORSCHLÄGE

1. ein Karten- oder Brettspiel
2. ein Hobby
3. ein Sport
4. ein Garten
5. eine Reise
6. ein bestimmtes Projekt

REDEMITTEL

Wenn man / jemand . . . will, dann muß man . . .
Man macht das so: Jemand muß . . .
Jeder / jedermann versucht, . . . [zu tun].
Niemand darf . . .
Wenn jemand gewinnt / verliert, muß er . . .

SCHRIFTLICHE THEMEN

TIPS ZUM SCHREIBEN *Using pronouns in German*

German generally uses the indefinite pronoun **man** instead of the editorial *we* or *you* characteristic of English *(If you want to succeed, you have to . . .).* Remember, however, that if you begin a sentence with **man**, you must not shift to **er** or to **du / Sie** in the same sentence. This rule does not mean that you cannot have a variety of pronouns in one passage. In subsequent sentences you might use a range of words such as other indefinite pronouns **(jemand, niemand)**, nouns designating persons or people **(Leute, Mensch[en], Person[en])**, or the relative pronoun **wer** (*whoever, he who;* see 26.5). Keep in mind, however, that frequent use of a masculine noun and the pronoun **er** in general statements might be regarded as sexist, since it seems to exclude women, as in the example **Wenn ein Mensch erfolgreich sein will, muß er fleißig arbeiten.** *(If a person wants to be successful,* ***he*** *must work hard).* You can avoid this dilemma by using plural nouns and pronouns: **Wenn Menschen erfolgreich sein wollen, müssen sie fleißig arbeiten.**

A. **Kommentar.** Äußern Sie sich im allgemeinen *(in general)* zu einer Tätigkeit, einer Handlung oder einer Handlungsweise.

THEMENVORSCHLÄGE

1. Menschen, die immer . . .
2. die Politik einer Regierung
3. Fremdsprachen lernen
4. gesund / ungesund leben
5. wie man Glück im Leben findet

Beispiel:

Wer dauernd vorm Fernseher hockt *(crouches)* und Kartoffelchips ißt, lebt ungesund. Aber leben Menschen, die *(who)* täglich joggen und so ihre Knie ruinieren, auch nicht genauso ungesund? Zwar behauptet man, daß Joggen gesund sei, aber dasselbe könnte man vielleicht auch vom ständigen *(constant)* Fernsehen sagen. Jedenfalls kenne ich niemanden, der sich beim Fernsehen die Knie verletzt hat oder von einem Hund gebissen wurde. Irgendjemand (see **Wortschatz**, p. 149) hat einmal geschrieben, daß . . .

B. **Das sollte man nicht tun.** Erklären Sie, warum man eine gewisse Tätigkeit *nicht* ausüben *(do)* soll. Was sind die Folgen von einer solchen Tätigkeit?

Beispiel:

Ich glaube, man sollte nicht Fallschirm *(parachute)* springen. Wenn jemand aus einem Flugzeug abspringt und der Fallschirm sich nicht öffnet, hat er / sie großes Pech gehabt. Es kann aber auch passieren, daß man sich beim Landen verletzt *(injures)* und . . .

Wortschatz

USE OF **ANDERS** AND **IRGEND**

The words **anders** and **irgend** can combine with some indefinite pronouns (see 13.2) and with several adverbs.

ANDERS

Combinations with **anders** express the idea of *else* (that is, *different*).

etwas anders	something else
jemand anders	someone else
niemand anders	no one else, not anyone else

woanders / anderswo	somewhere else
woandershin / anderswohin	(to) somewhere else
woandersher / anderswoher	from somewhere else

Das ist **etwas anders.** — *That is something else (different).*

Wir werden **jemand anders** (*or:* **jemand anderen**)[8] finden. — *We will find someone else.*

Sie möchten **woanders / anderswo** studieren. — *They would like to study somewhere else.*

IRGEND

The word **irgend** is added to a number of pronouns and adverbs to stress their indefiniteness.

irgendjemand (*or:* **irgend jemand**) **irgendwer**	somebody . . . (or other); anybody (at all)
irgendein- (*sing.*) **irgendwelch-** (*pl.*)	some . . . (or other); any (at all)
irgend(et)was	something (or other); anything (at all)
irgendwann	sometime (or other); anytime (at all)
irgendwie	somehow (or other); in some way
irgendwo	somewhere (or other); anywhere (at all)
irgendwoher	from somewhere (or other); from anywhere (at all)
irgendwohin	to somewhere (or other); to anywhere (at all)

Hast du **irgendjemanden** im Garten gesehen? — *Did you see anybody (at all) in the garden?*

Haben Sie nicht **irgendwelche** Bücher von Heinrich von Kleist? — *Don't you have any books by Heinrich von Kleist?*

Irgendwie werden wir wieder nach Europa kommen. — *We will get to Europe again somehow or other.*

A. **Leider kann ich nicht.** Drücken Sie die Sätze auf deutsch aus.

1. If you don't advise **(beraten)** the group, someone else will have to do it.
2. Unfortunately, I have to be somewhere else tomorrow.
3. But there isn't anybody else here with your experience **(die Erfahrung)**.
4. I am sorry, but you will have to find someone else or do something else.

---

[8] The use of accusative and dative endings with **ander-** after **jemand** and **niemand** is common in Southern Germany, Austria, and Switzerland.

B. **Ausweichende** *(evasive)* **Antworten.** Wie antworten Sie ganz vage oder unbestimmt auf die folgenden Fragen neugieriger Eltern oder Freunde?

Beispiel: Wohin gehst du heute abend?
Ich weiß es nicht genau. Irgendwohin.

1. Mit wem gehst du heute abend aus?
2. Was wollt ihr machen?
3. Wen wollt ihr auch noch treffen?
4. Und wann wirst du deine Hausaufgaben machen?
5. Um wieviel Uhr kommst du nach Hause?
6. Wie wirst du morgen früh vor sieben Uhr aufstehen?

USE OF **EIN ANDER-** AND **NOCH EIN-**

Ein ander- and **noch ein-** can both mean *another (an other)*, but the former implies *another kind* and the latter an *additional one.*

Wir brauchen **ein anderes** Auto.	*We need another (different) car.*
Wir brauchen **noch ein** Auto.	*We need another (additional) car.*

Ein ander-* oder *noch ein-? Was sagen Sie in diesen Situationen?

Beispiel: In der Kleiderabteilung probieren Sie ein Hemd an, aber der Schnitt *(cut)* des Hemdes gefällt Ihnen nicht.
*Ich möchte bitte **ein anderes** Hemd anprobieren.*

1. Ein Stück Kuchen hat so gut geschmeckt, daß Sie Lust auf ein zweites Stück haben.
2. Sie haben für vier Eintrittskarten bezahlt aber nur drei Karten bekommen.
3. Sie wollen in den zoologischen Garten gehen, aber man hat Ihnen eine Karte für das Aquarium gegeben.
4. Ihr Zimmer ist zu klein geworden.

CHAPTER 14

Questions and Interrogatives

14.1 Yes-No Questions

German questions requiring a *yes* or *no* answer begin with the conjugated verb, which is followed by the subject. Separable prefixes retain their normal position at the end of the sentence.

Hast du Franz gesehen?	*Have you seen Franz?*
Nehmen Sie unser Angebot **an**?	*Do you accept our offer?*

Yes-no questions are frequently posed as statements in an inquiring tone, often followed by **nicht wahr?** or **nicht?** (*isn't it? don't you? haven't they?* etc.).[1]

Liechtenstein liegt südlich von Deutschland, **nicht (wahr)?**	*Liechtenstein is south of Germany, isn't it?*

German uses the particle **doch** (see 24.1) to provide a *yes* answer to a question posed negatively.

Habt ihr keine Bananen?	*Don't you have any bananas?*
—**Doch!**	*Oh yes, we do!*

[1] In Southern Germany and Austria, **gelt**? or **gel**? are often used colloquially instead of **nicht wahr**?

Du kommst morgen, gel? *You're coming tomorrow, aren't you?*

14

14.2 Interrogative Words

Questions requiring an answer other than *yes* or *no* begin with an interrogative word and are followed immediately by the conjugated verb in second position.

Wann kommt der nächste Zug?	*When does the next train come?*
Wer hat den Tisch gedeckt?	*Who set the table?*

A. Wer *and* was

1. The interrogative pronoun **wer** *(who)* has masculine case forms only, but it refers to people of either gender. **Was** *(what)* has only one form, which is both nominative and accusative; it is also occasionally used after dative prepositions.

	Persons		***Objects or Ideas***	
Nom.	**wer?**	*who?*	**was?**	*what?*
Acc.	**wen?**	*who(m)?*	**was?**	*what?*
Dat.	**wem?**	*(to) who(m)?*	**(mit) was?**	*(with) what?*
Gen.	**wessen?**	*whose?*	—	

Wer kann uns helfen? *(nominative / subject)*	*Who can help us?*
Wen habt ihr im Restaurant getroffen? *(accusative / object)*	*Whom did you meet in the restaurant?*
Wem hat er die Theaterkarten gegeben? *(dative / indirect object)*	*To whom did he give the theater tickets?*
Wessen Buch liegt auf dem Boden? *(genitive / possessive)*	*Whose book is lying on the floor?*
Was macht solchen Lärm? *(nominative / subject)*	*What is making such a noise?*
Was siehst du? *(accusative / direct object)*	*What do you see?*

2. **Wer** and **was** are used with either singular or plural forms of the verb **sein**, depending upon whether the subsequent subject is singular or plural.

Wer *war* Konrad Adenauer?	*Who was Konrad Adenauer?*
Wer / Was *sind* die Grünen?	*Who / What are the Greens (German environmental party)?*

3. Prepositions are placed directly before the forms of **wer**, but they do not normally appear before **was** (see **wo**-compounds in Section B). Prepositions in interrogatives cannot occur at the end of a sentence, as they frequently do in colloquial English.

An wen denkst du?	***Whom*** *are you thinking* ***about***?
Von wem hast du heute Briefe bekommen?	***Whom*** *did you get letters* ***from*** *today?*

4. Prepositions appearing before **wessen** determine the case of the subsequent noun, as indicated in the following examples by the adjective ending.

Für wessen (neu<u>es</u>) Album hat Udo diese Lieder geschrieben? *(accusative)*	*For whose (new) album did Udo write these songs?*
Mit wessen (groß<u>er</u>) Hilfe machte er diese Entdeckung? *(dative)*	*With whose (great) help did he make this discovery?*

B. Wo-*Compounds*

1. Using a preposition with **was** is considered quite colloquial and somewhat substandard; German normally uses a prepositional **wo(r)**[2]-compound instead. **Wo**-compounds can refer only to things, never to people.

Woran denkst du? *(very colloquial* : **An was** denkst du?)	*What are you thinking about?*
Worüber sprecht ihr? *(very colloquial:* **Über was** sprecht ihr?)	*About what are you talking?*

BUT:

Über wen sprecht ihr?	*About whom are you talking?*

2. **Außer, hinter, ohne, seit, zwischen** and the genitive prepositions cannot be used in **wo**-compounds. On the rare occasion when one might wish to pose an emphatic question with one of these prepositions, **was** must be used instead.

Ohne was bist du in die Schule gegangen?	*You went to school without* ***what***?

[2] When the preposition begins with a vowel, an **r** is inserted for pronunciation purposes.

C. Welch-

The interrogative article **welch-** *(which, what)* declines like the definite article (see 12.1) and agrees with the noun to which it refers in gender, number, and case.

Welche Zeitung möchtest du lesen?	*Which newspaper would you like to read?*
Mit welchen Leuten haben Sie gesprochen?	*With which people did you speak?*

D. Was für (ein)

The preposition **für** in **was für (ein)** *(what kind of [a])* does not affect the case of a following article and noun; their case is determined by their function within the sentence.

Was für ein Mann war er? *(subject)*	*What kind of (a) man was he?*
Was für einen Wagen willst du kaufen? *(direct object)*	*What kind of a car do you want to buy?*
In **was für einem** Haus wohnt ihr? *(object of preposition)*	*In what kind of a house are you living?*
Was für Leuten hat Therese geholfen? *(dative plural)*	*What kind(s) of people did Theresa help?*

E. *Adverbs*

The following interrogative adverbs are quite common.

wann	*when*
wo	*where*
wohin; woher	*to where; from where*
warum, weshalb	*why*
wie	*how*
wie lange	*how long*
wieso	*how is it that*
wieviel	*how much*
wie viele	*how many*

Wohin gehen Sie? (*colloquial:* **Wo** gehen Sie **hin?**)	*Where are you going (to)?*
Woher kommen diese Leute? *(colloquial:* **Wo** kommen diese Leute **her**?)	*Where do these people come from?*
Wieso versteht sie deine Frage nicht?	*How is it that she does not understand your question?*

14.3 Indirect Questions

Indirect questions are introduced by a clause or question opener. The interrogative word functions like a subordinating conjunction (see 25.3) and the conjugated verb is in final position.

Compare:

Wo hast du das gelernt? *(direct)*	*Where did you learn that?*
Ich möchte gern wissen, **wo** du das gelernt **hast**. *(indirect)*	*I would like to know where you learned that.*

Indirect yes-no questions require **ob** *(if, whether)* as a subordinating conjunction.

Habt ihr den Vortrag verstanden? *(direct)*	*Did you understand the talk?*
Darf ich fragen, **ob** ihr den Vortrag verstanden **habt**? *(indirect)*	*May I ask whether you understood the talk?*

Some common openers for indirect questions include:

Sag mal,
Darf ich fragen,
Ich möchte (gern) fragen / wissen,
Können Sie / Kannst du [uns] sagen,
Ich hätte gern gewußt,
} wie / wo / ob / warum etc. . . .

Stimmt es *(Is it true)*, daß . . . ?

ÜBUNGEN

A. ***Ja, nein,* oder *doch*?** Beantworten Sie diese Fragen. Vorsicht, manchmal ist mehr als ein Wort möglich. Es kommt darauf an, wie *Sie* die Fragen verstehen und was *Sie* sagen wollen.

1. Lebt Ihr Großvater nicht mehr?
2. Wissen Sie nicht, wie die Hauptstadt von Togo heißt?
3. Trinken Sie gewöhnlich keinen Wein zum Abendessen?
4. Hat Goethe nicht das Drama *Wilhelm Tell* geschrieben?
5. Hat Mozart nicht *Die Zauberflöte* komponiert?
6. Arbeiten in der Schweiz keine Ausländer?
7. Finden Sie diese Aufgabe nicht lustig?

B. **Fragen.** Ergänzen Sie die Fragen durch passende **wer-** Formen **(wer, wen, wem, wessen)**.

Beispiel: ____ hat das beste Examen geschrieben?
Wer hat das beste Examen geschrieben?

1. ____ hat Ihnen mit der Aufgabe geholfen?
2. ____ sind die anderen Leute in Ihrer Gesprächsgruppe?
3. Von ____ haben Sie von diesem Kurs erfahren?

4. Für ____ machen Sie Notizen?
5. ____ Aufsatz hat die Professorin für den besten gehalten?
6. ____ würden Sie in diesem Kurs gern näher kennenlernen?
7. ____ würden Sie diesen Kurs empfehlen?

Stellen Sie fünf Fragen an jemanden im Kurs. Verwenden Sie die Fragewörter **wer, wen** und **wem**. Sie können auch Präpositionen gebrauchen.

C. **Bernds Entschluß.** Sie können das, was Sie gerade über Bernd gehört haben, kaum glauben und fragen noch einmal nach dem Satzteil in Kursivschrift.

Beispiele: Bernd hört jetzt **mit seinem Studium** auf.
Womit *hört Bernd jetzt auf?*

Er will **mit seiner Freundin** auf eine Kommune ziehen.
Mit wem *will er auf eine Kommune ziehen?*

1. Bernd interessiert sich *für einen alternativen Lebensstil.*
2. *An eine große Karriere* denkt er nicht mehr.
3. Er träumt *von einem idyllischen Leben auf dem Land.*
4. *Von einem Bauern* hat er ein Stück Land gepachtet *(leased).*
5. Dort möchte er *ohne Streß und Verpflichtungen (obligations)* leben.
6. Natürlich will er noch Kontakt *zu seinen Freunden* haben.
7. *Über Besuche von Bekannten* wird er sich jederzeit freuen.
8. Aber *von seiner bisherigen (previous) Lebensweise* nimmt er jetzt Abschied.

D. **Gabis Eltern möchten wissen.** Gabi kommt während des Semesters auf kurzen Besuch nach Hause. Ihre Eltern möchten einiges wissen. Ergänzen Sie die Fragen ihrer Eltern durch **welch-**.

1. ____ Kurse hast du belegt?
2. ____ Kurs gefällt dir am besten?
3. An ____ Tagen hast du Deutsch?
4. ____ Kurs findest du am schwierigsten?
5. Mit ____ Studentin wohnst du zusammen?

E. **Mehr erfahren.** Sie möchten mehr über Personen und Gegenstände *(things)* wissen, die im Leben von anderen Studenten im Kurs eine Rolle spielen. Stellen Sie fünf Fragen mit der Konstruktion **was für (ein)**.

Beispiele: In was für einer Wohnung wohnst du?
Was für Freunde hast du?

F. **Die Neugier** *(curiosity)* **brennt.** Bekannte von Ihnen sind aus den Ferien zurückgekehrt. Stellen Sie Fragen mit den folgenden Fragewörtern.

1. wohin
2. wer
3. wen
4. *Präposition* + wem / wen
5. was
6. wo-
7. wo
8. wie lange
9. warum
10. was für (ein-)

G. **Ja, das möchte ich mal wissen.** Beenden Sie die Sätze, so daß die Aussagen für Sie eine Bedeutung haben. Verwenden Sie einige der folgenden Fragewörter.

ob	was	wie viele
wann	wie	wer / wen / wem / wessen
warum	wieviel	wo / woher / wohin

Beispiele: Ich möchte wissen, . . .
Ich möchte wissen, ob wir morgen eine Prüfung haben.

Weiß jemand, . . .
Weiß jemand, wie alt unser(e) Professor(in) ist?

1. Ich möchte wissen, . . .
2. Manchmal frage ich mich, . . .
3. Frag mich bitte nicht, . . .
4. Wer weiß, . . .
5. Ich weiß nicht, . . .
6. Ich möchte gar nicht wissen, . . .

ANWENDUNG

A. **Interview.** Sie sollen für die Studentenzeitung jemanden im Kurs interviewen. Versuchen Sie jetzt im Gespräch, einiges über diese Person und ihre Interessen zu erfahren (etwa acht bis zehn Fragen). Gebrauchen Sie möglichst viele verschiedene Fragewörter! Vergessen Sie die Redemittel in 14.3 nicht!
Mit den folgenden Redemitteln können Sie Ihre Reaktionen ausdrücken und andere Personen vielleicht zu weiteren Aussagen anregen.

REDEMITTEL

Das ist aber interessant!
Erzähl doch mehr davon!
Wirklich?
Echt? *(slang: Really?)*
Ach was! *(Come on, really?)*
Das wußte ich gar nicht!

B. **Gruppenarbeit: Fragen an Prominente.** Sie wollen in einem Brief Fragen an eine prominente Person stellen. Wem wollen Sie schreiben? Einigen Sie sich mit drei oder vier anderen Personen in einer Gruppe über acht bis zehn Fragen (mit acht bis zehn verschiedenen Fragewörtern!), die Sie an diese Person stellen könnten. Erzählen Sie im Kurs, welche Person Sie ausgewählt *(selected)* haben und welche Fragen Ihre Gruppe stellen möchte.

VORSCHLÄGE

1. Politiker
2. Wissenschaftler
3. Geschäftsleute
4. Autoren
5. Filmschauspieler
6. Sportler

SCHRIFTLICHE THEMEN

TIPS ZUM SCHREIBEN *Asking rhetorical questions*

When writing expository prose, you will normally formulate statements rather than posing questions. Sometimes, however, questions can be effective rhetorical devices, as they address readers directly, thus eliciting their involvement or response. With rhetorical questions, you should strive for a stylistic balance between direct and indirect questions.

A. **Das möchte ich gern wissen.** Im Leben gibt es viele Fragen aber wenige Antworten. Was für Fragen haben Sie? Erzählen Sie. Verwenden Sie direkte und indirekte Fragen dabei.

Beispiel:

Ich möchte gern wissen, warum die Völker der Erde nicht glücklich zusammenleben können. Wieso müssen sie einander hassen und sooft Krieg gegeneinander führen? Ich verstehe auch nicht, wodurch man diese Situation vielleicht ändern könnte. Wie lange werden wir Menschen . . . ?

B. **Standpunkt.** Äußern Sie sich zu einem Problem an Ihrer Universität / Schule, in Ihrer Stadt, in Ihrem Land oder in der Welt, das Sie für besonders dringend *(urgent)* halten *(consider)*. Bringen Sie Ihren Standpunkt durch den Gebrauch von rhetorischen Fragen und Fragen an die Leser ganz deutlich zum Ausdruck.

Beispiel:

Ich halte die Armut in diesem Land für ein großes Problem. Warum können wir dieses Problem nicht lösen? Weil die Menschen . . . Manchmal muß ich mich fragen, . . . Stimmt es also doch *(after all)*, daß wir . . . ? Zum Schluß *(in the end)* bleibt noch die große Frage: „Wann . . ."

Wortschatz

EXPRESSIONS FOR *TO STOP*

German uses different verbs for different kinds of stopping. Ceasing an activity or coming to a stop is expressed by intransitive verbs. Bringing someone or something to a stop or preventing activities and occurrences requires transitive verbs.

TO STOP (TO CEASE DOING SOMETHING)

1. **aufhören (mit etwas)** *(intransitive only)* to stop (doing something), cease

Wann **hat** der Lärm endlich **aufgehört**?	*When did the noise finally stop?*
Die Kapelle **hörte auf** zu spielen.	*The band stopped playing.*
Ich **habe** mit dem Rauchen **aufgehört**.	*I have stopped smoking.*

2. **innehalten** *(intransitive)* to stop, pause suddenly or involuntarily during an activity *(with persons only)*

Sie **hielten** für einen Augenblick in der Arbeit **inne**.	*They paused in their work for a moment.*

3. **Schluß machen (mit etwas)** to purposely stop (doing something), finish with or put an end to something

Machen wir jetzt **Schluß**!	*Let's finish up!*
Wann **machst** du mit diesem Unsinn **Schluß**?	*When are you going to stop this nonsense?*

TO STOP (TO COME OR BRING TO A MOTIONLESS STATE)

1. **halten** *(intransitive)* to (come to a) stop (with persons or vehicles)

Hier wollen wir nicht länger **halten**.	*We do not want to stop here any longer.*
Wissen Sie, ob der Bus hier **hält**?	*Do you know whether the bus stops here?*

2. **anhalten** *(transitive or intransitive)* to come or bring to a brief or temporary stop (with persons or vehicles). In the case of vehicles, such a stop is usually unscheduled.

Während der Fahrt haben wir mehrmals **angehalten**. *(intransitive)*	*During the drive we stopped several times.*
Weil Kühe auf der Straße standen, **hielt** der Fahrer den Wagen **an**. *(transitive)*	*Because cows were standing in the road, the driver stopped the car.*

3. **stehenbleiben** *(intransitive only)* to (come to a) stop. When used with vehicles and machinery, **stehenbleiben** implies that the stopping occurs for mechanical reasons.

Das Mädchen lief in das Haus und **blieb** vor dem Spiegel **stehen**.	*The girl ran into the house and stopped before the mirror.*
Das Auto **ist** plötzlich einfach **stehengeblieben**.	*The car suddenly simply came to a stop.*

TO STOP (TO HINDER OR PREVENT SOMEONE OR SOMETHING FROM DOING)

1. **hindern (an** + *dative) (transitive)* to stop, prevent *a person* from doing something

Wer kann ihn an der Ausführung dieses Planes **hindern**?	*Who can prevent him from carrying out this plan?*
Niemand **hindert** dich daran, weiterzusprechen.	*No one is stopping you from continuing to talk.*

2. **verhindern** *(transitive)* to stop, prevent *something*

Die Regierung konnte die Veröffentlichung des Buches nicht **verhindern**.	*The government was not able to prevent publication of the book.*

3. **aufhalten** *(transitive)* to stop or hold up temporarily

Ich will dich nicht länger **aufhalten**.	*I do not want to hold you up any longer.*
Die Katastrophe war nicht länger **aufzuhalten**.	*The catastrophe could not be stopped any longer.*

4. **stoppen** *(transitive)* to stop, shut down, or block

Wir müssen die Verluste **stoppen**.	*We have to stop the losses.*
Jemand muß den Mittelstürmer **stoppen**.	*Someone has to shut down the center forward.*
An der Grenze **stoppten** Zollbeamte mehrere Autos.	*At the border, customs officials stopped several cars.*

A. **Stopp, Stopp, Stopp.** Drücken Sie die Sätze auf deutsch aus.

1. Stop this train!
2. Does this train stop between Salzburg and Bischofshofen?
3. Where can we stop and eat?

4. They stopped a car and asked whether they could have a ride **(mitfahren dürfen)**.
5. This quarreling **(das Streiten)** has to stop.
6. The car rolled across the street and came to a stop beside a tree.
7. Now and then, she stopped while reading **(beim Lesen)**.
8. Can't you stop him from leaving?
9. No one can stop their victory **(der Sieg)**.

B. **Situationen.** Was tun Sie?

Beispiel: Ein Freund fährt mit Ihnen in Ihrem Wagen. Er möchte an der nächsten Ecke aussteigen.
Ich halte den Wagen an der nächsten Ecke.

1. Sie arbeiten seit Stunden und sind jetzt sehr müde.
2. Sie fahren in Ihrem Auto. Jemand, den Sie kennen, steht am Straßenrand und winkt Ihnen zu.
3. Beim Fußballspiel sind Sie im Tor. Ein Gegenspieler schießt aufs Tor.
4. Sie gehen im Tiergarten spazieren. Plötzlich ruft ein Affe Ihnen zu: „Wie geht's, Herr / Frau Kollege *(colleague)*?"
5. Jemand hat sich tief in den Arm geschnitten und blutet stark.

EXPRESSIONS FOR *TO LEAVE*

German has several expressions for *to leave* or *to depart*; they are not interchangeable.

1. **verlassen** to leave or depart from a person, place or activity. This verb is transitive and must always be used with a direct object.

Um wieviel Uhr hast du die Party **verlassen**?	*At what time did you leave the party?*
Ich **verließ** ihn in Hamburg.	*I left him in Hamburg.* (that is, *I went away*)

Verlassen can also imply permanent separation.

Ingeborg hat ihren Mann **verlassen.**	*Ingeborg left her husband.*

Verlassen should not be confused with **lassen,** which simply means to leave someone or something located in a place or state (see **Wortschatz** 9).

Compare:

Er **verließ** seine Frau in Rom.	*He left his wife in Rome.* (that is, *he went away, perhaps for good)*
Er **ließ** seine Frau bei Verwandten in Rom.	*He left his wife with relatives in Rome. (no permanent separation implied)*

2. **weggehen** to leave, depart, or go away. This verb is intransitive and cannot be used with a direct object.

Sind einige Gäste schon **weggegangen**?	*Have several guests already left?*
Morgen **geht** sie **weg**.	*She is leaving tomorrow.*

3. **Abschied nehmen (von)** to take one's leave *(often before an extended or permanent separation).* This expression is rather formal.

Der Angestellte **nimmt** jetzt **Abschied** von seinen Kollegen.	*The employee is now taking leave of his colleagues.*

4. **sich verabschieden (von)** to take one's leave, say good-bye

Wir möchten **uns** jetzt von euch **verabschieden**.	*We would like to say good-bye now.*

A. **Abschied.** Drücken Sie die Sätze auf deutsch aus.

1. Dieter, I would like to say good-bye (to you).
2. When are you leaving us?
3. Tomorrow. My family already left last week.
4. Please don't forget to leave your address here.
5. That I will. It is always difficult to leave colleagues after so many years.

B. **Selbstaussagen.** Machen Sie wahre Aussagen mit den folgenden Verben.

1. lassen (mit Modalverb)
2. verlassen (im Perfekt)
3. sich verabschieden (im Futur)
4. weggehen (im Präsens)

CHAPTER

Reflexive Pronouns and Verbs / *Selbst* and *Selber* / *Einander*

15.1 Reflexive Pronouns

A. *Forms*

In English, reflexive pronouns are indicated by adding *-self / -selves* to the object pronoun: *She hurt herself.* In German, the reflexives for the 1st person **(ich, wir)** and 2nd person **(du, ihr)** pronouns are the same as regular accusative and dative forms; all 3rd person forms plus the formal **Sie** take the reflexive sich.[1]

	Nom.	*Acc.*	*Dat.*	
1st pers. sing.	**ich**	**mich**	**mir**	*myself*
1st pers. pl.	**wir**	**uns**	**uns**	*ourselves*
2nd pers. fam. sing.	**du**	**dich**	**dir**	*yourself*
2nd pers. fam. pl.	**ihr**	**euch**	**euch**	*yourselves*
3rd pers. sing.	**er** (der Mann)	**sich**	**sich**	*himself*
	sie (die Frau)	**sich**	**sich**	*herself*
	es (das Kind)	**sich**	**sich**	*itself*
3rd pers. pl.	**sie** (die Leute)	**sich**	**sich**	*themselves*
2nd pers. formal sing. & pl.	**Sie**	**sich**	**sich**	*yourself / yourselves*

[1] The interrogative pronouns **wer** and **was** (see 14.2) and the indefinite pronouns (**jemand, niemand, etwas, jedermann,** etc.) (see 13.2) are 3rd person pronouns and also take the reflexive **sich**.

15

B. *Use*

1. Reflexive pronouns are used whenever a direct, indirect, or prepositional object is the same person or thing as the subject (see 15.2).
2. Plural reflexive pronouns can also be used to express reciprocal actions, that is, actions done to *each other* (see 15.4).

15.2 Reflexive Verbs

A. *Accusative Reflexive Verbs*

1. Virtually any transitive verb can be used with an accusative reflexive if the subject directs an activity at himself / herself / itself. The accusative reflexive pronoun functions as a *direct* object (see 10.4) and refers to the sentence subject.

   Compare:

Nonreflexive	*Reflexive*
Ich wasche **das Kind**. *I wash the child.*	Ich wasche **mich**. *I wash myself.*
Du rasierst **den Kunden**. *You shave the customer.*	Du rasierst **dich**. *You shave (yourself).*
Er sieht **ihn** im Spiegel. *He sees him (another person) in the mirror.*	Er sieht **sich** im Spiegel. *He sees himself in the mirror.*
Die Frau schnitt **die Blumen**. *The woman cut the flowers.*	Die Frau schnitt **sich**. *The woman cut herself.*

Wir waschen **die Kinder**. *We wash the children.*	Wir waschen **uns**. *We wash ourselves.*
Sie hörten **sie** auf dem Tonband. *They heard them (other people) on tape.*	Sie hörten **sich** auf dem Tonband. *They heard themselves on tape.*

2. Some transitive German verbs are used with an accusative reflexive when they indicate that an activity refers back to the subject, even though the English equivalent does not require a reflexive.

Nonreflexive	*Reflexive*
Sie **ändert** das Spiel. *She changes the game.*	Die Zeiten **ändern sich**. *Times change.*
Er **dreht** das Rad. *He turns the wheel.*	Das Rad **dreht sich**. *The wheel turns.*
Die Frau **öffnet / schließt** die Tür. *The woman opens / shuts the door.*	Die Tür **öffnet / schließt sich**. *The door opens / closes.*

3. With certain meanings, a significant number of German verbs are always used with an accusative reflexive, even though the English equivalent may not include a reflexive. Here are some common examples.

sich amüsieren	*to have a good time*
sich ausruhen	*to take a rest*
sich beeilen	*to hurry*
sich benehmen	*to behave*
sich entschuldigen	*to apologize*
sich erholen	*to recover*
sich erkälten	*to catch a cold*
sich (wohl / schlecht) fühlen	*to feel well / ill*
sich (hin)legen	*to lie down*
sich langweilen	*to be bored*
sich setzen	*to sit down*
sich umsehen	*to take a look around*
sich verlaufen	*to get lost, go the wrong way*
sich verspäten	*to be late, come too late*

Habt ihr **euch** gut **amüsiert**?	*Did you have a good time?*
Die Schüler haben **sich** auf dem Weg zur Party **verlaufen**.[2]	*The pupils got lost on the way to the party.*
Haben wir noch Zeit, **uns** ein bißchen **umzusehen**?	*Do we still have time to look around a bit?*

---

[2] Verbs of motion used reflexively take the auxiliary **haben** in the perfect tenses, since they always have an accusative object.

B. *Reflexive Verbs with Prepositions*

The following common reflexive verbs complete their meanings with prepositions. The notation *(acc.)* or *(dat.)* after two-way prepositions (see 16.4) indicates that the preposition takes the accusative or dative case respectively. See Appendix 4 for a more complete list.

sich ärgern über *(acc.)*	*to be annoyed at*
sich beschäftigen mit	*to be occupied with*
sich erinnern an *(acc.)*	*to remember*
sich freuen auf *(acc.)*	*to look forward to*
sich freuen über *(acc.)*	*to be happy about*
sich fürchten vor *(dat.)*	*to be afraid of*
sich gewöhnen an *(acc.)*	*to get used to*
sich interessieren für	*to be interested in*
sich kümmern um	*to attend to, concern oneself with*
sich umsehen nach	*to look around for*
sich verlieben in *(acc.)*	*to fall in love with*
sich wundern über *(acc.)*	*to be amazed at*

Ich kann **mich** nicht mehr **an** ihn **erinnern.**	*I can no longer remember him.*
Wir **freuen uns auf** deinen Besuch.	*We are looking forward to your visit.*

C. *Dative Reflexive Verbs*

1. Verbs are used with dative reflexives when the subject does anything on his / her / its own behalf. In such instances, the sentence normally has a direct object as well. The dative reflexive pronoun functions as an *indirect* object (10.5) referring to the sentence subject.

   Compare:

Ich ziehe **mich** an. *(accusative reflexive object)*	*I dress myself.* (that is, *I get dressed)*
Ich ziehe **mir** die Jacke an. *(dative reflexive object)*	*I put on the jacket.* (literally, *I pull the jacket on myself)*

   Other examples:

Hast du **dir** einen neuen Mantel gekauft?	*Did you buy yourself a new coat?*
Mutter schrieb **sich** *(dative)* einen Zettel.	*Mother wrote herself a note.*

Habt ihr **euch** neue Kleidung ausgesucht?	*Did you choose (yourselves) some new clothing?*
Was haben Sie **sich** zum Geburtstag gewünscht?	*What did you wish (for yourself) for your birthday?*

2. Sometimes the direct object accompanying the dative reflexive is actually a following *clause.*

Ich muß (es) **mir** überlegen, was wir tun können.	*I must think (it) over what we can do.*

3. With some verbs, German often uses optional dative reflexives, even when the meaning is clear without them.

Kauft ihr **(euch)** neue Kleidung?	*Are you buying (yourselves) new clothing?*
Was hast du **(dir)** schon bestellt?	*What have you already ordered (for yourself)?*

4. Dative reflexive pronouns and definite articles are commonly used instead of possessive adjectives when referring to parts of the body (see 12.1).

Ich wasche **mir** die Hände.	*I wash my hands.*
Die Kinder haben **sich** die Finger verbrannt.	*The children burned their fingers.*

5. Some verbs always take dative reflexives with particular meanings.

sich etwas ansehen	*to take a look at something*
sich etwas merken	*to take note of something*
sich etwas einbilden[3]	*to imagine or think something of oneself that is not true*
sich etwas leisten	*to afford something*
sich etwas überlegen	*to think something over*
sich etwas vorstellen[3]	*to imagine, conceive of something*

Ich möchte **mir** einige Gemälde genauer **ansehen**.	*I would like to take a closer look at several paintings.*
Kannst du **dir** einen Flug nach Europa **leisten**?	*Can you afford a flight to Europe?*
Sie können **sich** *(dative)* gar nicht **vorstellen**, wie lange wir **uns** *(dative)* diese Entscheidung **überlegt** haben.	*You cannot imagine how long we thought this decision over.*

[3] For more information on the difference between **sich einbilden** and **sich vorstellen**, see **Wortschatz** 27.

D. Position of Reflexive Pronouns

1. The dative reflexive is placed before accusative nouns but after accusative pronouns (see 1.1 or 10.5).

Ich muß **mir** das Angebot überlegen.	*I have to think over the offer.*
Ich muß es **mir** überlegen.	*I have to think it over.*

2. Both accusative and dative reflexive pronouns generally come immediately after the inflected verb.

Der Nachbar kauft **sich** heute ein neues Fahrrad.	*The neighbor is buying himself a new bicycle today.*

3. In inverted or dependent word order, a dative or accusative reflexive pronoun precedes a noun subject but follows a pronoun subject.

Heute kauft **sich der Nachbar** ein neues Fahrrad. *(inverted word order, noun subject)*

Heute kauft **er sich** ein neues Fahrrad. *(inverted word order, pronoun subject)*

Weißt du, ob **sich der Nachbar** heute ein neues Fahrrad kauft? *(dependent clause, noun subject)*

Ich weiß, daß **er sich** heute ein neues Fahrrad kauft. *(dependent clause, pronoun subject)*

4. Reflexive pronouns used as prepositional objects follow the preposition.

Ich spreche nicht gern **über mich**.	*I do not like to talk about myself.*
Ihre Tochter war **außer sich** vor Freude.	*Her daughter was beside herself with joy.*

15.3 Selbst and selber

Selbst and **selber** both mean *-self*; they are intensifying adverbs, not reflexive pronouns. They can occur either by themselves or in combination with reflexive pronouns.

Hast du dieses Haus **selber / selbst** gebaut?	*Did you build this house yourself?*
Sie hat sich **selbst / selber** angezogen.	*She got dressed (by) herself.*

Selbst and **selber** commonly occur together with reflexive pronouns after verbs that take only dative objects (see **Wortschatz** 10).

Du mußt **dir selbst / selber** helfen.	*You will have to help yourself.*

Er hat **sich selbst / selber** widersprochen. — *He contradicted himself.*

When **selbst** precedes the words it intensifies, it means *even.* **Selber** cannot be used in this context.

Selbst am Mittelmeer hatten wir mieses Wetter. — *Even on the Mediterranean we had lousy weather.*

15.4 The Reciprocal Pronoun **einander**

Plural reflexive pronouns can be used to express reciprocal actions, that is, actions done to *each other* or *one another.* This structure, however, may result in ambiguity, which is best eliminated by using **einander** *(each other).*

Wir kauften **uns** kleine Reiseandenken. — *We bought each other (or: ourselves) little travel souvenirs.*
Sie kauften **einander** auch Reiseandenken. — *They also bought each other travel souvenirs.*

When used with prepositions, **einander** must be attached to the preposition to form one word.

Die Mannschaften spielen jetzt **gegeneinander**. — *The teams are now playing against each other.*
Fürchten sich Geister **voreinander**? — *Are ghosts afraid of one another?*

ÜBUNGEN

A. **Nicht reflexiv → reflexiv.** Machen Sie die Sätze reflexiv, indem Sie die kursivgedruckten Wörter ersetzen.

Beispiel: Narzissus sah **Bäume** im Wasserspiegel.
*Narzissus sah **sich** im Wasserspiegel.*

1. Man sollte *die Kleider* öfter waschen.
2. Ich habe *die Zeitung* auf das Sofa gelegt.
3. Sie zog *ihre Kinder* schick an.
4. Zieh *ihm* die Jacke aus.
5. Wir legten *die Decken* in die Sonne.
6. Kinder, was habt ihr *euren Eltern* zu Weihnachten gewünscht?
7. Was hat sie *ihm* versprochen?
8. Haben Sie *die Kinder* schon angezogen?
9. Niemand konnte *der Polizei* den Unfall erklären.
10. Der Arzt hat *ihm* die Wunden verbunden.

B. **Mit und ohne Reflexivpronomen.** Bilden Sie jeweils zwei Sätze, einen mit und einen ohne Reflexivpronomen. Übersetzen Sie Ihre Sätze.

Beispiel: (sich) bewegen
Die Blätter bewegten sich im Wind.
The leaves were moving in the wind.

Der Wind bewegte die Blätter.
The wind moved the leaves.

1. (sich) ändern
2. (sich) fühlen
3. (sich) (hin)legen
4. (sich) öffnen
5. (sich) setzen

C. **Situationen.** Beenden Sie die Sätze. Verwenden Sie die folgenden Verben.

Beispiel: Seit Stunden bellt der Hund von nebenan.
Vielleicht sollte Herr Franzen . . .
Vielleicht sollte Herr Franzen sich bei seinem Nachbarn oder bei der Polizei beschweren.

sich amüsieren	sich erkälten	sich entschuldigen *(to apologize)*
sich ausruhen	sich umsehen	sich irren *(to be mistaken)*
sich beeilen		sich bewerben um *(to apply for)*

1. Hans lief letzte Woche dauernd ohne Mantel im Regen herum.
Kein Wunder, daß . . .
2. Der Bus fährt in zehn Minuten, und die Kinder sind noch nicht da.
„Kinder, . . . !"
3. Lufthansa hat jetzt Stellen frei, und Monika sucht Arbeit.
Vielleicht kann sie . . .
4. Morgen gibt es eine tolle Party bei Franz.
Sicher werden wir . . .
5. Es tut mir leid, mein Herr, aber das stimmt nicht.
Ich glaube, daß . . .
6. Verkäuferin: „Suchen Sie etwas Bestimmtes?"
„Nein, ich will . . ."
7. Klaus hat seinen Kollegen beleidigt *(insulted).*
Jetzt möchte er . . .
8. Ich bin sehr müde.
„Dann solltest du . . ."

D. **Aus meiner Vergangenheit.** Machen Sie fünf Aussagen über Ihr vergangenes Leben. Verwenden Sie reflexive Verben mit Präpositionen.

Beispiel: Als Kind habe ich mich vor Schlangen gefürchtet.

E. **Akkusativ → Dativ.** Verwenden Sie Reflexivpronomen im Dativ.

Beispiel: Du wäschst dich. (Hände)
Du wäschst dir die Hände.

1. Ziehe dich aus! (die Schuhe)
2. Habt ihr euch gewaschen? (die Füße)
3. Ich muß mich abtrocknen. (die Hände)
4. Sie kämmt sich. (die Haare)
5. Sie sollen sich anziehen. (andere Kleider)

F. **Ein neues Auto.** Drücken Sie diese Sätze durch den Gebrauch von Reflexivpronomen im Dativ auf deutsch aus.

1. I want to buy (myself) a car.
2. Buy (yourself) a BMW!
3. I don't believe that I can afford such a car.
4. You are just imagining that. Take a look at one!
5. I'll think it over.
6. I can just imagine you in a beautiful sport convertible **(das Sportkabriolett)**.

G. **Selbst und selber.** Drücken Sie die Sätze auf englisch aus.

1. Hilf dir selbst, so hilft dir Gott.
2. Selbst Tiere haben das Recht auf eine saubere Umwelt.
3. Die Tiere haben selber mit vielen Schwierigkeiten zu kämpfen.
4. Manchmal ärgere ich mich über mich selber.
5. Diese Schaukel *(swing)* haben die Kinder selbst gebaut.
6. Selbst Politiker sagen manchmal etwas Kluges.

H. **Einander.** Drücken Sie die Sätze anders aus.

Beispiel: Wann habt ihr euch kennengelernt?
Wann habt ihr ***einander*** *kennengelernt?*

1. Wir haben uns öfter gesehen.
2. Die Schüler helfen sich mit den Aufgaben.
3. Habt ihr nicht an euch geschrieben?

ANWENDUNG

A. **Beim Aufstehen und vor dem Schlafengehen.** Erzählen Sie jemandem im Kurs, wie Sie sich morgens nach dem Aufstehen und abends zum Schlafengehen fertig machen. Was machen Sie zuerst? Was kommt danach? Was machen Sie zuletzt? Berichten Sie dann, was jemand Ihnen erzählt hat.

VOKABELVORSCHLÄGE

1. sich anziehen / ausziehen
2. (sich) duschen
3. sich die Haare kämmen
4. sich rasieren
5. sich strecken *(stretch)*
6. sich schminken
7. sich abtrocknen
8. sich waschen

B. **Gefühle, Interessen und Reaktionen.** Erkundigen Sie sich bei jemandem nach der folgenden Information. Berichten Sie darüber.

Fragen Sie . . .

1. wann er / sie sich besonders ärgert.
2. wovor er / sie sich fürchtet.
3. wofür er / sie sich besonders interessiert.
4. woran / an wen er / sie sich (un)gern erinnert.
5. worauf er / sie sich ganz besonders freut.
6. worüber er / sie sich ganz besonders freut.

SCHRIFTLICHE THEMEN

TIPS ZUM SCHREIBEN ***Using process writing in German***

Conceptualize what you want to say in German, not English. Begin by making a list of German verbs that describe the actions you wish to discuss. Write short statements with these verbs, using a subject-verb-object or subject-verb-prepositional phrase format. Next, expand your basic statements by adding descriptive or qualifying adjectives (see Chapter 18), adverbs (see Chapter 23), or prepositional phrases (see Chapter 16). Finally, read what you have written to see in which sentences you can improve the style of your composition by putting elements other than subjects in first position.

A. **Nacherzählen.** Erzählen Sie die Bildgeschichte *in der Vergangenheit* nach. Gebrauchen Sie Verben mit Reflexivpronomen.

B. **Menschenbeschreibung.** Kennen Sie jemanden, der sehr begabt, exzentrisch oder eigenartig ist? Beschreiben Sie diesen Menschen. Womit beschäftigt er / sie sich? Wie benimmt er / sie sich? Wofür interessiert er / sie sich? Worüber ärgert er / sie sich?

Beispiel:

Mein Freund Kuno ist sehr exzentrisch. Er langweilt sich nie, denn dauernd beschäftigt er sich mit Fragen, die ich mir nicht einmal vorstellen kann. Er hat z.B. einmal ausgerechnet, daß ein Mensch sich im Laufe seines Lebens mehr als hundertmal erkältet. Obwohl er sich einbildet, . . .

Wortschatz

EXPRESSIONS FOR *TO DECIDE*

German has several different phrases for expressing *to decide.* Like English, some of these phrases have varying shades of meaning, while others are almost synonymous.

1. **entscheiden** to decide *(for or against),* settle a question intellectually

Ein Richter muß diesen Fall **entscheiden**.	*A judge must decide this case.*

2. **sich entscheiden** to decide or choose between various options
   sich entscheiden (für) to decide on one option, choose

Hast du **dich entschieden**, ob du mitfahren willst oder nicht?	*Have you decided whether or not you want to go along?*
Ich habe **mich für** den grünen Mantel **entschieden**.	*I have decided on the green coat.*

3. **eine Entscheidung treffen** to come to a decision. It is roughly synonymous with **(sich) entscheiden**, though stylistically more emphatic.

Hast du schon **eine Entscheidung getroffen**, welchen Beruf du erlernen willst?	*Have you come to a decision as to which profession you want to learn?*

4. **sich entschließen** to decide to take a course of action, to make up one's mind to do something

Er konnte **sich** nicht (dazu)[4] **entschließen**, ein neues Auto zu kaufen.	*He could not make up his mind to buy a new car.*

[4] The anticipatory **dazu** is optional with **sich entschließen** (see 17.1).

5. **einen Entschluß fassen** to make a decision or resolution. It is roughly synonymous with **sich entschließen**, but more emphatic.

Sie hat **den Entschluß gefaßt**, ein anderes Studium anzufangen.	*She made the decision to begin a different course of study.*

6. **entschlossen sein** to be determined to do something

Ich bin fest **entschlossen**, euch zu Weihnachten zu besuchen.	*I am firmly determined to visit you at Christmas.*

7. **beschließen** to resolve to take a course of action or to pass a resolution by virtue of some authority. **Beschließen** is *not* used reflexively.

Wie haben **beschlossen**, eine neue Wohnung zu suchen.	*We have decided to look for a new apartment.*
Der Senat hat **beschlossen**, einen neuen Wohnblock bauen zu lassen.	*The senate has resolved to have a new apartment complex built.*

A. **Eine schwierige Entscheidung.** Drücken Sie die Sätze auf deutsch aus.

1. The city council **(der Stadtrat)** decided to raise **(erhöhen)** the taxes.
2. For this reason my parents decided to move to the countryside **(aufs Land umziehen)**.
3. They could not decide whether they should buy or rent **(mieten)** a house.
4. They wanted me to make the decision.
5. I was determined not to do this.
6. Since they had made the decision to move, they had to decide where we were to **(sollten)** live.

B. **Wer die Wahl** *(choice)* **hat, hat die Qual** *(torment)*. Beantworten Sie die folgenden Fragen.

Beispiel: Was war die schwerste Entscheidung in Ihrem Leben?
Ich mußte mich entscheiden, an welcher Universität ich studieren wollte.

1. Was war die beste / schlechteste Entscheidung, die Sie je getroffen haben?
2. Wann ist es für Sie schwer / leicht, sich zu entscheiden?
3. Haben Sie sich je zu etwas entschlossen, was Sie später bereut *(regretted)* haben?
4. Haben Sie einmal einen ganz klugen Entschluß gefaßt?
5. Wofür würden Sie sich nie entscheiden?

CHAPTER 16

Prepositions

16.1 Prepositions and Prepositional Phrases

A preposition **(die Präposition, -en)** connects a noun or pronoun to another word or group of words in a sentence. In the sentence **Die Kinder gehen in den Park, in** is a preposition linking **den Park** to the rest of the sentence. The phrase **in den Park** is called a *prepositional phrase,* and **den Park** is considered the *object of the preposition.* In German, the noun or pronoun following a preposition must be in one of three cases: accusative, dative, or genitive (see Chapter 10). Some prepositions govern more than one case, depending upon how they are used. Many prepositional phrases function as adverbs by telling *how* (with friends), *when* (after school), or *where* (in the park) something occurs. Other prepositional phrases provide description by telling *who* (the man in the suit).

Although the German prepositions discussed in this chapter have specific English equivalents, the uses and meanings of prepositions in any language are often very idiomatic. For example, a large number of German verbs complete their meaning with prepositional phrases requiring a different preposition than one might expect on the basis of English usage. (See Appendix 4.)

Compare:

Sie interessiert sich **für** Politik.	*She is interested* ***in*** *politics.*
Glaubst du **an** Wunder?	*Do you believe* ***in*** *miracles?*

16

16.2 Prepositions with the Accusative Case

bis *until, to, as far as, by*
durch *through*
für *for*
gegen *against; toward*
ohne *without*
um *around; at*
wider *against*[1]

The following contractions are quite common:

durchs (durch das) **fürs (für das)** **ums (um das)**

A. Bis

1. By itself, **bis** implies the idea of *until, as far as, up to,* or *by* a certain point or time.

Ich fahre nur **bis** Frankfurt.	*I am driving only as far as Frankfurt.*
Lesen Sie **bis** morgen **bis** Seite 50.	*Read by tomorrow up to page 50.*
Ich bleibe **bis** nächsten Montag.	*I am staying until next Monday.*

2. **Bis** is frequently used in combination with other prepositions. In such constructions the case of the following objects is determined by the second preposition, not by **bis**.

Die jungen Leute tanzten **bis** spät **in die** Nacht (hinein).	*The young people danced until late into the night.*
Wir fanden alle Fehler **bis auf** einen.	*We found all the mistakes except for one.*
Die Spieler waren **bis vor** wenigen Tagen im Ausland.	*The players were abroad up until a few days ago.*
Die Arbeiter blieben **bis zur** letzten Stunde.	*The workers stayed until the last hour.*

B. Durch

Durch means *through.*

Diese Straße führt **durch** die Stadt.	*This road leads through the city.*
Einstein wurde **durch** seine Relativitätstheorie berühmt.	*Einstein became famous through his theory of relativity.*

---

[1] **Wider** is infrequent and used mainly in a few idiomatic phrases: **wider Erwarten** *(against all expectation).*

Ich BIN GEGEN Alles

C. Für

1. **Für** usually corresponds to English *for*.

Ich kaufe einen Korb **für** meine Mutter. — *I buy a basket for my mother.*

Du kannst mein Fahrrad **für** DM 250 kaufen. — *You can buy my bicycle for 250 DM.*

2. **Für** *cannot* be used to indicate the duration of an activity, that is, *(for) how long* an activity lasts; in such instances, German requires a time expression without any preposition at all (see 22.1). **Für** is used, however, to indicate *for how long* an activity *was intended.*

Compare:

Wir gingen **für** einen Tag nach Wien. *(intended duration)* — *We went to Vienna* ***for*** *one day.*

Aber unsere Freunde blieben **zwei Tage** dort. *(duration)* — *But our friends stayed there (for) two days.*

D. Gegen

1. Gegen is most often used in the sense of *against* or *into.*

Sie warf den Ball **gegen** den Zaun. — *She threw the ball against the fence.*

Der LKW fuhr **gegen** einen Baum. — *The truck drove into a tree.*

Wir protestierten **gegen** den Bau des Atomkraftwerks. — *We protested against the construction of the nuclear plant.*

2. **Gegen** means *toward* in time expressions (see 22.3).

Gegen Abend hörte der Regen auf. — *Toward evening the rain stopped.*

E. Ohne

Ohne means *without.*

Mach es **ohne** mich! — *Do it without me!*

F. Um

1. **Um** means *around* and is often used with an optional **herum.**[2]

Sie gingen **um** die Ecke. — *They went around the corner.*

Diese Straßenbahn fährt **um** die Wiener Altstadt **(herum)**. — *This streetcar travels around the old part of Vienna.*

2. For the use of **um** in time expressions, see 22.3.

---

[2] To express moving around within a space, German requires **in** (dative) +**herum.**

Die Schüler liefen **im** Park **herum**. — *The pupils ran around in the park.*

16.3 Prepositions with the Dative Case

aus *out of, of, from*
außer *except for; besides*
bei *by, near, at; with, in case of, during; upon, when, while doing*
gegenüber *across from, opposite*
mit *with, by*
nach *to, toward; after; according to*
seit *since, for*
von *from, of; by; about*
zu *to; at*

The following contractions are quite common:

beim (bei dem) **vom (von dem)** **zum (zu dem)** **zur (zu der)**

A. Aus

1. **Aus** means *out of* or *from* the point of origin.

Herr Bühler fuhr den Ferrari **aus der** Garage.	*Mr. Bühler drove the Ferrari out of the garage.*
Wein wird **aus** Trauben gemacht.	*Wine is made from grapes.*
Diese Familie kommt **aus** der Stadt Essen.	*This family comes from the city of Essen.* (that is, *it is their hometown*)

2. Expressing the idea of going out through an opening requires **zu** + **hinaus.**

Der Dieb sprang **zum** Fenster **hinaus.**	*The thief jumped out (of) the window.*

B. Außer

1. **Außer** usually means *except for, besides,* or *in addition to.*

Alle sind verrückt **außer** dir und mir.	*Everyone is crazy except for you and me.*
Außer seiner Frau waren noch andere Leute im Zimmer.	*Besides (in addition to) his wife there were other people in the room.*

2. In a few idiomatic expressions **außer** means *out of.*

Ich bin jetzt **außer Atem**.	*I am now out of breath.*
Der Lift ist **außer Betrieb**.	*The elevator is out of order.*

C. Bei

1. With locations, **bei** means *at, by,* or *near.*

Bei Hertie gibt es immer tolle Preise.	*There are always great prices at Hertie's (department store).*
In Böblingen **bei** Stuttgart arbeiten viele Leute **bei** (der Firma) IBM.	*In Böblingen near Stuttgart, many people work at IBM.*
Wir essen heute abend **bei** Sigrid.	*We are eating at Sigrid's place this evening.*

2. **Bei** can express the idea of *in case of, during,* or *with.*

Bei schlechtem Wetter geht man lieber nicht spazieren.	*In the case of / during bad weather it's better not to take a walk.*
Bei deiner Erkältung würde ich lieber zu Hause bleiben.	*With your cold I would rather stay home.*

3. **Bei** can also indicate *upon, when,* or *while doing* an activity; in such instances, the activity itself is expressed by an infinitive used as a noun (see 9.1).

Herr Kohl schlief **beim** Lesen ein.	*Mr. Kohl fell asleep while reading.*
Beim Erwachen hörte sie Stimmen im Korridor.	*Upon awakening, she heard voices in the corridor.*

D. Gegenüber

1. **Gegenüber** means *across from* or *opposite.* It normally follows a pronoun but can either precede or follow a noun.

Sie saß ihm **gegenüber**.	*She sat opposite him.*
Er saß seiner Frau **gegenüber / gegenüber** seiner Frau.	*He sat across from his wife.*

2. When **gegenüber** precedes a noun or pronoun, the word **von** is often added.

Gegenüber vom Bahnhof ist ein Einkaufszentrum.	*Across from the train station is a shopping center.*

E. Mit

1. **Mit** corresponds closely to English *with.*

Er spricht **mit** Freunden.	*He is talking with friends.*

2. **Mit** also indicates the instrument or means with which an activity is performed (see also 29.2).

Sie wurde **mit** einem Messer getötet.	*She was killed with a knife.*

3. When describing means of transportation, **mit** means *by* and is normally used with a definite article.

In Deutschland reist man manchmal schneller **mit** der Bahn (*or:* per Bahn) als **mit** dem Auto.	*In Germany one sometimes travels faster by rail than by car.*

F. Nach

1. **Nach** means *(going) to* with names of geographical locations such as towns, cities, countries, and continents. It is also used in the phrase **nach Hause** (*to come or go home*) (see **Wortschatz**, p. 193).

Dieser Flug geht **nach** Brasilien, nicht **nach** Argentinien.	*This flight is going to Brazil, not to Argentina.*
Sie kam erst spät am Abend **nach Hause**.	*She did not come home until late in the evening.*

2. **Nach** means *to* or *toward* when used with directions and points of the compass.

Zuerst ging sie **nach** rechts und dann **nach** oben.	*First she went to the right and then upstairs.*
Diese Straße führt **nach** Süden.	*The road leads / goes (to the) south.*

3. **Nach** can also be used to indicate directional motion *toward* a place or object, as opposed to motion *to* **(zu)** such locations (see **zu**, p. 194).

Compare:

Die Kinder liefen **nach** dem Springbrunnen.	*The children ran* ***toward*** *the fountain.*
Sie liefen **zu** dem Springbrunnen.	*They ran* ***to*** *the fountain.*
Sie sahen **nach** der Tür.	*The looked toward the door.*

4. **Nach** can mean *after* in either a temporal or a spatial sense.

Sie gingen **nach** dem Film in ein Restaurant.	*They went to a restaurant after the movie.*
Nach dem Feld kommt wieder Wald.	*After the field there are woods again.*

5. **Nach** sometimes means *according to* or *judging by,* in which case it usually follows its object.

Dem Wetterbericht **nach** soll es morgen in den Alpen schneien.	*According to the weather report it is supposed to snow in the Alps tomorrow.*
Ihrer Kleidung **nach** scheint sie Ausländerin zu sein.	*Judging by her clothing, she appears to be a foreigner.*

G. Seit

1. **Seit** is used to indicate *for how long* or *since when* an action that started in the past *has been going on.* German uses **seit** with the present tense, where English requires the present perfect (see 2.5). **Seit** often occurs with the adverb **schon**.

Es regnet **seit** gestern.	*It has been raining since yesterday.*
Wir wohnen **(schon) seit** einem Jahr in Braunschweig.	*We have (already) been living in Braunschweig for a year.*

2. The preposition **seit** should not be confused with the conjunction **seit(dem)** (see 25.3).

Seit / Seitdem er geheiratet hat, sehen wir ihn kaum.	*(Ever) since he got married, we scarcely see him.*

H. Von

1. **Von** means *from,* but not *out of* (see **aus**, p. 178.)

Deutsche Studenten bekommen Stipendien **vom** Staat.	*German students receive scholarships from the state.*
Frau Markstädter fährt heute abend **von** Mainz nach Frankfurt.	*Mrs. Markstädter is driving from Mainz to Frankfurt this evening.*

Compare:

Frau Schinkel kommt **aus** Mainz. *(that is, Mainz is her hometown)*

2. **Von** in combination with **aus** indicates a vantage point or motion away from a particular location.

Vom Fenster **aus** sieht man den Parkplatz nicht.	*From the window one doesn't see the parking lot.*
Von Freiburg **aus** ist man in einer halben Stunde am Titisee.	*From Freiburg one is at the Titisee in half an hour.*

3. **Von** in combination with **an** indicates a point from which an activity starts and continues.

Von jetzt **an** keine Fehler mehr!	*From now on no more mistakes!*

4. **Von** can also mean *of, by* (authorship), or *about* (topic of discussion).

Bürger **von** Hameln, wir sind jetzt **von** den Ratten befreit.	*Citizens of Hameln, we are now freed of the rats.*
Faust ist ein Drama **von** Goethe.	***Faust** is a drama by Goethe.*
Er spricht nicht gern **von** seinen Fehlern.	*He doesn't like to talk about his mistakes.*

5. **Von** also means *of* when it is used as a substitute for the genitive case (see 10.6).

Sie ist die Tante **von** meiner Freundin.	*She is the aunt of my girl friend.*

I. **Zu**

1. **Zu** means *to* and is used to express motion toward persons, stores, objects, locales, and events.

Ein kranker Mensch sollte **zum** Arzt gehen.	*An ill person ought to go to the doctor.*
Wir gehen **zur** Sporthalle.	*We are going to the gym.*
Wir laufen **zum** Schillerplatz.	*We walk to Schiller Square.*

2. The contracted form **zum** commonly occurs with infinitives used as nouns.

Wir haben nichts **zum** Essen.	*We have nothing to eat.*
Ich brauche etwas **zum** Schreiben.	*I need something for writing.* (that is, *to write with*)

3. **Zu** means *at* in a few idiomatic expressions (see **Wortschatz**, p. 194).

16.4 Two-Way Prepositions

The following prepositions take either the accusative or the dative case, depending upon whether they are used to express location or direction.

an *at, on, to*	**über** *over, across; above; about*
auf *on, upon, at*	**unter** *under, beneath, below; among*
hinter *behind*	**vor** *before, in front of; ago*
in *in, into, inside*	**zwischen** *between*
neben *beside, next to*	

entlang *along*

The following contractions are very common and often preferred to the separated forms:

ans (an das)	**am (an dem)**
aufs (auf das)	
ins (in das)	**im (in dem)**

The following contractions are considered quite colloquial:

hinters (hinter das)	**hinterm (hinter dem)**
übers (über das)	**überm (über dem)**
vors (vor das)	**vorm (vor dem)**

Two-way prepositions take the *dative case* when they indicate *location* with respect to a person or thing.

Wo steht er? *Where is he standing?*
—**Im** Garten. ***In** the garden.*

Two-way prepositions take the *accusative case* when they indicate *directional movement toward* a person or thing.

Wohin geht er? *Where is he going?*
—**In den** Garten. ***Into** the garden.*

Motion itself does not necessarily mean that the object must be in the accusative. The motion can be taking place within the area of the object, in which case the object is in the dative, since there is no change of position with respect to this area.

Wo läuft er? *Where is he running?*
—**Im** Garten. ***In** the garden.*

A. An

1. **An** used with the dative normally indicates position *at* with respect to vertical surfaces or locations such as lines, borders, and edges. **An** used with the accusative indicates motion *to* such locations, though **zu** would also be acceptable.

Wir stehen . . .		Wir gehen . . .	
am Fenster	*at the window*	**ans** Fenster	*to the window*
an der Tür	*at the door*	**an die** Tür	*to the door*
am Rand(e)	*at the edge*	**an den** Rand	*to the edge*
am Strand	*at the sea shore*	**an den** Strand	*to the shore*
an der Grenze	*at the border*	**an die** Grenze	*to the border*

2. When used with the adverbial prefix **vorbei**, **an** takes a dative object and indicates going *past* or *by* something.

An unserem Garten fließt ein Bach **vorbei.**	*A brook flows by our garden.*

B. Auf

1. **Auf** used with the dative normally indicates position *on* or *on top of* horizontal surfaces. **Auf** with the accusative indicates motion *to* or *onto* such surfaces.

Sie sitzen **auf dem** Sofa. *(position)*	*They are sitting on the sofa.*
Sie setzen sich **auf das** Sofa. *(direction)*	*They sit down on the sofa.*

2. **Auf** is also used with the dative to indicate location *at* public buildings or offices, and at parties, weddings, funerals, or other functions. **Auf** is used with the accusative to indicate motion *to* such locations or functions, though **zu** would also be acceptable.

Sie ist . . .	
auf der Bank	*at the bank*
auf der Post	*at the post office*
auf einer Party	*at a party*
auf einer Hochzeit	*at a wedding*
auf einer Beerdigung	*at a funeral*

Sie geht . . .	
auf die Bank	*to the bank*
auf die Post	*to the post office*
auf eine Party	*to a party*
auf eine Hochzeit	*to a wedding*
auf eine Beerdigung	*to a funeral*

3. In actual usage, the vertical / horizontal distinction between **an** and **auf** is frequently blurred.

Sie sind **am Bahnhof** (*or:* **auf dem** Bahnhof).	*They are at the train station.*
Er lag **am** Boden (*or:* **auf dem** Boden).	*He was lying on the ground.*

C. Hinter

Hinter means *behind.*

Sie spielt **hinter dem** Haus. *(position)*	*She plays behind the house.*
Sie läuft **hinter das** Haus. *(direction)*	*She runs behind the house.*

D. In

1. **In** with the dative corresponds closely to English *in,* but it also occurs idiomatically in many instances where English uses *at.* **In** is used with the accusative to indicate motion *to* or *into* certain locations, though in some instances **zu** would also be acceptable.[3]

Er ist . . .		Er geht . . .	
im Haus	*in the house*	**ins** Haus	*into the house*
in der Schule	*at / in school*	**in die** Schule	*to school*
im Büro	*at the office*	**ins** Büro	*to the office*
in den Bergen	*in the mountains*	**in die** Berge	*to the mountains*
in einem Konzert	*at a concert*	**in ein** Konzert	*to a concert*
in der Oper	*at the opera*	**in die** Oper	*to the opera*
im Kino	*at the movies*	**ins** Kino	*to the movies*

2. **In** + accusative is used to indicate direction *to* countries used with feminine or plural articles (see 12.1).

Sie fliegt **in die** Türkei, und er kehrt **in die** USA zurück.	*She is flying to Turkey, and he is returning to the USA.*

---

[3] In many instances **in** and **zu** can be used interchangeably:

Er geht ins / zum Konzert.	*He goes to the concert.*

In certain instances the meanings are slightly different:

Sie geht **ins** Gebäude.	*She goes into the building.*
Sie geht **zum** Gebäude.	*She goes to (but not into) the building.*

E. Neben

Neben means *beside* or *next to.*

Der Spieler stand **neben dem** Tor. *(position)*	*The player stood next to the goal.*
Der Ball fiel **neben das** Tor. *(direction)*	*The ball fell beside the goal.*

F. Über

1. With respect to location, **über** means *over, above,* or *across.*

Über der Stadt steht ein Schloß. *(position)*	*A castle stands above the city.*
Eine Brücke führt **über den** Wassergraben. *(direction)*	*A bridge crosses over the moat.*

2. When **über** means *about,* it requires the accusative case.

Sie sprachen **über seinen** Sieg.	*They were talking about his victory.*

G. Unter

Unter means *under, beneath, below,* or *among.*

Der Hund schläft **unter dem** Tisch. *(position)*	*The dog sleeps beneath the table.*
Der Hund kriecht **unter den** Tisch. *(direction)*	*The dog crawls under the table.*
Sie sind hier **unter** Freunden.	*You are among friends here.*

H. Vor

1. In reference to locations, **vor** means *in front of* or *ahead of.*

Wir treffen uns **vor dem** Museum. *(position)*	*We are meeting in front of the museum.*
Sie fährt **vor das** Museum. *(direction)*	*She drives in front of the museum.*

2. In a temporal sense, **vor** means *before* and takes the dative.

Du mußt **vor** acht Uhr aufstehen.	*You have to get up before eight o'clock.*
Sie aßen **vor** uns.	*They ate before us.*

3. With units of time (years, weeks, days, etc.) **vor** means *ago* and takes the dative (see 22.1).

Sie rief **vor** einer Stunde an.	*She telephoned an hour ago.*

I. Zwischen

Zwischen means *between.*

Er sitzt **zwischen ihnen**. *(position)*	*He sits between them.*
Er setzt sich **zwischen sie**. *(direction)*	*He sits down between them.*

J. Entlang

Entlang means *along.* It normally precedes a noun in the dative case when indicating *position* along an object, but it follows a noun in the accusative case when indicating *direction* along an object.

Prächtige Bäume standen **entlang** **dem** Fluß. *(position)*	*Magnificent trees stood along the river.*
Die Straße führte **einen** Fluß **entlang**. *(direction)*	*The road led along a river.*

16.5 Prepositions with the Genitive Case

(an)statt	*instead of*	**um . . . willen**	*for . . . 's sake*
trotz	*in spite of*	**außerhalb**	*outside of*
während	*during*	**innerhalb**	*inside of*
wegen	*because of, on account of*	**oberhalb**	*above*
diesseits	*on this side of*	**unterhalb**	*beneath*
jenseits	*on the other side of*		

There are also some fifty more genitive prepositions generally restricted to official or legal language: **angesichts** *(in light of),* **mangels** *(in the absence of),* etc.

A. (An)statt, trotz, während, wegen

1. **(An)statt, trotz, während,** and **wegen** are normally followed by objects in the genitive case, though in colloquial German the dative is also quite common.

Ich nehme das rote Hemd **(an)statt des** blauen / **dem** blauen.	*I'll take the red shirt instead of the blue one.*
Wir tun es **trotz des** Widerstands / **dem** Widerstand.	*We are doing it in spite of the resistance.*

2. Pronoun objects of these prepositions are usually in the dative.

Sie besucht uns **statt ihm**.	*She is visiting us instead of him.*
Ich tue es **wegen ihr**.	*I am doing it because of her.*

3. When genitive prepositions are followed by masculine or neuter nouns without articles, the genitive **-s** is dropped.

Wir brauchen mehr Zeit **anstatt Geld**.	*We need more time instead of money.*

B. Uses of wegen

1. German tends to use the following adverbial forms instead of **wegen** + pronoun: **meinetwegen (= wegen mir), deinetwegen (= wegen dir), unser(e)twegen (= wegen uns),** etc.

Tue es nicht **seinetwegen**.	*Don't do it on his account.*

2. **Meinetwegen** can also mean *for all I care* or *by all means.*

Meinetwegen soll er zu Hause bleiben, wenn er will.	*For all I care he can stay home if he wants.*

C. Um . . . willen

In the **um . . . willen** construction, the genitive comes between these two words.

Sie arbeitet **um** ihrer Familie **willen**.	*She works for the sake of her family.*
Um Himmels **willen**!	*For heaven's sake!*

D. Diesseits, jenseits, -halb

1. **Diesseits, jenseits,** and the prepositions with **-halb** can be followed by either the genitive or **von** + the dative.

Jenseits der / von der Grenze wohnen auch Menschen.	*There are also human beings living on the other side of the border.*
Wir können die Brücke **innerhalb weniger / innerhalb von wenigen** Stunden erreichen.	*We can reach the bridge within a few hours.*

2. In the plural, however, **von** + the dative must be used if there is no article to indicate case.

Die Polizei war **innerhalb von** Minuten am Tatort.	*The police were at the scene of the crime within minutes.*

ÜBUNGEN

A. **Aussagen.** Machen Sie mit jeder der folgenden Präpositionen zwei wahre Aussagen über sich oder andere Menschen.

Beispiel: Ich habe **für** meine Kurse viel zu tun.

bis	für	ohne
durch	gegen	um

B. **Welche Präposition paßt?** Ergänzen Sie durch passende Präpositionen und Endungen.

Beispiel: Sie arbeitet **bei** Siemens.

aus	gegenüber	seit
außer	mit	von
bei	nach	zu

1. Bist du ____ dein- ____ Wohnung zufrieden?
2. Dieses Paket kommt ____ Deutschland.
3. Das Postamt befindet sich ____ d- ____ Hauptbahnhof.
4. Wir essen heute abend ____ unser- ____ Freund Karl.
5. ____ Wochen bekommen wir keine Briefe mehr.
6. Sie bauen ihr Haus ____ Holz.
7. Wir warten ____ ein- ____ Monat auf eine Antwort.
8. Die Kinder kommen heute sehr früh ____ d- ____ Schule ____ Hause.
9. Vater ist jetzt ____ d- ____ Arbeit und nicht ____ Hause.
10. Sagt es niemandem ____ eur- ____ Eltern!

C. **Fragen zu Ihrer Person.** Beantworten Sie die Fragen mit den folgenden Präpositionen. Verwenden Sie jede Präposition mindestens einmal. Stellen Sie diese Fragen an andere Personen im Kurs. Berichten Sie die Antworten.

aus	nach	von
bei	seit	zu
mit		

1. Woher kommen Ihre Vorfahren (z.B. Ihre Großeltern) väterlicher- und mütterlicherseits?
2. Wie lange verdienen Sie schon Ihr eigenes Taschengeld?
3. Wohin würden Sie im Winter besonders gern in Urlaub fahren?
4. Wo arbeiten Ihre Eltern?
5. Wie fahren Sie am liebsten in den Urlaub? (Auto? Bahn? Flugzeug?)
6. Woher bekommen Sie das Geld für Ihr Studium oder für die Schule?
7. Wohin gehen Sie gern, wenn Sie abends ausgehen?
8. Wie kommen Sie jeden Tag zur Schule oder zur Uni?
9. Bei welchen Aktivitäten müssen Sie viel, wenig oder überhaupt nicht denken?

D. ***Aus, von, nach,* oder *zu*?** Wie können die Sätze weitergehen?

1. Violinen baut man . . .
2. *Wilhelm Tell* ist ein historisches Drama . . .
3. Will man Tiger und Elefanten sehen, dann muß man . . .
4. Die Astronauten Aldrin und Armstrong reisten . . .
5. Die besten / teuersten Autos der Welt kommen . . .
6. Willst du eine wunderschöne Stadt sehen, dann geh . . .
7. Lungenkrebs kommt oft . . .
8. Zum Skilaufen reisen viele meiner Freunde . . .

E. **Die Zugspitze: *An* oder *auf*? Dativ oder Akkusativ?** Ergänzen Sie entweder durch **an** oder **auf** mit passenden Artikelwörtern.

Wer am Bahnhof von Garmisch-Partenkirchen aussteigt, steht ____ Fuße eines imposanten Bergmassivs. Als höchster Gipfel *(peak)* Deutschlands (2.966 m) steht die Zugspitze ____ ____ Grenze zwischen Bayern und Österreich. Das ganze Jahr hindurch bringen mehrere Bergbahnen Touristen schnell und bequem ____ ____ Zugspitze hinauf. Bei gutem Wetter setzen sich Besucher oft ____ Tische ____ ____ Terrassen der großen Restaurants und schauen ____ größere Teile Oberbayerns hinunter. Im Winter fällt gewöhnlich viel Schnee ____ ____ Berg, und sogar im Sommer kann man oft ____ ____ Zugspitzgipfel Ski laufen.

F. **Dativ oder Akkusativ?** Bilden Sie mit den folgenden Präpositionen jeweils einen Satz mit einem Dativobjekt und einen Satz mit einem Akkusativobjekt. Lesen Sie jemandem einen Satz vor. Wenn Sie eine Präposition mit Dativobjekt gebrauchen, soll Ihr Partner / Ihre Partnerin zum gleichen Thema einen Satz mit derselben Präposition und dem Akkusativ bilden und umgekehrt.

Beispiel: Der Maler hängte[4] das Bild **an die** Wand.
Ein Bild von Picasso hing ***an der*** *Wand.*

an	neben	unter
auf	in	vor
hinter	über	zwischen

G. **Persönliches.** Bilden Sie mit den folgenden Präpositionen Aussagen über sich selbst oder über Bekannte von Ihnen.

Beispiele: Ich studiere **trotz** der vielen Arbeit sehr gern.
Innerhalb der nächsten Wochen muß ich vier Hausarbeiten schreiben.

(an)statt	trotz	während
innerhalb	um . . . willen	wegen

[4] For the difference between **hängte** and **hing** and other such verb pairs, see **Wortschatz 5**.

ANWENDUNG

A. **Wie kommt man dorthin?** Jemand im Kurs möchte Sie in den Ferien besuchen. Erklären Sie ihm / ihr, wie man zu Ihnen hinkommt.

REDEMITTEL

Wie komme ich (am besten) zu dir hin?
Wie fährt / kommt man von hier zum / zur / nach / in . . . ?
Am besten fährst du auf der Interstate / Autobahn usw. von . . . nach . . .
Du fährst etwa [eine halbe Stunde / zwanzig Kilometer] bis . . .
In . . . mußt du die Interstate / Autobahn verlassen und . . .
Dann fährst du bis zu einer Kreuzung, und dann geht es . . .
Dort biegst *(turn)* du in die [Goethestraße] ein.
Nimm die [dritte] Straße nach rechts / links.
Fahre . . .
  geradeaus
  nach links / nach rechts
  jene Straße entlang
  noch zwei Straßen weiter
  bis zur ersten Verkehrsampel *(traffic light)*
  an einem / einer . . . vorbei
Dort siehst du dann auf der linken / rechten Seite . . .

B. **Rollenspiel: Auskunft geben.** Sie arbeiten bei der Touristeninformation im Zentrum *Ihres* Heimatorts. Jemand im Kurs ist Tourist(in) und stellt Ihnen viele Fragen. Verwenden Sie Präpositionen in Ihren Antworten.

FRAGENKATALOG

Wo kann ich hier [Blumen / Medikamente usw.] bekommen?
Wo finde ich hier [eine Kirche / eine Synagoge / eine Moschee]?
Können Sie hier in der Nähe [ein Restaurant / ein Kaufhaus usw.] empfehlen? Wie komme ich dorthin?
Wann schließen hier die Geschäfte?
Wo gibt es hier in der Nähe [eine Bank / eine Tankstelle usw.]?
Wir suchen [den Zoo / das Polizeiamt usw.].
Kann man hier irgendwo [baden / einkaufen usw.]?
Wie komme ich am besten von hier [zur Busstation / zum Flughafen / zur Autobahn usw.]. Ich bin ohne Auto unterwegs.
Wie lange arbeiten Sie heute schon hier?

C. **Ausarbeitung eines Planes.** Sie haben morgen frei und wollen mit drei oder vier anderen Personen im Kurs etwas unternehmen (z.B. einen Ausflug machen, ein Projekt ausführen, Sport treiben). Diskutieren Sie, wohin Sie gehen wollen, was Sie dort machen können und wann Sie es machen wollen. Teilen Sie anderen Gruppen im Kurs Ihren Plan mit. Verwenden Sie viele Präpositionen!

REDEMITTEL

Ich schlage vor, daß wir . . .
Wollen wir nicht . . . ?
Wir können auch . . .
Habt ihr nicht Lust, . . . ?
Was haltet ihr davon, wenn . . . ?

Variante: **Eine traumhafte Reise.** Machen Sie einen Plan für eine tolle fünftägige Reise. Wohin wollen Sie fahren? Wie wollen Sie dorthin kommen? Was können Sie dort unternehmen?

SCHRIFTLICHE THEMEN

TIPS ZUM SCHREIBEN *Adding information through prepositions*

Prepositions are important linking words within sentences, and prepositional phrases can add both color and detail to your writing. For example, **Die Frau lachte . . .** is not as descriptive and interesting as **Die Frau *in Rot* lachte *mit Vergnügen*** *(delight)*. When used at the beginning of a sentence, a prepositional phrase can provide a setting (a time and / or place) for the main action: **An einem kalten Schneetag in Berlin ging Herr Moritz mit seinem blauen Hut spazieren.** Just remember that in German, initial prepositional phrases are not followed by a comma, as they may be in English (see 1.1).

A. **Eine Bildgeschichte.** Erzählen Sie die Bildgeschichte mit vielen Präpositionen. Erzählen Sie bitte entweder im Präsens oder im Präteritum *(past tense; see Chapter 6)*.

B. **Besichtigung** *(sightseeing)*. Erzählen Sie, wie man etwas Sehenswertes, was *Sie* schon kennen, wie z.B. eine Stadt, einen Stadtteil, ein Gebäude, einen Park usw., am besten besichtigt. Wo geht man hinein? An welchen sehenswürdigen Gebäuden kommt man vorbei? Durch welche Gebäude, Höfe *([court]yards)* oder dergleichen geht man? Was sieht man dort? Verwenden Sie verschiedene Präpositionen.

Beispiel:

Wer nach München kommt, fährt am besten mit der Bahn zum Marienplatz und beginnt dort seine Stadtbesichtigung. An einer Seite des Platzes steht das Rathaus mit seinem berühmten Glockenspiel. Von hier aus geht man links am Rathaus vorbei und kommt nach etwa 100 Metern zur Frauenkirche, der bekanntesten Kirche der bayerischen Hauptstadt. Hinter der Frauenkirche kommt man in die Löwengasse usw.

C. **Verlaufen.** Haben Sie sich je verlaufen *(taken the wrong way)*, so daß Sie Ihr Ziel nur mit großer Schwierigkeit oder gar nicht erreichten? Erzählen Sie davon. Beschreiben Sie auch Ihre Gefühle dabei. Verwenden Sie präpositionale Ausdrücke und auch Adjektive (siehe Kapitel 18), um alles noch genauer zu schildern *(depict)*.

Wortschatz

IDIOMATIC USES OF **NACH** AND **ZU**

Nach and **zu** occur frequently in idiomatic expressions.

NACH

nach Bedarf as needed
nach Belieben at one's discretion
nach dem Gehör by ear *(without notes)*
nach Hause (to go) home
nach Wunsch as you wish, as desired
(nur) dem Namen nach kennen to know by name (only)
nach und nach little by little, gradually
nach wie vor now as ever, the same as before

ZU

zum Beispiel for example
zu dritt / zu viert usw. in threes, in fours, etc.
zu Ende over (that is, *at an end*)
zu Fuß on foot
zum Geburtstag for one's birthday
zu Hause (*compare* **nach Hause**) at home
zu Ihnen / dir (to go) to your place

zum Frühstück / zum Mittagessen for / at breakfast / the noonday meal
zum Kaffee (nehmen) (to take) with one's coffee
zum Essen / Schreiben usw. for eating / writing, etc. *(see 16.3)*
zu Mittag (*but:* **am Abend**) at noon
zum Schluß in conclusion
zu Weihnachten, zu Ostern for / at Easter, for / at Christmas
zum Wohl! (Here's) to your health!
ab und zu now and then

Compare:

Er geht zu Eva. *He is going to Eva's (place).*
Er geht zu Eva nach Hause. *He is going to Eva's home / house.*

Er ißt bei Eva. *He is eating at Eva's (place).*
Er ißt bei Eva zu Hause *He is eating at Eva's home / house.*

Zu is also used with the names of eating establishments.

(Gasthaus) zum Roten Bären *the Red Bear Inn*

Aussagen. Verwenden Sie einige der obigen Ausdrücke in wahren Aussagen.

PREPOSITIONS MEANING *TO*

Five different prepositions discussed in this chapter can all express motion *to* someone or somewhere. The choice of which to use depends upon the type of destination. The differences among them are summarized below; see 16.3 and 16.4 for additional detail.

an locations such as an edge or border

auf locations that are regarded as a horizontal surface; public offices and social events

in countries with feminine or plural articles; locations one can go into

nach cities, states, most countries

zu names of people and eating establishments; specific locations and events. **Zu** is the most common indicator of *to.*

A. ***An, auf, in, nach* oder *zu*?** Wenn die Semesterferien endlich da sind, möchte jeder an einen schönen Urlaubsort fahren. Wohin möchten die Leute fahren?

Beispiele: Monika → Afrika
*Monika möchte **nach** Afrika.*

Ulrich → der Strand
*Ulrich möchte **an** den Strand.*

1. Jörg → Haus
2. Elisabeth → ihre Großeltern
3. Heidi → die Schweiz
4. Uwe → eine Südseeinsel
5. René → Skandinavien
6. Ed und Angelika → der Bodensee
7. Klaus → ein Ferienort in den Alpen
8. Bärbl → die Ostsee
9. 3 Studenten im Kurs →?

B. **Wohin?** Wohin gehen Sie, wenn Sie während des Semesters Folgendes tun wollen?

Beispiele: billig essen
Ich gehe zu Wendys.

schwimmen
Ich gehe zum Hallenbad auf der Universität.

1. fein essen
2. wandern
3. Sport treiben
4. tanzen
5. mit Freunden ausgehen
6. Hausaufgaben machen
7. Zeit vertreiben *(pass)*
8. Briefmarken kaufen
9. Geld holen
10. allein sein

CHAPTER 17

Da-Compounds / Uses of es

17.1 Prepositional **da**-Compounds

A. Forms

1. **Da**-compounds occur with many, but not all prepositions. (See also **wo**-compounds, 14.2.)

		colloquial
dabei	da**r**an[2]	dran
dadurch	da**r**auf	drauf
dafür	da**r**aus	draus
dagegen	da**r**in	drin
damit[1]	da**r**über	drüber
danach	da**r**um	drum
davon	da**r**unter	drunter
davor		
dazu		
dazwischen		

ALSO:

daher *(from there, from that)*
dahin *(to there)*

[1] There is also the *conjunction* **damit,** which means *so that* (see 25.3).
[2] If the preposition begins with a vowel, an **r** is inserted to facilitate pronunciation.

2. **Da**-compounds cannot be formed with **außer, gegenüber, ohne, seit,** or with genitive prepositions.

B. *Use*

1. In prepositional phrases, personal pronouns are used when referring to *persons* or *animals.*

Warten Sie auf Heinrich? —Ja, ich warte auf **ihn**.	*Are you waiting for Heinrich?* *Yes, I am waiting for him.*
Hast du nichts von deiner Schwester gehört? —Doch, ich habe gestern einen Brief von **ihr** bekommen.	*Haven't you heard from your sister?* *Oh yes, I received a letter from her yesterday.*

2. If a prepositional phrase refers to one or more *things* or *concepts,* a **da**-compound must be used.

Wartet Jörg auf den Bus? —Ja, er wartet **darauf**.	*Is Jörg waiting for the bus?* *Yes, he is waiting for* ***it***.
Hat Christina über ihre Projekte gesprochen? —Ja, sie hat **darüber** gesprochen.	*Did Christina speak about her projects?* *Yes, she spoke about* ***them***.

3. A **da**-compound can also refer to an entire previous clause.

Bald werden wir ausziehen müssen, aber **daran** möchte ich jetzt nicht denken.	*Soon we will have to move out, but I don't want to think about it now.*

4. Occasionally a **da**-compound refers to living beings as belonging to a group, though the pronoun forms are still preferable.

In dieser Klasse sind zwanzig Studenten, **darunter / unter ihnen** einige recht gute.	*In this class there are twenty students, among them some quite good ones.*

17

C. *Anticipatory* da-*Compounds*

1. Some verbs, including many reflexives, require prepositional phrases to complete their meanings (see 15.2).

Meine Eltern **freuen sich auf** meinen Besuch.	*My parents are looking forward to my visit.*

In such instances, when the object of the preposition is not a noun, but rather a dependent clause (often introduced by **daß, ob,** or **wie**) or an infinitive clause, a **da**-compound is inserted before the clause. This somewhat redundant **da**-compound anticipates the following clause. In English such clauses are often rendered by a gerund construction, as in the first example below.

Meine Eltern freuen sich **darauf, daß** wir sie bald besuchen. — *My parents are looking forward to our visiting them soon.*

Sie sprechen **darüber, wie** man der Familie am besten helfen kann. — *They are talking about how people can best help the family.*

Es kommt jetzt **darauf** an, keinen Fehler zu machen. — *It is now a matter of not making a mistake.*

2. Sometimes an optional anticipatory **da**-compound is added even when the prepositional phrase is not essential for completing the meaning of the verb.

Sie erzählten **(davon)**, wie sie ihre Ferien verbracht hatten. — *They told (about) how they had spent their vacation.*

3. The adverbs **dahin** and **daher** are used with **gehen** and **kommen** to anticipate subsequent clauses and cannot be omitted.

Die Schwierigkeiten kommen **daher**, daß es zu wenige Plätze im Studentenheim gibt. — *The difficulties stem from the fact that there are too few places in the student dormitory.*

Die Tendenz geht jetzt **dahin**, drei Studenten in einem Zimmer unterzubringen. — *The tendency is now to put three students in one room.*

4. **Da**-compounds can also be used with a number of adjectives (see **Wortschatz** 19).

Wir sind **dazu** bereit, Ihnen eine Stelle anzubieten. — *We are prepared to offer you a position.*

17.2 Uses of **es**

A. *Impersonal* es

1. **Es**, like English *it,* may be used impersonally to indicate the occurrence of activities without any specific doers. It occurs frequently in weather and time expressions, as well as with numerous other impersonal verbs.

Es regnet (blitzt, donnert, friert, hagelt, schneit, stürmt). — *It is raining (lightning, thundering, freezing, hailing, snowing, storming).*

Es ist fünf Uhr. — *It is five o'clock.*

Es riecht (stinkt, duftet). — *It smells (stinks, gives off an aroma).*

Es klopft. — *There is a knocking.* (literally, *"it" is knocking*)

Es brennt. — *Something is burning.* (literally, *"it" is burning*)

2. **Es** also occurs in numerous so-called impersonal expressions in which *it* **(es)** is the subject of the German phrase or sentence but not of its English equivalent.

Wie geht **es**?	*How are you?*
Es geht (mir) gut.	*(I am) fine.*
Es ist (uns) zu heiß.	*We are too hot.*
Es gelingt (mir).	*(I) succeed.*
Es wird (mir) schlecht.	*(I) feel sick.*
Es tut mir leid.	*(I) am sorry.* (literally, *it pains me*)
Es fehlt (mir) an *(dative)* . . .	*(I) am missing / lacking* . . .

B. Es gibt

Es gibt (es gab, es hat gegeben) means *there is* or *there are.* The following noun is in the accusative case.[3]

Gibt es einen Gott?	*Is there a God?*
Nach einer Stunde **gab es** keinen Wein mehr.	*After an hour there was no more wine.*
Vielleicht **wird es** Probleme **geben**.	*Perhaps there will be problems.*

C. Introductory es

1. In main clauses, **es** *(there)* may introduce a sentence in which the true subject follows the inflected verb. The verb agrees with this subject, not with **es**. This construction has a somewhat literary flavor. (See also **es** with the passive, 29.4.)

Es wohnen drei Familien in diesem Haus.	*There are three families living in this house.*
Es kam ein Brief. *(literary narrative)*	*There came a letter.*

2. When the sentence begins with a different element, **es** is no longer introductory and cannot be used.

Es blieben nur noch wenige Bücher übrig.	*There were only a few books left over.*
Dann blieben nur noch wenige Bücher übrig.	*Then there were only a few books left over.*

---

[3] Originally, the **es** referred to Nature, Providence, or Fate, which "gave" such things as weather or rich harvests. Everything Providence provided was the object of the verb **geben**. Thus, **es** is always the subject and the verb form always singular.

D. *Anticipatory* es

Es may anticipate what is still to come in a subsequent clause. It can be either a subject or a direct object and is often optional after a verb. The same usage occurs in English.

Es freut / ärgert mich, daß . . .	*It pleases / annoys me that . . .*
OR:	
Mich freut / ärgert **(es),** daß . . .	
Es macht Spaß, wenn . . .	*It is fun when . . .*
Es ist möglich / schade / wichtig, daß . . .	*It is possible / too bad / important that. . .*
Wir haben **(es)** gewußt, daß . . .	*We knew (it) that . . .*
Ich kann **(es)** nicht glauben, . . .	*I can't believe (it) that . . .*

ÜBUNGEN

A. **Gegenstände *(objects)* des Lebens.** Was kann man mit diesen Gegenständen alles tun? Verwenden Sie Konstruktionen mit **da-.**

Beispiele: ein Haus
*Man kann **darin** wohnen.*

ein Fernseher
*Man kann **davor** einschlafen.*

1. Zeitungen
2. Bleistift und Papier
3. Lebensmittel
4. ein Computer
5. alte Weinflaschen

Erzählen Sie von weiteren Gegenständen.

Liebe Frau Schmitt, wohin denn damit?

Aktion gegen langweilige Badezimmer.

B. **Fragen: Mit oder ohne *da*-Konstruktion?** Antworten Sie bitte mit ganzen Sätzen und ganz ehrlich auf die folgenden Fragen.

Beispiele: Sind Sie mit der jetzigen Politik in Ihrer Heimat einverstanden?
*Ja, ich bin **damit** einverstanden.*

Haben Sie Respekt vor Politikern?
*Nein, ich habe keinen Respekt vor **ihnen**.*

1. Freuen Sie sich über das Glück anderer Menschen?
2. Haben Sie etwas gegen Menschen, die anderer Meinung sind als Sie?
3. Haben Sie Vertrauen zu der Regierung Ihres Landes?
4. Haben Sie Angst vor Menschen mit AIDS?
5. Zählen Sie sich zu den Leuten, die fast jeden Tag etwas für die Umwelt tun?
6. Sind Sie bereit, ohne Styropackung und Spraydosen zu leben?
7. Sind Sie mit Ihrem bisherigen Leben zufrieden?

C. **Meinungen zur Politik.** Beenden Sie die Aussagen.

Beispiel: Ich bin davon überzeugt, daß . . .
Ich bin davon überzeugt, daß unser Staat mehr für die armen Leute tun sollte.

1. Ich bin dafür / dagegen, daß . . .
2. Ich zweifle *(doubt)* (nicht) daran, daß / ob . . .
3. Ich bin der Meinung, unsere Regierung sollte dafür sorgen, daß . . .
4. Ich beurteile *(judge)* einen Politiker danach, wie / ob . . .

D. **Anders formulieren.** Drücken Sie die Sätze durch den Gebrauch von **da**-Konstruktionen anders aus.

Beispiel: Du kannst dich auf unsere Hilfe verlassen. (helfen)
*Du kannst dich **darauf** verlassen, daß wir dir helfen werden.*

1. Wir möchten uns für Eure Hilfe bedanken. (helfen)
2. Unsere Professorin beklagt sich *(complains)* über unser häufiges Zuspätkommen. (zu spät kommen)
3. Auswanderer haben oft Angst vor dem Verlust *(loss)* ihrer Muttersprache. (verlieren)
4. Ein Automechaniker hat uns zum Kauf eines neuen Autos geraten. (kaufen)

E. **Eigene Sätze bilden.** Bilden Sie wahre Aussagen über sich selbst oder über Menschen, die Sie kennen. Verwenden Sie die angegebenen Verben mit **da**-Konstruktionen.

Beispiel: sich freuen auf
*Ich freue mich **darauf**, im Sommer nach Europa zu fahren.*

1. Angst haben vor
2. sich ärgern über *(to be annoyed)*
3. überreden zu *(to persuade to do)*
4. sorgen für *(to see to it)*
5. zweifeln an *(to doubt)*

Machen Sie noch zwei weitere solche Aussagen mit anderen Verben (see Appendix 4).

F. **Was gibt's?** Drücken Sie die Sätze anders aus. Verwenden Sie die angegebenen Ausdrücke.

Beispiel: Man findet im Ruhrgebiet viele Großstädte.
Im Ruhrgebiet gibt es viele Großstädte.

es gibt   es fehlt   es ist / sind   es + [Verb]

1. Ich habe im Moment leider kein Geld.
2. Ich höre draußen vor der Tür jemanden klopfen.
3. Am Marienplatz in München befinden sich elegante Geschäfte.

4. Feuer!
5. Daß der Schnee vor morgen kommt, ist höchst unwahrscheinlich.
6. Kein Grund ist vorhanden *(exists),* die Aussage dieses Polizisten zu bezweifeln.

ANWENDUNG

A. **Etwas vorführen** *(demonstrate)***.** Bringen Sie einen Gegenstand (oder das Bild eines Gegenstandes) zum Unterricht mit. Erklären Sie, wie dieser Gegenstand funktioniert, was man damit machen kann usw. Verwenden Sie Kombinationen mit **da-**.

REDEMITTEL

Das hier ist . . .
Ich möchte euch ein bißchen darüber informieren, wie . . .
Damit kann man . . .
Ich möchte euch auch zeigen, wie . . .
Habt ihr jetzt Fragen darüber?

B. **Räumlich beschreiben.** Erkundigen Sie sich bei jemandem im Kurs danach, wie ein bestimmter Raum (z.B. ein Schlafzimmer, ein Garten, die Küche) bei ihm oder ihr aussieht.

Beispiel: *Student 1:* Wie sieht dein Zimmer im Studentenheim aus?
Student 2: Mein Zimmer ist recht groß. In einer Ecke steht mein Arbeitstisch. Darauf steht mein Computer, und ich schreibe meine Aufgaben damit. Links davon . . . usw.

SCHRIFTLICHES THEMA

TIPS ZUM SCHREIBEN ***Avoiding some common pitfalls***

Use the first-person-singular **ich** sparingly when presenting your views and opinions on a subject in writing. You can occasionally include your reader or other persons in the solutions you propose by using **wir**. Readers can become confused, however, if you shift between the pronouns **ich** and **wir** for no apparent reason. Also, make sure you have not used the neuter or impersonal pronoun **es** to refer to nouns that are masculine (*pronoun:* **er**) or feminine (*pronoun:* **sie**).

After writing a first draft, reread it to see whether use of an occasional **da**-compound instead of a preposition plus a previously mentioned noun will tighten your text without sacrificing its clarity.

Einen Standpunkt vertreten *(represent)*. Äußern Sie sich schriftlich zu einem Thema, zu dem es gewiß viele Meinungen gibt. Versuchen Sie, Ihre Argumente durch einige der folgenden Wendungen *(expressions / phrases)* einzuführen und zu betonen.

REDEMITTEL

Das Problem liegt meiner Meinung nach darin, daß . . .
Wir müssen uns vor allem darüber klar sein, wie / was / wer / inwiefern . . .
Ich möchte daran erinnern, daß . . .
Ich glaube, man kann sich nicht darauf verlassen, daß . . .
Ja, das kommt daher / davon, daß . . .
Das Problem ist darauf zurückzuführen, daß . . .
Sind wir uns jetzt darüber einig, daß . . . ?
Ich halte es für wichtig / richtig, daß . . .
Daher gibt es keinen Grund, . . . zu [tun]

THEMENVORSCHLÄGE

1. Weltpolitik
2. Sozialprobleme
3. ideologische und politische Konfrontation an der Universität
4. Wirtschaftspolitik *(economic policy)*
5. Konflikte auf der Welt

Wortschatz

DA-COMPOUND ADVERBS AND EXPRESSIONS

The following **da**-compound adverbs occur frequently in German.

1. **dabei** yet, at the same time, while doing so

Er stellt sich manchmal dumm, und **dabei** ist er doch recht gescheit.	*He sometimes pretends to be stupid, and yet he is really quite intelligent.*
Gerald mähte den Rasen und kaute Kaugummi **dabei**.	*Gerald mowed the lawn and chewed gum at the same time.*

2. **dafür** about that, for it; instead (of it)

Er hat kein Geld, aber **dafür** kann er nichts.	*He doesn't have any money, but he cannot do anything about that.* (that is, *it is not his fault*)
Sie hat kein Auto, aber **dafür** hat sie ein tolles Fahrrad.	*She does not have a car, but instead (of it) she has a great bicycle.*

3. **damit** with that, by doing so

Der Schiedsrichter pfiff, und **damit** war das Spiel zu Ende. — *The referee blew his whistle, and with that the game was over.*

Du redest sehr laut. Meinst du, du kannst uns **damit** einschüchtern? — *You are talking very loudly. Do you think you can intimidate us by doing so?*

4. **danach** afterwards, after that

Man wählte ihn nicht, und **danach** wollte er mit (der) Politik nichts mehr zu tun haben. — *He was not elected, and after that he wanted to have nothing more to do with politics.*

5. **dazu** to that; for that; besides, as well

Ich habe dieses Auto gestohlen. Was sagen Sie **dazu**? — *I stole this car. What do you say to that?*

Du brauchst Hilfe, und **dazu** sind wir da. — *You need help, and for that we are here.*

Er kaufte Schreibpapier und einen Kuli **dazu**. — *He bought writing paper and a ballpoint pen as well.*

The following **da**-compound expressions are also very common.

1. **es kommt darauf an / es hängt davon ab** it (all) depends

Kommst du morgen mit? — *Are you coming along tomorrow?*

—Ich weiß es noch nicht. **Es kommt darauf an.** — *I don't know yet. It depends.*

Können wir das Spiel noch gewinnen? — *Can we still win the game?*

—**Es hängt** doch **davon ab,** wie gut ihr spielt. — *It really all depends upon how well you play.*

2. **darauf kommt es an** that's what counts

Er tat sein Bestes, und **darauf kam es an.** — *He did his best, and that was what counted.*

3. **dabei bleibt es** that's how it's going to be, that's that, that's settled

Du bekommst von mir monatlich fünfzig Mark, und **dabei bleibt es.** — *You are getting fifty marks a month from me, and that's that.*

4. **es ist damit aus** it's over

Das war schön, aber jetzt **ist es damit aus.** — *That was nice, but now it's over.*

5. **heraus damit!** out with it!

Du wolltest noch etwas sagen. Komm, **heraus damit!**	*You wanted to say something else. Come on, out with it!*

6. **was habe (ich) davon?** what good does that do (me)? what do I get out of it?

Er hat eine bessere Stellung gefunden, aber **was habe ich davon?**	*He found a better position, but what good does that do me?*

Auf deutsch. Drücken Sie die Sätze auf deutsch aus.

1. What do you say to that?
2. We want to take a walk now and after that go swimming.
3. We are not going, and that's that.
4. She knows French, but what good does that do her in Greece?
5. "Can you help us?" "It all depends."
6. You can still sing, and that's what counts.
7. Two students wrote a bad exam, but I cannot do anything about that.

THE EXPRESSIONS **ES HANDELT SICH UM, ES GEHT UM,** AND **HANDELN VON**

These expressions mean *to be about* or *to be a question of,* but they are used in different ways.

1. **es handelt sich um / es geht um**

The expressions **es handelt sich um** and **es geht um** are synonymous. They indicate what something *is about* and have a number of English equivalents. The subject of these expressions is alway **es**, and they are often used with an anticipatory **da**-compound.

es handelt sich um	it is a question of	we are dealing with
es geht um	it is a matter of	we are talking about
	at issue is	it concerns
	at stake are	

Es handelt sich um deine Zukunft.	*We are talking about your future.*
Um was für einen Betrag **geht es** denn?	*Well, what (kind of an) amount are we talking about?*
Es handelt sich darum, möglichst schnell zu arbeiten.	*It is a matter of working as quickly as possible.*

2. **handeln von**

Handeln von means *to treat* or *to deal with* a topic or *to be about* and is used only when the subject is a book, article, poem, play, movie, etc. (see also **Wortschatz** 11).

Dieser Artikel **handelt von** der Politik.	*This article deals with / is about politics.*

Auf deutsch. Drücken Sie die Sätze auf deutsch aus.

1. This story is about a woman with five children.
2. It is a matter of his pride **(der Stolz).**
3. "Have you read Peter Handke's *Wunschloses Unglück?*" "No, what is it about?"
4. It's a question of whether we should support **(unterstützen)** the war or not.
5. What's this discussion all about?

CHAPTER 18

Adjective Endings

18.1 Adjectives Without Endings

Adjectives **(das Adjektiv, -e)** provide additional information about nouns and pronouns. When they provide this information via the linking verbs **sein, werden,** and **bleiben,** that is, as *predicate adjectives,* they do not have endings.

Die Stadt Rosenheim *ist* **klein.**	*The city of Rosenheim is small.*
Dieses Problem *wird* jetzt **kompliziert.**	*This problem is now becoming complicated.*

Adjectives in German can also be used without endings as adverbs.

Der Schnee fiel **leise.**	*The snow fell gently.*
Du mußt **fleißig** lernen.	*You must study diligently.*

18.2 Adjectives with Endings

When adjectives are followed by the nouns they modify, they are called *attributive adjectives.* Attributive adjectives require case endings.

A. *Adjectives after Article Words*

1. An article word (**der-** or **ein-**word) before a noun usually provides as much specific information as possible about the number, gender, and case of this

noun. With only three exceptions (see **ein**-words below), the endings of article words are known as *primary* endings.

2. If a **der**-word *is* present to provide information about the number, gender, and case of a noun, any subsequent adjective does not need to provide this information and takes a *secondary* ending. There are only two secondary endings: **-e** and **-en**.

   The **der**-words are the definite articles (see 12.1), and **dieser, jeder, jener, mancher, solcher,** and **welcher** (see 12.3).

Adjective Endings after **der**-Words

	Masc.	*Fem.*	*Neut.*
Nom.	der blau**e** Kuli	die klein**e** Lampe	das neu**e** Heft
Acc.	den blau**en** Kuli	die klein**e** Lampe	das neu**e** Heft
Dat.	dem blau**en** Kuli	der klein**en** Lampe	dem neu**en** Heft
Gen.	des blau**en** Kulis	der klein**en** Lampe	des neu**en** Heftes
		Pl.	
	Nom.	die alt**en** Bücher	
	Acc.	die alt**en** Bücher	
	Dat.	den alt**en** Büchern	
	Gen.	der alt**en** Bücher	

3. If an **ein**-word has a primary ending, any subsequent adjective takes the same secondary ending as after the corresponding **der**-word. However, in the three instances where **ein** has no ending (see chart), the adjective itself must have the primary ending.

   The **ein**-words are the indefinite article (see 12.2), **kein-,** and the possessive pronouns (see 12.4).

Adjective Endings after **ein**-Words

	Masc.	*Fem.*	*Neut.*
Nom.	ein jung**er** Lehrer	eine gut**e** Ärztin	ein lieb**es** Mädchen
Acc.	einen jung**en** Lehrer	eine gut**e** Ärztin	ein lieb**es** Mädchen
Dat.	einem jung**en** Lehrer	einer gut**en** Ärztin	einem lieb**en** Mädchen
Gen.	eines jung**en** Lehrers	einer gut**en** Ärztin	eines lieb**en** Mädchens
		Pl.	
	Nom.	seine klug**en** Freunde	
	Acc.	seine klug**en** Freunde	
	Dat.	seinen klug**en** Freunden	
	Gen.	seiner klug**en** Freunde	

B. Adjectives Without Preceding Article Words

1. If *no* **der**-word or **ein**-word precedes an adjective, then the adjective itself must have a primary ending. The only exceptions are the genitive singular endings of adjectives in the masculine and neuter, which are always **-en**.

Primary Endings of Adjectives

	Masc.	*Fem.*	*Neut.*
Nom.	gut**er** Saft	warm**e** Milch	kalt**es** Wasser
Acc.	gut**en** Saft	warm**e** Milch	kalt**es** Wasser
Dat.	gut**em** Wein	warm**er** Milch	kalt**em** Wasser
Gen.	gut**en** Saftes	warm**er** Milch	kalt**en** Wassers

	Pl.
Nom.	frisch**e** Getränke
Acc.	frisch**e** Getränke
Dat.	frisch**en** Getränken
Gen.	frisch**er** Getränke

2. At least one modifier before a noun, either an article or an adjective, must have a primary ending. Compare the following examples:

	Singular	
der-*Word*	**ein**-*Word*	*No article*
der alte Wein	ein alt**er** Wein	alt**er** Wein
die große Macht	unser**e** große Macht	groß**e** Macht
(durch) **das** echte Glück	ein echt**es** Glück	echt**es** Glück
(mit) **dem** starken Willen	ein**em** starken Willen	stark**em** Willen
(mit) **der** leisen Stimme	dein**er** leisen Stimme	leis**er** Stimme
	Plural	
die neuen Städte	kein**e** neuen Städte	neu**e** Städte
(wegen) **der** guten Spieler	sein**er** guten Spieler	gut**er** Spieler

C. Additional Rules

1. All adjectives in a series take the same ending.

Du hast schön**e** blau**e** Augen.	*You have beautiful blue eyes.*
Ich mag deine schön**en** blau**en** Augen.	*I like your beautiful blue eyes.*

2. Adjective stems ending in **-er** and **-el** drop this stem **e** when they have adjective endings.

   teuer: ein teu**res** Auto   dunkel: eine dun**kle** Farbe

3. The adjective **hoch** drops the **c** when it has an adjective ending.

   hoch: ein **hoher** Berg

4. The adjectives **rosa** *(pink),* **lila** *(lilac),* and **prima** *(great)* do not take endings.

   ein **rosa** Kleid   das **lila** Hemd   eine **prima** Idee

5. The adjectives **halb** and **ganz** do not take endings before names of towns, countries, and continents, unless the name requires an article (see 12.1).

   halb Europa *half of Europe*
   ganz Frankreich *all of France*

   BUT:

   die **ganze** Tschechoslowakei *all of Czechoslovakia*
   die **halbe** Schweiz *half of Switzerland*

6. Adjectives for names of cities, towns, regions, and **die Schweiz** are formed by adding the suffix **-er** to the noun. Such adjectives take no adjective endings and retain the capitalization.

Er hat ein **Schweizer** Bankkonto.	*He has a Swiss bank account.*
Dieser Zug fährt zum **Frankfurter** Flughafen.	*This train goes to the Frankfurt airport.*

   In a few set phrases and names, however, regular adjectives and endings are used: **kölnisch(es)** Wasser; **schweizerische** Banken.

7. Adjectives of nationality are capitalized only in proper names.

   Die **Deutsche** Bank   Die **Französischen** Eisenbahnen

   BUT:

   deutsche Kultur   **französische** Städte   **russischer** Wodka

18.3 Limiting Adjectives

A. Andere, einige, mehrere, viele, wenige

The plural limiting adjectives **andere** *(other),* **einige** *(some),* **mehrere** *(several),* **viele** *(many),* and **wenige** *(few)* function like other adjectives when used attributively. They take either primary or secondary endings, depending upon whether or not there is a preceding **der**-word or **ein**-word with a primary ending. Any following adjectives take the same endings as well.

Hier gibt es viel**e** interessant**e** Geschäfte.	*There are many interesting stores here.*
Hast du seine viel**en** interessant**en** Briefmarken gesehen?	*Have you seen his many interesting stamps?*

B. Viel, wenig, etwas

The singular limiting adjectives **viel** *(much)*, **wenig** *(little)*, and **etwas** *(some)* usually do not take endings; any subsequent adjectives require primary endings.[1]

Wir hörten **viel lautes** Gelächter.	*We heard much loud laughter.*
Er trank **wenig kalte** Milch aber **etwas frischen** Saft.	*He drank little cold milk, but some fresh juice.*

C. All-

1. **All-** is a **der**-word. It seldom occurs in the singular (see 12.3).
2. In the plural, **all-** takes primary endings; any adjectives following **all-** take the secondary ending **-en**.

Alle groß**en** Geschäfte haben jetzt Sommerschlußverkauf.	*All (the) large stores are now having summer sales.*

3. When **all-** precedes an article or possessive adjective, its ending is often omitted. Whether or not the ending is omitted, articles and possessive pronouns following **all-** take primary endings, and any subsequent adjectives require the secondary ending **-en**.

Compare:

Hast du **alle verrückten** Bilder gesehen?	*Did you see all (the) crazy pictures?*
Hast du **all / alle die** verrückt**en** Bilder gesehen?	*Did you see all the crazy pictures?*
Er hat die Telefonnummern **all / aller seiner** neu**en** Spieler aufgeschrieben.	*He wrote down the telephone numbers of all his new players.*

[1] Occasionally **viel** and **wenig** do occur in the accusative and dative with optional endings: **mit viel(em) Ärger** *(with much aggravation);* **nach wenig(em) Erfolg** *(after little success).* The ending is not optional in the expression **vielen Dank**.

D. Ganz *instead of* all-

Instead of **all-** (singular and plural), German often uses a construction with **ganz** *(all, whole, complete).*

Er hat **den ganzen** Tag gearbeitet.	*He worked all day.*
Wir haben **unsere ganzen** nass**en** Sachen draußen gelassen.	*We left all our wet things outside.*

ÜBUNGEN

A. **Welche Endung fehlt?** Ergänzen Sie die Adjective durch die fehlenden Endungen.

1. der jung ___ Nachbar; unser alt ___ Lehrer; jung ___ Freund
2. aus einem voll ___ Glas; aus der leer ___ Flasche; aus warm ___ Milch
3. durch ein groß ___ Feld; durch das hoh ___ Gras; durch tief ___ Wasser
4. trotz des heiß ___ Wetters; trotz eines klein ___ Sturms; trotz groß ___ Kälte *(f.)*
5. die reich ___ Familien; ihre verwöhnt ___ *(spoiled)* Kinder; arm ___ Leute
6. Während der lang ___ Nächte; keine warm ___ Nachmittage; kurz ___ Wintertage
7. ein braun ___ Tisch; sein rot ___ Buch; blau ___ Himmel

B. **Anders ausdrücken.** Beenden Sie die Sätze. Verwenden Sie Adjektive ohne Artikelwörter.

Beispiel: Der Wein, den er trinkt, ist sehr herb. Er trinkt . . .
Er trinkt herben Wein.

1. Das Wetter ist heute recht heiß. Wir haben heute . . .
2. Die Blumen in meinem Garten sind sehr schön. In meinem Garten wachsen . . .
3. Die Leute, bei denen er wohnt, sind sehr freundlich. Er wohnt bei . . .
4. Der Schnee vor dem Haus ist sehr hoch. Vor dem Haus liegt . . .
5. Ihre Familie ist sehr gut. Sie kommt aus . . .
6. Wenn das Wetter schlecht ist, wandern wir nicht. Wir wandern nicht bei . . .

C. **Kluge Sprüche.** Ergänzen Sie die Endungen. Was bedeuten diese Sprüche auf englisch?

1. Ein ___ voll ___ Bauch *(m. belly)* studiert nicht gern.
2. Gut ___ Rat *(m. advice)* ist teuer.
3. Ein ___ gut ___ Gewissen *(n. conscience)* ist d___ best ___ Ruhekissen *(n. pillow).*
4. Lügen *(lies)* haben kurz ___ Beine.
5. Einem geschenkt ___ Gaul *(horse)* schaut man nicht ins Maul *(mouth).*
6. Still ___ Wasser sind tief.
7. Alt ___ Liebe rostet nicht.

D. **Redensarten.** Ergänzen Sie die Endungen. Besprechen Sie mit anderen Personen, was diese Redensarten *(colorful expressions)* bedeuten.

Beispiel: im sieb(en)t___ Himmel sein
im siebten Himmel sein; das bedeutet, daß jemand sehr glücklich ist.

1. ein ___ lang ___ Leitung *(fuse)* haben
2. in den saur ___ Apfel beißen
3. auf groß ___ Fuß leben
4. in d___ best ___ Jahren sein
5. ein ___ schwer ___ Kopf haben
6. aufs falsch ___ Pferd setzen
7. mit offen ___ Karten spielen
8. ein ___ lang ___ Gesicht machen
9. die zweit ___ Geige *(fiddle)* spielen
10. d___ fünft ___ Rad am Wagen sein

E. **Altersstufen.** Wie geht's weiter? Verwenden Sie Adjektive mit oder ohne Artikelwörter.

Beispiel: Mit fünf Jahren spielt man mit . . .
Mit fünf Jahren spielt man mit hübschen Spielsachen.

1. Mit zehn Jahren freut man sich auf . . .
2. Zwanzig kommt, und man träumt von . . .
3. Dreißigjährige hoffen auf . . .
4. Vierzig ist man und plant . . .
5. Erreicht hat man mit fünfzig . . .
6. Mit sechzig genießt man . . .
7. Was hat man mit siebzig schon alles gesehen! Zum Beispiel, . . .
8. Achtzig Jahre zählt man und denkt an . . .
9. Wer neunzig wird, freut sich über . . .

F. **Ein prima Leben.** Für Ines gibt es immer nur das Beste. Ergänzen Sie die Sätze mit Adjektiven.

Beispiel: Ihre Kleidung kommt direkt aus Paris. Sie trägt ___ Kleidung.
*Sie trägt **Pariser** Kleidung.*

ganz	prima
hoch	teuer
holländisch	Schweizer
lila	

1. Ihr Geld hat sie in einem ___ Sparkonto in Zürich.
2. Sie trägt Schuhe von ___ Qualität.
3. Für Kleidung gibt sie sehr viel Geld aus. Selbstverständlich trägt sie einen ___ Ledermantel.
4. Der Käse, den Sie einkauft, kommt aus Holland, denn sie ißt ___ Käse besonders gern.
5. Sie fährt einen ___ BMW.
6. Auf ihren Einkaufstouren reist sie jedes Jahr durch ___ Europa.
7. Ines führt ein ___ Leben!

G. **Ob *viel* oder *wenig*, Graz hat's!** Ergänzen Sie die Endungen.

In der Grazer Altstadt gibt es viel ___ sehr gut ___ Restaurants. Dort kann man vor allem im Sommer einig ___ nett ___ Stunden im Freien sitzen und mit Leuten plaudern. Abends sucht man vielleicht am besten einig ___ der nicht wenig ___ gemütlich ___ Studentenkneipen auf, wo eine gut ___ Stimmung herrscht *(prevails)*. Die viel ___ Touristen, die nach Graz kommen, können diese Hauptstadt der Steiermark mit wenig ___ Geld aber viel ___ Zeit schon richtig genießen.

H. ***Alles* und *ganz*.** Machen Sie fünf Aussagen mit **all-** plus Adjektiv (**mein-, dein-,** usw.) Dann drücken Sie Ihre Aussagen durch den Gebrauch von **ganz-** anders aus.

Beispiele: Ich habe all mein Taschengeld für dieses Semester schon ausgegeben.
Ich habe mein ganzes Geld für dieses Semester schon ausgegeben.

Alle meine Freunde lieben Brahms.
Meine ganzen Freunde lieben Brahms.

ANWENDUNG

A. **Alles verrückt!** Vielleicht kennen Sie die Geschichte auf englisch, die so beginnt: *There was a crooked man who lived in a crooked house.* Erzählen Sie eine solche Geschichte mündlich und mit dem Adjektiv **verrückt** oder mit einem anderen Adjektiv, das Ihnen besonders gefällt.

Beispiel:

Es waren einmal ein verrückter Herr und eine verrückte Frau. Sie wohnten in einem verrückten Haus und hatten verrückte Kinder. Ihre verrückten Kinder gingen in eine verrückte Schule, wo sie mit anderen verrückten Kindern spielten. Sie trugen auch . . .

B. **Sich etwas genau merken.** Arbeiten Sie mit einem Partner / einer Partnerin. Er / sie zeigt Ihnen etwa zehn Sekunden lang ein Bild. Was können Sie jetzt mit Adjektiven noch genau beschreiben, wenn Sie das Bild nicht mehr sehen?

Variante: Ihr Professor / Ihre Professorin zeigt allen im Kurs kurz ein Bild. Welche Partnergruppe kann sich die meisten Dinge merken und sie danach mit Adjektiven beschreiben?

C. **Kleines ABC der Tiere.** Beschreiben Sie kurz sieben Tiere. Wie sehen sie aus? Was fressen sie? Wo leben sie? Verwenden Sie viele Adjektive. Sagen Sie nicht, welche Tiere das sind. Andere Studenten im Kurs sollen raten *(guess)*.

Beispiel: Dieses Tier hat scharfe Zähne und ein gelbes Fell mit schwarzen Streifen. Es tötet und frißt andere Tiere. (Ein Tiger)

VOKABELVORSCHLÄGE: TIERE VON A BIS Z (ABER OHNE C, X UND Y).

die Ameise, -n *(ant)*
die Biene, -n *(bee)*
der Drache, (-n), -n
das Eichhörnchen, - *(squirrel)*
der Falke, (-n), -n *(falcon)*
die Gemse, -n *(chamois, Alpine deer)*
der Haifisch, -e *(shark)*
der Igel, - *(hedgehog)*
der Jaguar, -e
das Kamel, -e
der Löwe, (-n), -n
der Maulwurf, ¨-e *(mole)*
das Nilpferd, -e *(hippopotamus)*
der Orang-Utan, -s
der Papagei, -en *(parrot)*
die Qualle, -n *(jellyfish)*
die Ratte, -n
die Schlange, -n *(snake)*
die Turteltaube, -n *(turtle dove)*
der Uhu, -s *(large owl)*
die Viper, -n *(viper)*
der Waschbär, (-en), -en *(raccoon)*
das Zebra, -s

VOKABELVORSCHLÄGE

die Antenne, -en / der Fühler, -
das Bein, -e
das Fell, -e *(pelt, fur)*
die Feder, -n *(feather)*
die Flosse, -n *(fin)*
der Flügel, - *(wing)*
das Härchen, -
der Hauer, - / der Stoßzahn, ¨-e *(tusk, fang)*
die Haut, ¨-e *(hide, skin)*
der Hals, ¨-e *(neck)*
das Horn, ¨-er
der Huf, -e *(hoof)*
die Klaue, -n *(claw)*

das Maul, ⁻̈er *(mouth)*
das Ohr, -en
die Pfote, -n *(paw)*
der Rüssel, - *(trunk of an elephant, snout)*
der Schnabel, ⁻̈ *(bill, beak)*
die Schnauze, -n *(snout)*
der Schwanz, ⁻̈e / der Schweif, -e *(tail)*
der Streifen, -en *(stripe)*
die Tatze, -n *(claw of a large, predatory animal)*
der Zahn, ⁻̈e

D. **Von der guten (oder schlechten) Seite sehen.** Diskutieren Sie mit anderen Leuten im Kurs die guten oder schlechten Seiten Ihrer Universität / Schule und der Stadt, in der Sie jetzt leben. Betonen Sie positive *und* negative Aspekte und verwenden Sie viele Adjektive.

REDEMITTEL (POSITIV)

Ich finde, die Stadt hat . . .
Besonders [schön] finde ich . . .
Warst du schon in . . . ?
Mir gefällt / gefallen hier vor allem . . .
Die vielen . . . finde ich . . .
Man darf auch . . . nicht vergessen.

REDEMITTEL (NEGATIV)

Das meinst du, aber ich sehe das anders.
Aber and(e)rerseits gibt es nur wenig / wenige . . .
Besonders deprimierend *(depressing)* finde ich . . .
Vor allem stört / stören mich . . .
Die vielen . . . finde ich . . .
Man darf auch nicht übersehen, daß . . .

SCHRIFTLICHE THEMEN

TIPS ZUM SCHREIBEN *Writing with adjectives*

A text with just nouns and verbs is like a picture in black and white; only adjectives can turn it into color. Furthermore, with adjectives you can convey *how* you view or react to the persons, things, or events you write about. When beginning your composition, write the first draft without adjectives. Next, check to see that all articles and nouns are in the proper cases. Then add the adjectives that best describe your topics and situations.

A. **Werbung.** Sie studieren ein Jahr an einer deutschsprachigen Universität und organisieren eine Ferienreise für interessierte Studenten. Sie müssen eine kurze Werbeschrift *(prospectus)* zusammenstellen. Vergessen Sie das Layout nicht!

GANZJAHRESZIEL DOMINIKANISCHE REPUBLIK

Vom Geheimtip zum Ferientip

Wir liegen an einem zauberhaft schönen Strand. Das warme, blaue Meer rollt in sanften Wellen heran. Hoch über uns wiegen sich als natürliche Sonnenschirme die Wipfel der Palmen in der leichten Brise. Eine barfüßige Schönheit bringt einen Rumdrink mit gestoßenem Eis. Das Glas is der Anblick mach der Dominika

Beispiel:

Herrliches Wetter—traumhafte Strände—erstklassiges Hotel mit breitem Sportangebot, Vollpension und Meerblick!!! Kommen Sie mit? Zu einem unglaublichen Sonderpreis fliegen wir zu Ostern nach . . . Dort finden Sie . . . und können . . . genießen. Wir werden auch . . .

B. **Ein merkwürdiger** *(remarkable)* **Traum.** Beschreiben Sie einen merkwürdigen Traum, den Sie einmal hatten. Wenn Sie sich an keinen Ihrer Träume erinnern, können Sie vielleicht einen tollen Traum erfinden.

Beispiel:

Einmal hatte ich einen ganz tollen Traum. Ich fuhr an einem warmen Sommerabend in einem kleinen Boot auf einem dunklen See. Um den See herum standen hohe Berge, und im Westen ging eine rote Sonne gerade hinter den Bergen unter. Wie ich nun dort saß, erschien *(appeared)* plötzlich über mir ein riesiger *(gigantic)* schwarzer Vogel mit . . .

C. **Leserbrief.** Sie finden etwas in Ihrer Schule, an Ihrer Uni oder in der Stadt nicht in Ordnung und wollen andere Menschen zum Handeln bringen. Deswegen schreiben Sie einen Leserbrief an die Zeitung und verwenden als rhetorische Mittel recht starke Adjektive und Adverbien.

Beispiel:

An die Redaktion

Zur Zeit gibt es vor der Bibliothek eine gefährliche und sehr schlecht beleuchtete Baustelle. Studenten, die bei Dunkelheit die Bibliothek verlassen, könnten leicht in den tiefen Graben *(ditch)* stürzen und sich schwer verletzen. Ich finde es überhaupt unverständlich, daß die Universitätsbehörden bis zum heutigen Tag gar nichts getan haben, um diese große Gefahr zu beseitigen. Ich rufe alle interessierten Studenten auf, sich an die Verantwortlichen zu wenden, ehe es zu einem schrecklichen Unfall kommt und jemand . . .

Wortschatz

ADJECTIVES WITH THE DATIVE AND GENITIVE CASES

Some adjectives govern the dative or genitive case when they occur as predicate adjectives (that is, after the linking verbs **sein**, **bleiben**, and **werden**).

DATIVE

These common adjectives normally follow a dative noun or pronoun.

ähnlich similar, like
bekannt known
bequem comfortable
bewußt known (to)
böse angry
dankbar grateful
fremd strange, alien
gehorsam obedient
klar clear
nahe near, close
schuldig in debt (to owe)
teuer expensive, valuable
überlegen superior
wert worth, of value

Sie sieht ihrer Mutter sehr **ähnlich.**	*She looks very much like her mother.*
Sie war ihrem Mann in manchen Dingen **überlegen.**	*She was superior to her husband in many things.*
Deine Hilfe ist mir viel **wert.**	*Your help is worth a lot to me.*

The following common adjectives can be used either with the dative or with **für** and the accusative case.

(un)angenehm (un)pleasant
leicht easy
(un)möglich (im)possible
nützlich useful
peinlich embarrassing
wichtig important

Dein Besuch war ihm / für ihn recht **angenehm.**	*Your visit was quite pleasant for him.*
Sein Benehmen ist der Familie / für die Familie sehr **peinlich.**	*His behavior is very embarrassing for the family.*
Es ist mir / für mich sehr **wichtig,** zu wissen, ob sie kommt.	*It is very important for me to know whether she is coming.*

GENITIVE

These adjectives are used with the genitive case when they occur as predicate adjectives; in such instances they follow the genitive nouns. The three adjectives marked with an asterisk are also used in the dative, but with slightly different meanings.

***sich** *(dat.)* **bewußt** conscious of, aware of
gewiß certain of
müde tired of
***schuldig** guilty of
***wert** worth, worthy of

Ich war mir der Folgen einer solchen Tat **bewußt**.	*I was aware of the consequences of such an action.*
Die Mannschaft war ihres Sieges **gewiß**.	*The team was sure of its victory.*
Der Plan war unserer Unterstützung **wert**.[2]	*The plan was worth our support.*

A. **Anders ausdrücken.** Drücken Sie die Sätze durch den Gebrauch von Adjektiven mit Dativ oder Genitiv aus.

Beispiel: Dieser Vorschlag hilft den Leuten wenig.
Dieser Vorschlag ist den Leuten nicht sehr nützlich.

1. Von den finanziellen Schwierigkeiten unseres Nachbarn wußten wir nichts.
2. Der Angeklagte *(accused)* konnte beweisen, daß er den Mord nicht begangen *(committed)* hatte.
3. Er muß einem Sportgeschäft noch viel Geld zahlen.
4. Wir sind sehr froh, daß du uns geholfen hast.
5. Deine Ausreden *(excuses)* möchten wir uns nicht mehr anhören.
6. Ihr Verständnis für seine Probleme bedeutete ihm viel.
7. An eine solche Arbeitsweise war die Frau nicht gewöhnt.
8. Sie zweifelte nicht an ihrem Erfolg.
9. Sein neuer Roman verdient *(merits)* unsere Aufmerksamkeit.

B. **Aussagen.** Machen Sie fünf bis sieben wahre Aussagen über Menschen, die Sie kennen. Verwenden Sie Adjektive mit Dativ oder Genitiv.

ADJECTIVES / ADVERBS OF REACTION AND EMOTION

German speakers often use the following adjectives or adverbs to describe people or things in strongly positive or negative terms. Even though Germans tend to use some of these words interchangeably, there are often subtle differences.

SEHR GUT (POSITIV)

ausgezeichnet excellent
erstklassig first-rate
fabelhaft fabulous, marvelous, incredible

[2] In some instances, German speakers use the adjective **wert** with the accusative.

Berlin ist *eine* Reise **wert**. *Berlin is worth a trip.*

glänzend splendid, magnificent, brilliant
großartig splendid, magnificent, marvelous
herrlich splendid, magnificent, lovely
klasse great
phantastisch fantastic
prächtig splendid, magnificent, sumptuous
prima great, first-rate
toll fantastic, incredible, terrific
vorzüglich superior, excellent, choice, exquisite
wunderbar splendid, wonderful, marvelous

SEHR SCHLECHT (NEGATIV)

abscheulich disgusting, revolting, repulsive
armselig poor, pitiful, wretched, miserable
böse bad, evil, wicked
entsetzlich, **fürchterlich**, **furchtbar**, **schrecklich** } dreadful, frightful, horrible, awful, terrible
erbärmlich pitiful, miserable, wretched
gehässig spiteful, hateful, malicious
gräßlich, **grauenhaft** } dreadful, ghastly, hideous
grausig ghastly, gruesome, horrid
häßlich ugly, nasty, hideous
lächerlich ridiculous, ludicrous, absurd
scheußlich abominable, revolting, foul
widerlich disgusting, repugnant, repulsive, nauseating

A. **Ein toller Mensch.** Drücken Sie die Sätze viel stärker aus.

Beispiel: Sie ist ein netter Mensch.
Sie ist ein großartiger Mensch.

1. Sie wohnt in einem schönen Haus mit einem hübschen Garten.
2. Sie fährt auch einen guten Wagen.
3. Sie schreibt interessante Bücher.
4. Sie hat einen angenehmen Ehemann.
5. Sie kann auch gut Klavier spielen.

Wie können Sie diese Frau in einigen weiteren Sätzen beschreiben?

B. **Ach du Schreck!** Beschreiben Sie Aussehen *(appearance)* und Benehmen *(behavior)* des schrecklichsten (Un)wesens *(creature),* das Sie in einem Film (oder vielleicht im Leben!) je gesehen haben.

CHAPTER 19

Adjective Nouns / Participial Modifiers

19.1 Adjective Nouns

19

A. *Masculine and Feminine Adjective Nouns*

1. Masculine and feminine nouns designating persons are sometimes formed from adjectives or from participles used as adjectives. Such nouns are capitalized, and they require the same primary or secondary endings that they would have as adjectives (see 18.2).

	Masc.	*Fem.*	*Pl.* *(preceded / unpreceded)*
Nom.	der Fremd**e** (ein Fremd**er**)	die Fremd**e** (eine Fremd**e**)	die Fremd**en** / Fremd**e**
Acc.	den Fremd**en**	die Fremd**e**	die Fremd**en** / Fremd**e**
Dat.	dem Fremd**en**	der Fremd**en**	den Fremd**en** / Fremd**en**
Gen.	des Fremd**en**	der Fremd**en**	der Fremd**en** / Fremd**er**

Wir konnten **den Fremden** (*that is,* **den fremden Mann**) nicht finden. — *We could not find the stranger.*

Einige **Fremde** (*that is,* **fremde Menschen**) traten in den Hof. — *Some strangers walked into the courtyard.*

2. The following adjective nouns are quite common. Those marked with an asterisk are derived from either present or past participles (see 19.2).

der / die Angestellte*	*employee*
der Beamte	*official (but:* **die Beamtin** *female official)*
der / die Bekannte	*acquaintance*
der / die Deutsche	*German person*
der / die Erwachsene*	*adult*
der / die Reisende*	*traveler*
der / die Tote	*dead person*
der / die Verlobte*	*financé(e)*
der / die Verwandte*	*relative*
der / die Vorgesetzte*	*supervisor, superior*

B. Neuter Adjective Nouns

1. Neuter nouns derived from adjectives require either primary or secondary neuter endings (see 18.2). Such nouns refer only to ideas, collective concepts, or abstractions.

		Neut.	
Nom.	das Gut**e**	ein Gut**es**	Gut**es**
Acc.	das Gut**e**	ein Gut**es**	Gut**es**
Dat.	dem Gut**en**	einem Gut**en**	Gut**em**
Gen.	des Gut**en**	eines Gut**en**	——

Er hat nur **Gutes** getan. — *He did only good (things).*
Der Pfarrer sprach vom **Guten** im Menschen. — *The pastor spoke of the good (things) in people.*

2. Sometimes neuter nouns are formed using comparative or superlative forms of adjectives.

Wir haben **Schlimmeres** erwartet. — *We expected worse (things).*
Sie hat ihr **Bestes** getan. — *She did her best.*

3. Adjectives following the pronouns **etwas, nichts, viel,** or **wenig** become neuter nouns with primary endings.[1]

Nom.	etwas Nett**es**
Acc.	etwas Nett**es**
Dat.	etwas Nett**em**
Gen.	——

[1] **Ander-** is the only adjective noun not capitalized after **etwas, nichts, viel, wenig,** and **alles**:
Sprechen wir von etwas **anderem**. — *Let's talk about something else.*

Zum Geburtstag möchte ich sie mit **etwas Nettem** überraschen.	*For her birthday I would like to surprise her with something nice.*
Hast du **nichts Neues** erfahren?	*Didn't you find out anything new?*

4. After the declinable pronoun **alles** *(everything)*, adjective nouns take secondary neuter endings.

Nom.	alles Wunderbar**e**
Acc.	alles Wunderbar**e**
Dat.	allem Wunderbar**en**
Gen.	alles Wunderbar**en**

Wir haben schon **alles Brauchbare** gefunden.	*We have already found everything usable.*

19.2 Participial Modifiers

A. Present Participles as Adjectives

Present participles **(das Partizip Präsens)** are formed by adding **-d** to the verb infinitive; the resultant **-(e)nd** ending corresponds to English *-ing*. Present participles describe an *action in progress* and are often used as attributive adjectives with endings.

eine **helfende** Hand	*a helping hand*
fließendes Wasser	*running water*
die **fallenden** Blätter	*the falling leaves*

B. Past Participles as Adjectives

Past participles **(das Partizip Perfekt)** (see 5.1) describe a *completed action* and are often used attributively to modify nouns.

das **verwöhnte** Kind	*the spoiled child*
ein **gebrauchtes** Auto	*a used car*
abgebrannte Häuser	*burned-down houses*

C. Extended Participial Modifiers

1. By including additional words in front of a participial adjective or any other adjective, it is possible to create a so-called *extended modifier* **(eine erweiterte Partizipialkonstruktion).**

eine **renovierte** Wohnung	*a renovated apartment*
eine **neulich renovierte** Wohnung	*a recently renovated apartment*

2. In German, the number of modifying words and phrases inserted before the adjective and noun can continue to expand and can include other parts of speech, such as prepositional phrases. In English, such modifiers are usually placed after the noun or in a relative clause.

eine **neulich von der Stadt renovierte** Wohnung	*an apartment (that was) recently renovated by the city* (literally, *a "recently-by-the-city-renovated" apartment*)
die **seit mehr als zehn Jahren in Lübeck wohnende** Malerin	*the painter who has been living in Lübeck for more than ten years* (literally, *the "for-more-than-ten-years-in-Lübeck-living" painter*)

3. Extended modifiers are also possible without participles.

Die Stadt hat die **für den Bau eines neuen Spielplatzes nötigen finanziellen** Mittel.	*The city has the financial means for the construction of a new playground.* (literally, *the city has the "for-the-construction-of-a-new-playground-necessary" means*)

4. The use of longer extended modifiers in German is a matter of stylistic preference. They usually sound quite official or formal.

Die Beerdigung des **gestern im Alter von 95 Jahren in Prag gestorbenen, italienischen** Komponisten Roberto Pinnza wird morgen in Mailand stattfinden.	*The burial of the Italian composer Roberto Pinnza, who died yesterday at the age of 95 in Prague, will take place tomorrow in Milan.*

D. *Extended Modifiers with* zu + *Present Participle*

In very official or technical language, one occasionally encounters **zu** plus a present participle used as part of an extended modifier to indicate that something *is to be, can be,* or *must be* done (see **sein** + **zu** + infinitive, 29.7).

Die Arbeiter warten auf die **an sie auszuzahlenden** Löhne.	*The workers are waiting for the wages (that are) to be paid out to them.*

MORE COMMON:

Die Arbeiter warten auf die Löhne, die an sie auszuzahlen sind.

ÜBUNGEN

A. **Adjektiv → Substantiv.** Ergänzen Sie durch passende Adjektivsubstantive.

Beispiel: In den Großstädten gibt es viele ____ . (arm)
*In den Großstädten gibt es viele **Arme.***

angestellt	reich	verlobt
blind	tot	verwandt
einäugig		

1. Im Zweiten Weltkrieg gab es Millionen von ____ .
2. Viele meiner ____ kommen aus Deutschland.
3. Ein ____ kommt nicht leicht in das Himmelreich.
4. Diese Firma hat mehr als fünftausend ____ .
5. Ein ____ gibt seiner ____ oft einen Ring.
6. Im Reich der ____ ist der ____ König.

B. **Anders ausdrücken.** Verwenden Sie Adjektive als Substantive im Neutrum. Übersetzen Sie Ihre Sätze.

Beispiel: Er hat etwas gesagt, was sehr gut war.
Er hat etwas sehr Gutes gesagt.
He said something very good.

1. Wir hoffen, daß euch nur gute Dinge passieren.
2. Auf unserer Reise durch die Schweiz haben wir viele interessante Dinge gesehen.
3. Alles, was wichtig ist, wird dir der Chef erklären.
4. Die Dame spricht von nichts, was neu ist.
5. Die Tagesschau brachte wenige neue Nachrichten.
6. Was machst du jetzt? —Nichts, was besonders wäre.
7. Sie hat eine morbide Faszination für das, was krank ist.

C. **Was paßt am besten?** Ergänzen Sie die Substantive durch Partizipien des Präsens.

Beispiel: die ____ Sonne (aufgehen)
*die **aufgehende** Sonne*

aussterben	kommen
glühen	spielen
helfen	steigen
hereintreten	

1. die ____ Temperatur
2. ein ____ Wald
3. viele ____ Kinder
4. in der ____ Woche
5. alle ____ Zuschauer
6. durch eine ____ Hand
7. ____ Kohlen

Bilden Sie fünf weitere Kombinationen mit Partizip Präsens + Substantiv.

D. **Partizip Präsens → Partizip Perfekt.** Hier sind einige Phrasen mit Partizip Präsens. Bilden Sie Phrasen mit denselben Wörtern, aber mit *Partizip Perfekt.* Übersetzen Sie beide Phrasen ins Englische.

Beispiel: die fallenden Blätter
die fallenden Blätter: the falling leaves
die ***gefallenen*** *Blätter: the fallen leaves*

1. ein abbrechender Ast *(branch)*
2. wachsende Städte
3. aussterbende Kulturen
4. einladende Familien
5. der jagende *(hunting)* Mensch
6. die besuchenden Kinder

E. **Partizipialkonstruktionen.** Drücken Sie das mit Partizipialkonstruktionen (entweder Partizip Präsens oder Partizip Perfekt) anders aus.

Beispiele: der Zug, der schnell abfährt
der schnell abfahrende Zug

ein Bus, der schon abgefahren ist
ein schon abgefahrender Bus

1. die Theorie, die von Einstein aufgestellt wurde
2. die Steuern *(taxes),* die dauernd steigen
3. der Preis, der rasch gesunken war
4. der Brief von einer Mutter, die in Rostock wohnt
5. in einem Auto, das neulich repariert wurde
6. eine Autorin, die von Millionen gelesen wird

F. **Erweiterte Partizipialkonstruktionen.** Unterstreichen Sie erweiterte Partizipialkonstruktionen in den folgenden Sätzen. Übersetzen Sie die Sätze ins Englische.

Beispiel: Die nicht durch die Hermes-Exportkredit-Versicherung gedeckten Forderungen deutscher Exporteure belaufen sich auf etwa eine Milliarde Mark. *(Deutschland Nachrichten)*

The claims of German exporters (that are) not covered by Hermes Export Credit Insurance amount to roughly a billion marks.

1. Endlich rief das seit Jahren brutal unterdrückte *(suppressed)* Volk zur Revolution auf.
2. Der wegen mehrerer Berglawinen *(avalanches)* vorübergehend *(temporarily)* geschlossene Sankt-Gotthard-Paß soll heute abend gegen 18 Uhr für den Verkehr wieder freigegeben werden.
3. Von den 96 beim Absturz *(crash)* der „Mozart" der Lauda Air ums Leben gekommenen Österreichern konnten bisher 72 Opfer *(victims)* identifiziert werden.
4. Achtung, Achtung, eine Durchsage! Der aus Stuttgart kommende Intercity-Zug 511 wird wegen in der Nähe von Augsburg noch nicht abgeschlossener Gleisreparaturen *(track repairs)* mit zwanzigminutiger Verspätung auf Gleis 7 ankommen.

5. Am Ende seines Vortrags *(lecture)* faßte der Professor die wichtigsten, dennoch von mehreren Forschern *(researchers)* in Frage gestellten Ergebnisse *(results)* seiner Untersuchungen zusammen und wies auf einige noch durchzuführende *(carry out)* Experimente hin.

ANWENDUNG

Partizipialkonstruktionen im Gebrauch. Suchen Sie aus Zeitungen, Zeitschriften oder anderen Quellen *(sources)* drei bis fünf erweiterte Partizipialkonstruktionen. Stellen Sie diese Konstruktionen im Kurs vor.

SCHRIFTLICHE THEMEN

TIPS ZUM SCHREIBEN: *Using extended modifiers*

Lengthy extended modifiers are rarely a sign of good style. Shorter extended modifiers, however, can be used to good effect to avoid short relative clauses that might interrupt the flow of a sentence. From a German point of view, the phrase **der von Gleis fünf abfahrende Intercity-Zug** is simply more to the point than the relative clause construction **der Zug, der von Gleis fünf abfährt,** particularly when additional information is still to come. Perhaps this is why extended modifiers occur frequently in official announcements, both written and spoken.

A. **Eine Mitteilung** *(notification)*. Sie arbeiten für ein Studentenreisebüro und schreiben eine Mitteilung in Amtsdeutsch *(officialese)* über eine Reise an die Adria *(Adriatic Sea),* die nicht mehr stattfinden wird.

DIE INFORMATION

Eine Ferienreise an die Adria war geplant.
Diese Reise wird nicht mehr stattfinden.
Man konnte nicht alle Hotelzimmer buchen, die nötig waren.
Hinzu *(in addition)* kamen auch einige Schwierigkeiten bei der Buchung des Fluges.
Diese Schwierigkeiten waren unerwartet.
Außerdem dauern *(continue)* die politischen Spannungen *(tensions)* in den balkanischen *(Balkan)* Ländern noch an.
Deswegen hat Ihr Reisebüro die Reise abgesagt *(cancelled).*
Für die Reise nach Kreta (Griechenland) sind noch einige Plätze frei.
Diese Reise findet auch zu Ostern statt.

B. **Eine Meldung** *(announcement)*. Schreiben Sie in Amtsdeutsch eine Meldung für Ihren Deutschkurs oder für Ihre Schule / Universität. Hier wäre ein bißchen Humor am Platz *(in order)*.

Beispiel:

Der von allen Studenten bewunderte und geliebte Deutschprofessor Joseph Bart wird in Zukunft seinen mit Arbeit überlasteten *(overburdened)* Studenten keine schweren Prüfungen mehr geben. Er hat außerdem mitgeteilt, daß . . .

Wortschatz

ADJECTIVE SUFFIXES

Many descriptive adjectives are formed by adding suffixes to noun stems (and sometimes verb stems). Each suffix denotes some quality or aspect of the stem word. Knowing what the suffixes denote can aid in determining the meanings of adjectives.

THE SUFFIXES -IG, -LICH, -ISCH

These three suffixes denote *having the quality* expressed by the noun stem. Some nouns used with these suffixes require an umlaut.

1. **-ig** often corresponds to English *-y* or *-ous*.

das Blut:	**blutig**	*bloody*
die Hast:	**hastig**	*hasty*
die Lust:	**lustig**	*funny*
der Schatten:	**schattig**	*shadowy*
der Schlaf:	**schläfrig**	*sleepy*
der Überfluß:	**überflüssig**	*superfluous*

2. **-lich** indicates that the adjective has the quality or appearance denoted by the noun stem.

der Ärger:	**ärgerlich**	*annoying*
das Blau:	**bläulich**	*bluish*
der Frieden:	**friedlich**	*peaceful*
die Gefahr:	**gefährlich**	*dangerous*
die Natur:	**natürlich**	*natural*
der Schreck:	**schrecklich**	*terrible*

„Ich mag meinen Otto lieber zärtlich als bärtlich."
Gillette®
SUPER SILVER
A2
PLATINVEREDELT

Compare:

der Geist: **geistlich** *spiritual* **geistig** *intellectual*

3. **-isch** often corresponds to English *-ish, -cal,* or *-ic.* It is also common with nationalities and religions.

die Chemie:	**chemisch**	*chemical*
der Narr:	**närrisch**	*foolish*
die Romantik:	**romantisch**	*romantic*
der Franzose:	**französisch**	*French*
der Jude:	**jüdisch**	*Jewish*
der Katholik:	**katholisch**	*Catholic*

Compare:

das Kind: **kindisch** *childish* **kindlich** *childlike*

OTHER COMMON SUFFIXES

1. **-bar** corresponds to English *-ible, -able,* or *-ful.* It is often added to nouns or verbs.

der Dank:	**dankbar**	*thankful*
die Frucht:	**fruchtbar**	*fruitful*
die Furcht:	**furchtbar**	*awful*
die Sicht:	**sichtbar**	*visible*
tragen:	**tragbar**	*portable*
trinken:	**trinkbar**	*drinkable*

2. **-(e)n / ern** are used to create adjectives from nouns for materials, such as wood, metal, cloth. The stem vowel sometimes adds an umlaut in the adjective form.[2]

das Glas:	**gläsern**	*of glass*
der Stahl:	**stählern**	*of steel*
das Holz:	**hölzern**	*wooden*
das Metall:	**metallen**	*metal*
das Silber:	**silbern**	*silver(y)*
das Gold:	**golden**	*golden*
die Leder:	**ledern**	*leather*
die Wolle:	**wollen**	*woolen*

---

[2] With some materials, German speakers often prefer a compound word to an adjective + noun.

ein Glasauge (*instead of* **ein gläsernes Auge**)
ein Holzbein (*instead of* **ein hölzernes Bein**)
ein Wollhemd (*instead of* **ein wollenes Hemd**)
eine Goldmedaille (*instead of* **eine goldene Medaille**).

3. **-haft** (*from* **haben**) denotes *having the quality or nature* of the stem noun.

der Meister:	**meisterhaft**	*masterful / masterly*
die Fabel:	**fabelhaft**	*fabulous*
die Tugend:	**tugendhaft**	*virtuous*

4. **-los** indicates a *complete lack* of the quality expressed by the stem. It corresponds to English *-less.*

   die Hoffnung: **hoffnungslos** *hopeless* **die Kraft:** **kraftlos** *powerless*

5. **-reich / -voll** mean *full of* the quality expressed by the stem.

die Hilfe:	**hilfreich**	*helpful*	**die Lehre:**	**lehrreich**	*instructive*
die Liebe:	**liebevoll**	*loving*	**der Wert:**	**wertvoll**	*valuable*

6. **-sam** sometimes corresponds to English *-some.* It normally indicates a tendency to do the action expressed by a verb or noun stem.

biegen:	**biegsam**	*flexible, pliable*
die Mühe:	**mühsam**	*tiresome, laborious*
sparen:	**sparsam**	*thrifty, frugal*
streben:	**strebsam**	*ambitious, striving*

A. **Exportdefizite.** Welche ausländischen Produkte kaufen oder benutzen Sie und Ihre Familie?

Beispiele: Wir haben einen japanischen Fernseher.
Meine Mutter fährt ein schwedisches Auto.
Zu Hause essen wir gern holländischen Käse.

B. **Was ist das?** Suchen Sie eine passende Aussage aus der zweiten Spalte *(column).*

Beispiel: ein schweigsamer Mensch
Man hört ihn selten.

1. sparsame Menschen	a. Vorsicht!
2. eine friedliche Epoche	b. Das Leben ist immer schön.
3. ein lehrreicher Satz	c. 25 Jahre!
4. ein bissiger Hund	d. Davon kann man etwas lernen.
5. traumhafter Schnee	e. Sie sind sicher nicht faul.
6. eine krankhafte Person	f. Endlich keine Kriege mehr!
7. ein schwächlicher Mensch	g. Wer den Pfennig nicht ehrt . . .
8. sorgenlose Kinder	h. Waren Sie schon beim Psychiater?
9. arbeitsame Menschen	i. Der heißt sicher nicht Arnold S.
10. silberne Hochzeit	j. Ja, Pulver bis zu den Knien!

C. **Anders ausdrücken.** Drücken Sie den Inhalt der Sätze mit Adjektiven aus.

Beispiele: Manche Wörter kann man nicht übersetzen.
*Manche Wörter sind nicht **übersetzbar**.*

Meine Eltern sparen viel.
*Meine Eltern sind sehr **sparsam**.*

1. Man kann dieses Radio leicht tragen.
2. Es hat keinen Sinn, mehr Atomwaffen zu produzieren.
3. Die Zahl 12 kann man durch 2, 3, 4 und 6 teilen.
4. Während einer Rezession haben manche Menschen keine Arbeit.
5. Ein gutes Medikament wirkt sofort.
6. Willi hat ein Bein aus Holz.
7. Der Weltraum hat keine Luft.
8. Wir fuhren gestern auf einer Bergstraße mit vielen Kurven.
9. Ideen kann man nicht sehen, aber man kann sie denken.

ADJECTIVES WITH PREPOSITIONS

Some common adjectives are often used with prepositions other than one might expect, based upon English usage.

arm / reich an *(dat.)*	poor / rich in
gewöhnt an *(acc.)*	accustomed to
durstig / hungrig nach	thirsty / hungry for
böse auf *(acc.)*	angry at
gespannt auf *(acc.)*	in suspense about / over; anxiously awaiting
neidisch auf *(acc.)*	envious of
neugierig auf *(acc.)*	curious about
stolz auf *(acc.)*	proud of
verrückt auf *(acc.)*	crazy about
wütend auf *(acc.)*	furious at
interessiert an *(dat.)*	interested in
abhängig von	dependent on
begeistert von	enthusiastic about
überzeugt von	convinced of
blaß vor *(dat.)*	pale with
sicher vor *(dat.)*	safe from
bereit zu	ready for, prepared or willing to do
fähig zu	capable of (doing)

Manche Leute sind **auf** Sport **verrückt**.	*Many people are crazy about sports.*
Die Regierung war **von** ihrer Politik **überzeugt**.	*The government was convinced of its policy.*

Some of these adjectives can also be used with an anticipatory **da**-construction (see 17.1).

Bist du **daran** interessiert, mit uns zu arbeiten?	*Are you interested in working with us?*
Ich bin **darauf** gespannt, was morgen geschehen wird.	*I am anxious to know what will happen tomorrow.*

A. **Auf deutsch.** Drücken Sie die Sätze auf deutsch aus.

1. They are crazy about flowers.
2. Parents want to be proud of their children.
3. They are capable of (doing) anything.
4. Aren't you curious about our trip?
5. I am convinced (of it), that you know the answer.
6. He was envious of her success **(der Erfolg)**.

B. **Persönliches.** Beantworten Sie die Fragen. Fragen Sie andere Leute danach. Verwenden Sie **da**-Konstruktionen in einigen Antworten.

Beispiel: Worauf sind Sie besonders verrückt?
Ich bin auf Briefmarken verrückt.

Worauf sind Sie besonders stolz?
Ich bin besonders stolz darauf, daß ich etwas Deutsch sprechen kann.

1. Wozu wären *(would be)* Sie immer / nie bereit?
2. Wovon sind Sie fest *(firmly)* / gar nicht überzeugt?
3. Woran sind Sie ganz besonders / überhaupt nicht interessiert?
4. Worauf sind Sie recht stolz?
5. Wovon sind Sie sehr / nicht besonders begeistert?

CHAPTER 20

Comparison of Adjectives and Adverbs

20.1 Comparative and Superlative Forms of Adjectives and Adverbs

20

A. *Regular Forms*

1. In German, almost all adjectives **(das Adjektiv, -e)** and adverbs **(das Adverb, -ien)**, regardless of length, add **-er** to form the comparative and **-st** to form the superlative.

Adjective / Adverb		*Comparative*		*Superlative*	
schnell	*fast*	**schneller**	*faster*	**schnellst-**	*fastest*
ruhig	*calm*	**ruhiger**	*calmer*	**ruhigst-**	*calmest*

2. German does *not* have forms equivalent to English *more* and *most* used with adjectives and adverbs of more than two syllables.[1]

lächerlich	*ridiculous*
lächerlich**er**	*more ridiculous*
lächerlich**st-**	*most ridiculous*

---

[1] German does occasionally use a comparative corresponding to English *less* plus adjective or adverb.

Ich bin **weniger fleißig** als du. *I am less diligent than you.*

MORE COMMON:

Ich bin **nicht so** fleißig **wie** du. *I am not as diligent as you.*

B. *Suffix Variations*

1. Adjectives and adverbs ending in **-e** take only an **-r** in the comparative.

leise	*faint*	leise**r**	leisest-

2. Adjectives and adverbs ending in **-el** or **-er** normally drop the interior **e** in the comparative.

dunkel	*dark*	dunk**ler**	dunkelst-
teuer	*costly*	teu**rer**	teuerst-

3. In general, adjectives and adverbs ending in **-d, -t, -s, -ß, -z,** or **-sch** add an **e** before the **-st** in the superlative.

laut	*loud*	lauter	laut**est-**
stolz	*proud*	stolzer	stolz**est-**
heiß	*hot*	heißer	heiß**est-**

However, adjectives and adverbs ending in **-end** or **-isch** do not add an **e**.

spannend *(exciting)*	spann**endst-**
altmodisch *(old-fashioned)*	altmod**ischst-**

C. *Umlauted and Irregular Forms*

1. A limited number of monosyllabic adjectives and adverbs take an umlaut in the comparative and superlative.

alt	*old*	**ä**lter	**ä**ltest-
jung	*young*	j**ü**nger	j**ü**ngst-
kalt	*cold*	k**ä**lter	k**ä**ltest-
warm	*warm*	w**ä**rmer	w**ä**rmst-
klug	*smart*	kl**ü**ger	kl**ü**gst-
dumm	*dumb*	d**ü**mmer	d**ü**mmst-
kurz	*short*	k**ü**rzer	k**ü**rzest
lang	*long*	l**ä**nger	l**ä**ngst-
schwach	*weak*	schw**ä**cher	schw**ä**chst-
stark	*strong*	st**ä**rker	st**ä**rkst-
hart	*hard*	h**ä**rter	h**ä**rtest-
krank	*sick*	kr**ä**nker	kr**ä**nkst-
oft	*often*	**ö**fter	**ö**ftest-
scharf	*sharp*	sch**ä**rfer	sch**ä**rfst-

2. Several adjectives form the comparative and superlative either with or without umlaut.

gesund	*healthy*	ges**ü**nder / gesunder	ges**ü**ndest- / gesundest-
rot	*red*	r**ö**ter / roter	r**ö**test / rotest-
schmal	*narrow*	schm**ä**ler / schmaler	schm**ä**lst / schmalst-

3. Several adjectives have an irregular comparative or superlative.

bald	*soon*	eher	am ehesten[2]
groß	*large*	gr**ö**ßer	gr**ö**ßt-
gut	*good; well*	besser	best-
hoch	*high*	h**ö**her	h**ö**chst-
nahe	*near*	n**ä**her	n**ä**chst-
viel	*much*	mehr	meist-

4. The adverb **gern** (used with verbs to express the idea of liking to do something) has a comparative and a superlative derived from the adjective **lieb** *(dear)*.

gern *gladly* lieber am liebsten

Steffi tanzt **gern**, aber ihre Schwester spielt **lieber** Skat.	*Steffi likes to dance, but her sister prefers to play skat.*
Boris spielt Schach **am liebsten** *(see 20.3)*.	*Boris likes to play chess most of all.*

D. *Use of Adjective Endings*

Adjectives in the comparative and superlative take endings only when used attributively (see 18.2).

Sie fährt ein **schnelleres** Auto als er.	*She drives a faster car than he.*
Sie wohnen in dem **größten** Haus.	*They are living in the largest house.*

The only exceptions to this rule are **mehr** and **weniger**, which do not take endings.

Wir brauchen **weniger** Geld und **mehr** Zeit.	*We need less money and more time.*

[2] **Bald** is an adverb only. Its superlative therefore uses the **am (-)sten** form (see 20.3).

20.2 Types of Comparisons

A. *Comparisons of Equality with* so . . . wie

1. German makes comparisons of equality using adjectives or adverbs with **so . . . wie** (as / so . . . as).

Die Schweiz ist **so groß wie** Ohio.	*Switzerland is as large as Ohio.*
Düsseldorf wächst nicht **so schnell wie** Köln.	*Dusseldorf is not growing so fast as Cologne.*

2. This type of comparison can also be modified by additional adverbs such as **ebenso, genauso, fast, nicht ganz, zweimal**, etc.

In Bayern fährt man **ebenso** gern Ski **wie** in Österreich.	*In Bavaria people like to ski just as much as in Austria.*
In Deutschland wohnen **zwölfmal so viele** Menschen **wie** in Österreich.	*Twelve times as many people live in Germany as in Austria.*

B. *Comparisons of Inequality with* als

1. German uses comparative adjectives or adverbs with **als** *(than)* to form comparisons of inequality.

Hans wohnt in einem **kleineren** Haus **als** seine Eltern. *(attributive adjective)*	*Hans lives in a smaller house than his parents.*
Das Matterhorn ist **höher als** der Großglockner.[3] *(predicate adjective)*	*The Matterhorn is higher than the Grossglockner.*
Sie spricht **langsamer als** ihr Freund. *(adverb)*	*She speaks more slowly than her friend.*

2. In comparisons, the **als**-phrase normally follows infinitives and past participles.

Sie können **höher** springen **als** ich.	*You can jump higher than I.*
Er hat den Satz **genauer** übersetzt **als** wir.	*He translated the sentence more precisely than we did.*

[3] The Großglockner is the highest mountain in Austria.

C. Comparative with immer

German expresses the equivalent of English phrases like *better and better, more and more, faster and faster* with **immer** plus a comparative adjective or adverb.

Das Wetter wird **immer wärmer**.	*The weather is getting warmer and warmer.*
Unsere Professorin gibt uns **immer längere** Aufgaben.	*Our professor is giving us longer and longer assignments.*

D. Comparative with je . . . desto / um so

1. German uses **je** + the comparative, followed by **desto** (*or:* **um so)** and another comparative to express comparisons of the type *the more, the better,* or *the bigger they are, the harder they fall.*

Je höher der Berg, **desto tiefer** (*or:* **um so tiefer**) der Sturz.	*The higher the mountain, the farther the fall.*

2. The **je**-clause is a dependent clause; any conjugated verb is in final position, and the follow-up clause begins with **desto / umso** + comparative, followed immediately by the conjugated verb.

Der Reichtum gleicht dem Seewasser; **je mehr** man davon *trinkt,* **desto durstiger** *wird* man. (A. Schopenhauer)	*Wealth is like seawater; the more of it one drinks, the thirstier one gets.*

20.3 Superlative Forms in Comparisons

A. Attributive Adjectives

1. Attributive adjectives in the superlative take adjective endings.

Hast du **den neuesten** Film von Wim Wenders gesehen?	*Have you seen the newest film by Wim Wenders?*
Sie hat von allen Personen hier **das wenigste** Talent.	*Of all the people here she has the least talent / is the least talented.*

2. If the noun is omitted, the adjective still requires an ending.

Von allen Spielern in der Mannschaft hält man Franz für **den zuverlässigsten**.	*Of all the players on the team, Franz is considered the most reliable (one).*

3. The prefix **aller-** *(of all)* is often added to superlatives for emphasis.

Sie ist die **allerbegabteste** Frau.	*She is the most talented woman of all.*

4. The superlative adjective **meist-** always requires a definite article when used attributively. The English equivalent *most* usually does not.

Es stimmt, daß **die meisten** Kinder zuviel fernsehen.	*It is true that most children watch too much television.*

B. *Adverbs and Predicate Adjectives*

1. Superlative adverbs are formed with the prepositional contraction **am** + an **-en** ending added to the superlative form of the adjective: **am (-)sten.**

Dieser Sessellift fährt **am schnellsten**.	*This chair lift goes (the) fastest.*
Sie weiß es **am besten**.	*She knows it (the) best.*

2. When a noun is compared to itself (rather than to other nouns), it requires the **am (-)sten** construction.

Der Rhein ist in Deutschland **am längsten** und in Holland **am breitesten**.	*The Rhine is (at its) longest in Germany and (at its) widest in Holland.*

3. For the superlative of predicate adjectives, German uses either **am (-)sten** or an attributive superlative.

Von allen Spielern in der Mannschaft ist Lothar **am stärksten** (*or:* **der stärkste**).	*Of all the players on the team, Lothar is the strongest.*
Von allen Prüfungen, die wir geschrieben haben, war diese **am schwierigsten** (*or:* **die schwierigste**).	*Of all the tests that we have taken, this was the most difficult one.*

20.4 Absolute Comparatives and Superlatives

„Das Beste vom Besten"

A. *Absolute Comparative*

Comparatives can be used with no definite comparison implied.

Sie war eine **ältere** Frau.	*She was a (somewhat) older woman.*
Wir werden eine **längere** Reise machen.	*We will be taking a (somewhat) longer trip.*

B. Absolute Superlative

Superlatives can be used to express a high degree of quality with no comparison implied.

Rapunzel hatte die **schönsten** Haare.	*Rapunzel had the most beautiful hair.*

C. Äußerst *and* höchst

The adverbs **äußerst** *(extremely)* and **höchst** *(highly)* add superlative emphasis to the base forms of adjectives.

Albert Schweitzers Leben war **äußerst / höchst** merkwürdig.	*Albert Schweitzer's life was extremely / highly / most remarkable.*

ÜBUNGEN

A. **Vergleichende Aussagen.** Machen Sie zwei Aussagen mit jedem der folgenden Adjektive oder Adverbien, eine Aussage mit **so . . . wie** und eine mit **als.**

Beispiele: gut
Ich spiele Tennis ***nicht so / genauso gut*** *wie meine Schwester.*
Meine Schwester spielt Tennis ***besser als*** *ich.*

1. alt
2. interessant
3. groß
4. gut
5. nahe
6. lang
7. teuer

Machen Sie ein paar weitere vergleichende Aussagen mit anderen Adjektiven.

B. **Wußten Sie das schon?** Drücken Sie die folgenden Vergleiche durch den Komparativ aus.

Beispiel: Die Schweiz hat nicht so viele Einwohner wie Österreich.
Österreich hat ***mehr*** *Einwohner* ***als*** *die Schweiz.*

1. In Amerika fahren die Züge nicht so oft wie in Deutschland.
2. Los Angeles liegt nicht so weit im Westen wie Reno.
3. Die Bayern trinken Wein nicht so gern wie Bier.
4. Deutschland hat keine so langen Tunnel wie die Schweiz.
5. In Amerika werden Männer nicht so alt wie in Japan.
6. Die Mosel fließt nicht durch so viele Länder wie der Rhein.

C. **Vergleiche.** Bilden Sie bitte acht Sätze mit attributiven Adjektiven im Komparativ.

Beispiele: Wir fahren ein **größeres** Auto als unsre Nachbarn.
Der Chef einer Firma verdient **mehr** Geld als die Angestellten.

D. **Unsere moderne Welt.** Die Welt ändert sich! Wird sie *immer besser* oder *immer schlechter*? Geben Sie bitte drei Argumente für jeden Standpunkt.

Beispiele: *Besser:* Die Menschen leben jetzt immer länger.
Schlechter: Immer mehr Menschen sterben jetzt an AIDS.

E. **Sprüche machen.** Was meinen Sie?

Beispiel: Je älter . . .
Je älter man wird, desto mehr weiß man.

1. Je größer . . .
2. Je mehr man . . .
3. Je länger . . .
4. Je älter . . .
5. ein Spruch, der *Sie* besonders gut charakterisiert
6. ein Spruch, der einen Bekannten oder eine Bekannte von Ihnen treffend *(accurately)* charakterisiert
7. ein Spruch, der Ihre Professorin / Ihren Professor gut charakterisiert

F. **Eine Welt der Superlative.** Machen Sie mindestens acht Aussagen. Verwenden Sie kein Adjektiv und kein Adverb mehr als einmal.

Beispiele: Mt. Everest ist **der höchste** Berg.

Der Jaguar läuft **am schnellsten,** aber der Elefant hat den **längsten** Rüssel *(trunk).*

THEMENVORSCHLÄGE

1. Edelsteine und Metalle (ein Diamant, das Gold, das Platin usw.)
2. Tiere (der Elefant, der Strauß *[ostrich],* der Walfisch *[whale]* usw.)
3. Geographie (Berge, Seen, Länder, Flüsse, Meere, Wüsten *[deserts]* usw.)

G. **Eine tolle Erbschaft** *(inheritance)***.** Kurt hat DM 30.000.000 von einem reichen Onkel in der Schweiz geerbt. Wie lebt er jetzt? Machen Sie sechs Aussagen.

Beispiele: Er fährt den **teuersten** Wagen.
Er wohnt in dem **schönsten** Haus.
Er spielt Golf mit **äußerst wichtigen** Politikern.

Und was für ein Leben der Superlative würden *(would) Sie* mit einer solchen Erbschaft führen?

ANWENDUNG

A. **Enthusiastischer Bericht.** Haben Sie neulich etwas besonders Schönes oder Interessantes erlebt? Erzählen Sie jemandem davon. Übertreiben *(exaggerate)* Sie ruhig ein bißchen, indem Sie Komparative und Superlative verwenden! Je enthusiastischer, desto besser! (Siehe auch **Wortschatz** 18.)

Beispiel:
Du, ich habe einen äußerst interessanten Tag erlebt. Wir waren in den tollsten Geschäften und haben die schönsten Sachen gesehen. Es war alles viel schöner, als ich mir vorher gedacht hatte. Das Beste habe ich aber noch gar nicht erwähnt . . .

THEMENVORSCHLÄGE

1. eine Person
2. ein Ort
3. ein Film
4. eine Party
5. eine Reise
6. ein Kauf

B. **Eine bessere Alternative.** Versuchen Sie, jemanden im Kurs von einem Vorhaben *(plan of action)* abzubringen, indem Sie eine, „bessere" Alternative vorschlagen.

THEMENVORSCHLÄGE

1. ein bestimmtes Auto kaufen
2. an einer bestimmten Universität studieren
3. eine bestimmte Fremdsprache lernen
4. in einer bestimmten Stadt wohnen
5. in ein bestimmtes Land reisen
6. eine(n) bestimmte(n) politische(n) Kandidaten / Kandidatin unterstützen *(support)*

REDEMITTEL

Ich finde . . . viel schöner / interessanter usw. als . . .
Ich glaube, das ist nicht so . . . wie . . .
Würdest du nicht lieber . . . ?
Wäre es nicht sinnvoller, . . . (zu tun)?
Allerdings hat . . . schönere / nettere / interessantere usw. . . .
Eigentlich ist . . . besser / schöner usw.

KONZESSIONEN UND GEGENARGUMENTE

Das mag wohl richtig sein, was du sagst, aber . . .
Zugegeben *(granted)*, daß das so ist, dennoch glaube ich, daß . . .
Na gut, aber meinst du nicht, daß . . . ?
Das schon *(that's true)*, aber du darfst nicht übersehen, daß . . .

SCHRIFTLICHE THEMEN

TIPS ZUM SCHREIBEN *Comparing and contrasting*

Comparisons and contrasts are often used to point out the similarities or differences between two subjects. You can contrast specific aspects of two subjects by alternating between them from sentence to sentence. Alternatively, you may choose to deal first with one subject at more length and then switch to the second subject, thereby dividing your paragraph or composition into two contrasting halves. In both methods, you can use the comparative of adjectives and adverbs to measure and contrast two subjects with respect to each other. When such comparisons express your opinion rather than absolute fact, then you should indicate this situation with phrases such as **ich finde**, **meiner Meinung nach**, or **mir scheint es**.

A. **Größer oder kleiner?** Möchten Sie lieber an einer großen oder einer kleinen Universität studieren? Führen Sie überzeugende *(convincing)* Argumente an. Verwenden Sie den Komparativ und den Superlativ.

Beispiel:

Ich würde lieber an einer größeren Universität studieren, denn je größer die Universität, desto breiter das Angebot an interessanten Kursen und Programmen. Auf einem großen Campus findet man . . . Auf einem kleineren Campus dagegen *(on the other hand)* . . .

B. **Lieber Tierfreund!** Schreiben Sie einen Brief an die Zeitschrift *Der Tierfreund*, in dem Sie erzählen, warum Ihrer Meinung nach ein bestimmtes Tier (z.B. eine Katze) sich als Haustier besser eignet *(is suited)* als ein anderes (z.B. ein Hund).

Beispiel:

Lieber Tierfreund,
meiner Meinung nach sind Fische die besten Haustiere, denn Sie lernen viel schneller als Hunde, weil sie so oft in Schulen schwimmen. Sie miauen nicht so laut wie Katzen und fressen weniger als die meisten anderen Haustiere. Außerdem *(moreover)* sind Fische äußerst . . . Aus diesem Grunde empfehle ich . . .

C. **Das macht mehr Spaß.** Erklären Sie, warum eine bestimmte Tätigkeit *(activity)* Ihrer Meinung nach mehr Spaß macht als eine andere Tätigkeit.

D. **Ein Vergleich: heute und damals.** Kennen Sie etwas, was heute besser, schlechter oder einfach anders ist als früher? Erzählen Sie davon.

THEMENVORSCHLÄGE

1. Ihr Leben
2. das Leben überhaupt *(in general)*
3. ein Ort, den Sie kennen
4. ein Mensch, den Sie kennen
5. Sitten und Gebräuche *(manners and customs)*
6. die politische Lage in Europa / Südamerika / Afrika

Wortschatz

SUPERLATIVE ADVERBS

The following superlative adverbs occur frequently in German.

frühestens at the earliest
höchstens at (the) most
meistens / meist mostly, mainly
mindestens at least *(with amounts)*
wenigstens / zumindest at (the very) least
möglichst as . . . as possible
spätestens at the latest

Hier kann man **frühestens** Ende November Ski laufen. — *Here one can ski at the earliest at the end of November.*

Hier wohnen **meistens / meist** Leute, die keine Kinder haben. — *There are mainly people living here who have no children.*

The adverb **mindestens** is used with amounts only; **wenigstens** (*or:* **zumindest**) is used in all other instances.

Compare:

Sie könnte uns **mindestens** *e i n e*[4] Postkarte schicken. — *She could send us at least one postcard.*

Sie könnte uns **wenigstens / zumindest** eine Postkarte schicken. — *She could at (the very) least send us a postcard.*

A. **Haben Sie Papageien** *(parrots)*? Drücken Sie die Sätze auf deutsch aus.

1. I want to buy at least two parrots.
2. We can get one at most.
3. I need it as soon as possible.
4. You can have it by tomorrow at the latest.
5. That's at least better than nothing.

B. **Aussagen.** Machen Sie wahre Aussagen mit einigen der Adverbien in diesem **Wortschatz**.

Beispiele: Ich stehe am Wochenende meistens erst sehr spät auf.
Man sollte mindestens eine Fremdsprache lernen.

[4] German indicates emphasis by spacing letters.

SOME ADJECTIVES AND THEIR NOUN DERIVATIONS

A number of common German feminine nouns ending in **-e** are derived from adjectives. Most of these nouns indicate dimension, size, strength, or personal quality.

breit wide, broad	**die Breite** width, breadth
flach flat, level	**die Fläche** surface
groß large, great	**die Größe** size, greatness
gut good	**die Güte** goodness
hart hard	**die Härte** hardness
hoch high	**die Höhe** height
kalt cold	**die Kälte** cold
kurz short	**die Kürze** shortness, brevity
lang long	**die Länge** length
nah near	**die Nähe** nearness, proximity
schwach weak	**die Schwäche** weakness
stark strong	**die Stärke** strength
tief deep	**die Tiefe** depth
warm warm	**die Wärme** warmth
weit far	**die Weite** distance, expanse

A. **Anders ausdrücken.** Drücken Sie die Sätze anders aus.

Beispiel: Dieser Brunnen *(well)* ist fünf Meter tief.
Dieser Brunnen hat eine Tiefe von fünf Metern.

1. Sie wohnt nah der Grenze.
2. Das Paket darf höchstens 60 cm breit sein.
3. Wir mögen es nicht, wenn es so kalt ist.
4. Ein Diamant ist unglaublich hart.
5. Wir haben kein Hemd *(shirt)*, das für Sie groß genug ist.

B. **Aussagen.** Machen Sie wahre Aussagen mit acht der obigen Substantive.

Beispiele: Ich habe eine **Schwäche** für alte Uhren.
Das Matterhorn hat eine **Höhe** von mehr als 4.000 Metern.
In der **Kürze** liegt die Würze *(spice)*. *(Brevity is the soul of wit).*

CHAPTER 21

Numerals

21.1 Cardinal Numbers

21

A. Forms

The German words for cardinal numbers **(die Grundzahl, -en)** are structurally very similar to those for English numbers.

0	null				
1	eins	11	elf	21	**ei**nundzwanzig
2	zwei	12	zwölf	22	zweiundzwanzig
3	drei	13	dreizehn	30	drei**ß**ig
4	vier	14	vierzehn	40	vierzig
5	fünf	15	fünfzehn	50	fünfzig
6	sechs	16	**sech**zehn	60	**sech**zig
7	sieben[1]	17	**sieb**zehn	70	**sieb**zig
8	acht	18	achtzehn	80	achtzig
9	neun	19	neunzehn	90	neunzig
10	zehn	20	zwanzig	99	neunundneunzig

[1] In German-speaking countries the numeral 7 is usually handwritten with a slash through the middle (7) to distinguish it from the numeral 1.

100	(ein)hundert
101	hunderteins
102	hundertzwei
200	zweihundert
999	neunhundertneunundneunzig
1.000	(ein)tausend
2.000	zweitausend
9.999	neuntausendneunhundertneunundneunzig
100.000 (*or:* 100 000)	hunderttausend
1.000.000 (*or:* 1 000 000)	eine Million
2.000.000	zwei Million**en**
1.000.000.000	eine Milliarde *(billion)*
2.000.000.000	zwei Milliard**en**
1.000.000.000.000	eine Billion *(trillion)*
2.000.000.000.000	zwei Billion**en**

B. Use

1. The word **eins** is used in counting and mathematics. Before a noun, **ein-** takes article endings.[2] To distinguish **ein-** meaning *one* from **ein-** meaning *a,* German speakers stress the word when speaking. In written texts, this stress can be indicated by italics, underlining, or spacing.

   Ich habe das alles in **e i n e m** Buch gefunden. — *I found all that in* ***one*** *book.*

2. **Ein** is optional before **hundert** and **tausend**.

   125 (ein)hundertfünfundzwanzig
   1.500 (ein)tausendfünfhundert

3. Complex numbers are not normally written out in full. If they are, they must be written as one word; the number 999,999 would appear as follows:

   neunhundertneunundneunzigtausendneunhundertneunundneunzig

4. Either a period or a space is inserted to separate thousands.

   37.655 or 37 655 = English 37,655.

5. **Million, Milliarde,** and **Billion** take endings in the plural.

   Deutschland hat fast 80 **Million**<u>**en**</u> Einwohner. — *Germany has almost 80 million inhabitants.*

---

[2] **Ein** has no ending in the expressions *one or [two]* and *one to [two]:*

Wir fahren in **ein bis zwei Jahren** nach Deutschland. — *We are traveling to Germany in one to two years.*

C. *Approximations*

Numbers and amounts are approximated with words such as **etwa, rund,** or **ungefähr,** which all mean *roughly, around, about,* or *approximately.*

Es sind **etwa / rund / ungefähr** 800 Kilometer von München nach Hamburg.	*It is about / around / approximately 800 kilometers from Munich to Hamburg.*

21.2 Ordinal Numbers

A. *Forms*

From 1 to 19, the ordinal numbers **(die Ordnungszahl, -en)** (first, second, third) end in **-t** plus an adjective ending; from 20 on, they end in **-st** plus an adjective ending. Several are slightly irregular and are highlighted in the following chart.

1.	(der, die, das)	**erste**
2.	(der, die, das)	zweite
3.	(der, die, das)	**dritte**
4.	etc.	vierte
5.		fünfte
6.		sechste
7.		**siebte** (*less common:* **siebente**)
8.		**achte** (*no second* **t** *added*)
9.		neunte
10.		zehnte
11.		elfte
12.		zwölfte
19.		neunzehnte
20.		zwanzigste
21.		einundzwanzigste
30.		dreißigste
100.		hundertste
1.000.		tausendste

Der Zwölfer aus der 6. Runde:
X11 21X 1X1 121
TORWETTE **ERGEBNISSE**
1 0:0 **2** 2:0 **3** 4:2 **4** 0:1
JOKER 588423
Alle Angaben ohne Gewähr

B. *Use*

1. Ordinal numbers always take either primary or secondary adjective endings (see 18.2).

das **erste** Mal	*the first time*
ihr **zweites** Buch	*her second book*

2. A period after a cardinal numeral indicates **-t / -st** plus adjective ending.

Heute ist der 1. Mai (der erste Mai).	*Today is May 1st.*
Wir feiern heute seinen 100. Todestag (seinen hundertsten Todestag).	*Today we are celebrating the 100th anniversary of his death.*

3. To enumerate points, German speakers use the adverbial forms **erstens** *(first of all)*, **zweitens** *(in the second place / secondly)*, **drittens** *(in the third place / thirdly)*, etc.

Er kann uns nicht helfen. **Erstens** ist er nicht hier, **zweitens** hätte er keine Lust dazu, und **drittens** wüßte er nicht, was er tun sollte.	*He can't help us. First of all, he isn't here; secondly, he wouldn't want to; and thirdly, he wouldn't know what to do.*

21.3 Other Types of Numbers

A. *Currencies, Denominations, and Decades*

1. Most currencies, including **Mark**, **Pfennig** (Germany), **Schilling** (Austria), and **Dollar**, are singular when used with numbers.

DM 4,80 vier **Mark** achtzig
öS 6,10 sechs **Schilling** zehn
$7,25 sieben **Dollar** fünfundzwanzig

2. To indicate denominations of bills, coins, and stamps, German uses numbers with an **-er** suffix.

Bitte, drei **Sechziger** (Briefmarken) und **eine**[3] **Achtziger**.	*Three sixties and an eighty, please.*
Ich brauche hundert Mark: **einen**[4] **Fünfziger, zwei Zwanziger** und **einen Zehner**.	*I need one hundred marks: a fifty, two twenties, and a ten.*

3. Decades are also indicated with an **-er** suffix.

John F. Kennedy wurde in den **sechziger (60er)** Jahren Präsident der U.S.A.	*John F. Kennedy became President of the U.S. in the sixties.*

---

[3] **Achtziger** is feminine because **die Briefmarke** is understood.

[4] **Fünfziger** is masculine because **der Schein** *(bill)* is understood.

B. *Fractions, Decimals, and Percents*

1. With the exception of **die Hälfte** *(one-half),* fractions are neuter nouns and therefore capitalized. They are formed by adding **-tel** (from **Teil,** *part)* to the stems of ordinal numbers. Since this construction would yield two **t**'s (or even three in the case of **dritt-**), one **t** is dropped.

   ein Dritt + tel → Drittel *one-third*
   fünf Zwanzigst + tel → Zwanzigstel *five-twentieths*

2. *Half a(n)* is expressed in German by **ein- halb-**.

   Sie bestellten **ein halbes** Huhn. *They ordered half a chicken.*

3. *Half (of) the* is most often expressed by **die Hälfte** plus the genitive or by **die Hälfte von** with the dative, particularly in reference to more than one item.

   Er verkaufte **die Hälfte** der Orangen / **von** den Orangen. *He sold half (of) the oranges.*

   However, German sometimes uses **d- halb-** *(half the)* instead of **die Hälfte** when referring to a single entity.

   Ich habe schon **den halben** Roman (*or:* **die Hälfte** des Romans / **von** dem Roman) gelesen. *I have already read half of the novel.*

4. Whole numbers plus one-half have no endings and are written as follows:

   anderthalb / eineinhalb *one and a half*
   zweieinhalb, dreieinhalb, etc. *two and a half, three and a half, etc.*

   Der Film hat **anderthalb** Stunden gedauert. *The film lasted one and a half hours.*

5. In percents or decimals, German uses commas where English uses periods.

   4,5 (vier Komma fünf) *four point five*
   8,9% (acht Komma neun Prozent) *eight point nine percent*

21.4 Adjective Suffixes with Numbers

A. -mal

The suffix **-mal** means *times* and is often added to numbers to create adverbs. Its adjective form **-malig** takes endings.

einmal *once*
fünfmal *five times*
hundertmal *a hundred times*
zigmal *umpteen times*
ein **einmaliges** Angebot *a one-time offer*
mehrmaliges Lesen *repeated reading*

B. -fach

The suffix **-fach** corresponds to English *-fold.* It takes endings when used as an attributive adjective.

eine **zweifache** Summe *a twofold sum*
ein **zehnfacher** Gewinn *a tenfold profit*

C. -erlei

The suffix **-erlei** indicates *kinds of* and is often used with numbers. This suffix takes no adjective ending.

zweierlei Bücher *two kinds of books*
zehnerlei Bäume *ten kinds of trees*

ÜBUNGEN

A. **Grundzahlen üben.** Schreiben Sie fünf sechsstellige Zahlen auf. Lesen Sie jemandem im Kurs Ihre Zahlen vor. Er / sie schreibt die Zahlen auf. Hat er / sie die richtigen Zahlen geschrieben?

B. **Vom ersten bis zum?** Sagen Sie das mündlich! Vergessen Sie die Adjektivendungen nicht.

1. der 1. Mensch
2. der 2. Weltkrieg
3. beim 3. Mal
4. am 4. Juli
5. das 5. Rad am Wagen
6. mit meinem 6. Sinn *(sense)*
7. das 7. Siegel *(seal)*
8. ein 8. Weltwunder
9. Beethovens 9. Sinfonie
10. im 19. Bond-Film
11. die 20. Olympiade
12. am Ende seines 33. Lebensjahrs
13. jede 100. Person
14. das 254. Buch von Isaac Asimov

C. **Fakten.** Schreiben Sie sieben historische oder kulturelle Tatsachen *(facts)* mit Ordnungszahlen. Lesen Sie Ihre Tatsachen im Kurs vor.

Beispiele: Harry Truman war der 33. Präsident der U.S.A.
Den internationalen Tag der Arbeit feiert man am 1. Mai.

D. **Kombinationen.** Wie viele Kombinationen von Dollar- oder Markscheinen ergeben hundert Dollar / Mark?

Beispiele: Zwei Fünfziger machen hundert Dollar.
Hundert Einser machen hundert Dollar.

E. **Schlagzeilen** *(headlines)***.** In welchem Jahrzehnt war das? (Die Antworten finden Sie unten.)

Beispiel: ERSTE MENSCHEN AUF DEM MOND!
Das war in den sechziger Jahren.

1. FDR (amerikanischer Präsident) GESTORBEN!
2. PANIK AUF DER WALL STREET! MILLIARDEN VERLOREN!
3. HAWAII WIRD FÜNFZIGSTER BUNDESSTAAT!
4. DIE MAUER GIBT'S NICHT MEHR!
5. LUFTANGRIFF AUF PEARL HARBOR!
6. VIERTE GOLDMEDAILLE FÜR JESSE OWENS!

Erfinden Sie weitere Schlagzeilen aus diesem Jahrhundert. Andere Studenten sollen erraten, in welchem Jahrzehnt diese Ereignisse *(events)* geschehen sind.

F. **Der Gastvortrag.** Drücken Sie die Sätze auf deutsch aus.

1. The guest professor was a two-time Nobel Prize winner **(der Nobelpreisträger)**.
2. He discussed reasons **(die Gründe)** for the threefold increase **(Steigerung)** of energy prices **(Energiepreise)**.
3. It was not a successful **(erfolgreich)** talk for two reasons.
4. First, he spoke too long (nearly one and a half hours).
5. Second, more than half the audience **(das Publikum)** could not understand the talk.
6. I understood only about two-thirds of it.
7. The discussion lasted **(dauern)** another **(noch)** half an hour.

ANWENDUNG

Zahlen und Statistiken. In einem Almanach oder in einem Atlas gibt es viele Zahlen und Fakten. Es gibt auch besondere Bücher mit vielen nützlichen (und nutzlosen) Statistiken. Wer kann die interessantesten Fakten und Statistiken finden? Berichten Sie im Kurs.

Beispiele: In Luxemburg wohnen rund 365.000 Menschen.

Ein Glas Rotwein enthält 156 Kalorien.

Bei einem einzigen Kuß werden rund 20.000.000 Bazillen übertragen *(transferred)*.

Mehr als ein Drittel (33 Prozent) aller Ehen in Amerika werden geschieden *(end in divorce)*.

SCHRIFTLICHES THEMA

TIPS ZUM SCHREIBEN *Conveying statistical information*

Some repetition of the verbs **sein** and **haben** is unavoidable in texts containing statistical information. Before using **sein,** always consider whether the same idea can be expressed by describing the action rather than telling what "is". Numbers and statistics are easier to comprehend in shorter sentences; complex

---

Antworten: 1. 1945 2. 1929 3. 1959 4. 1989 5. 1941 6. 1936

sentences with subordinate clauses and relative clauses should be kept to a minimum. Lists, charts, and graphs are also useful tools for illustrating or interpreting numbers or statistics.

Bericht mit Zahlen und Statistiken. Schreiben Sie einen Bericht mit Zahlen und Statistiken.

Beispiel:

Mit einer Fläche von 83.855 km^2 (Quadratkilometern) ist Österreich nicht viel größer als die Schweiz. Österreich besteht aus 9 Bundesländern und hat eine Bevölkerung von rund 7,5 Millionen Einwohnern. Zwei Drittel des Landes liegen in den Alpen. Nur ein Viertel ist Hügelland *(hilly country)* und Flachland. Mit etwa 90 Einwohnern pro km^2 hat das Land eine relativ niedrige Bevölkerungsdichte *(population density)*. Sieben Nachbarstaaten grenzen an Österreich. Der höchste Berg ist der Großglockner mit 3.797 m, und mit seinen 13.972 m zählt der Arlberg-Straßentunnel zu den längsten Tunneln in den Alpen. Jährlich kommen mehr als 5 Millionen Besucher.

THEMENVORSCHLÄGE

1. Städte, Länder oder Staaten
2. Firmen und Geschäfte
3. Schulen oder Universitäten
4. Sport
5. Verkehrsmittel (Auto, Flugzeug, Schiff, Zug usw.)
6. Bauten (Kirchen, Hochhäuser, Pyramiden usw.)

Wortschatz

MATHEMATICAL VOCABULARY AND EXPRESSIONS

The basic mathematical operations are expressed as follows:

addieren to add

vier **plus** acht ist / gleich zwölf

$4 + 8 = 12$

subtrahieren to subtract

sechzehn **minus** drei ist / gleich dreizehn

$16 - 3 = 13$

multiplizieren (mit) to multiply (by)

acht **mal** neun ist / gleich zweiundsiebzig

$8 \times 9 = 72$

dividieren (durch) to divide (by)

vierzig **durch** acht (geteilt) ist / gleich fünf

$40 \div 8 = 5$

hoch raised to the [nth.] power

vier **hoch** drei ist / gleich 64

$4^3 = 64$

Mathematik. Lösen Sie die Aufgaben mündlich und auf deutsch.

1. $11 \times 11 = ?$
2. $16^2 = ?$
3. $2^6 = ?$
4. $253 - 147{,}88 = ?$
5. $1 + 2 + 3 + 4$ [bis 15] = ?
6. $75 \div 15 = ?$
7. $213 \div 11 = ?$
8. $1{,}5 \times 1{,}5 = ?$

Stellen Sie weitere Aufgaben dieser Art mündlich an andere Personen im Kurs.

Beispiel: *Student 1:* Wieviel ist zwölf mal vierzig?
Student 2: Zwölf mal vierzig ist vierhundertachtzig.

MEASURES, WEIGHTS, AND TEMPERATURES

The metric system is used in Europe and throughout the world as the International System of Units. It provides a logical and interconnected framework for all measurements in science, industry, and commerce. In German, masculine and neuter nouns of measurement used after numerals take no ending in the plural, while feminine nouns ending in **-e** do.

der / das Kilometer[5]	**zwei Kilometer**	*two kilometers*
das Pfund	**zwei Pfund**	*two pounds*
die Meile	**zwei Meilen**	*two miles*

Unlike English, German does *not* use the word *of* in expressions of measurement.

	drei Glas Bier	*three glasses of beer (measure of quantity)*
BUT:	drei **Gläser**	*three glasses (not a measure of quantity)*
	vier Flaschen Wein	*four bottles of wine*

[5] With **Meter** and its compounds and with **Liter**, the masculine gender is normally used (see 11.1).

DISTANCE

der / das Kilometer (km)	(= 0.62 mile)
der / das Meter (m)	(= 39.37 inches)
der / das Zentimeter (cm)	(= 0.39 inch)
der / das Millimeter (mm)	(= 0.039 inch)
der / das Quadratmeter (m^2)	(= 10.76 square feet)

WEIGHT

das Gramm (g)	(= 0.035 ounce)
das Kilogramm (kg)	(= 2.2 pounds)
der Zentner	(= 50 kilograms) *(a hundredweight)*

LIQUID MEASURE

der / das Liter	(= 1.057 quarts)

ENGLISH MEASUREMENTS USED IN GERMAN

das Pfund	(= 500 grams)[6]
der Zoll	(= 2.54 centimeters or 1 inch)
die Meile, -n	(= 1.6 kilometers)
die Gallone, -n	(= 3.79 liters)

TEMPERATURE

The Celsius / Centigrade system is used in Europe and throughout the world to measure temperatures. Thirty-two degrees Fahrenheit equals 0 degrees Celsius. To convert Fahrenheit to Centigrade, subtract 32 and multiply by 5 / 9. To convert Centigrade to Fahrenheit, multiply by 9 / 5 and add 32.

[6] An English troy pound is 450 grams; a German **Pfund** is 500 grams.

Degrees Celsius *(Centigrade)*	Degrees Fahrenheit
−40	−40
−35	−31
−30	−22
−25	−13
−20	−4
−15	5
−10	14
−5	23
0	32
5	41
10	50
15	59
20	68
25	77
30	86
35	95
40	104

A. **Fragen.** Beantworten Sie die Fragen mit metrischen Maßeinheiten.

1. Wie groß *(tall)* sind Sie?
2. Wie weit ist es von Ihrer Universität zu Ihrer Heimatstadt?
3. Wieviel wiegen Sie?
4. Wie viele Quadratmeter hat Ihr Schlafzimmer? Ihre Wohnung? Ihr Haus?
5. Wie viele Kilometer hat Ihr Auto schon?
6. Wieviel Flüssigkeit trinken Sie durchschnittlich *(on the average)* pro Tag?
7. Wieviel Benzin faßt *(holds)* der Benzintank Ihres Autos?
8. Welche Größe hat ein normales Blatt Schreibmaschinenpapier?
9. Was war bisher *(up to now)* Ihr höchster Punkt auf der Erde?
10. Was ist die kälteste / heißeste Temperatur, die Sie je erlebt haben? Wo und wann war das?
11. Was ist die beste Zimmertemperatur zum Schlafen?
12. Was ist die normale Körpertemperatur eines Menschen?

B. **Tatsachen aus der Welt.** Geben Sie zehn interessante Fakten in metrischen Maßeinheiten.

VORSCHLÄGE

1. die Höhe eines Berges
2. die Höhenlage einer Stadt
3. die Tiefe eines Sees
4. die Länge eines Flusses
5. das Gewicht *(weight)* eines Tieres usw.

CHAPTER 22

Seasons, Dates, and Time Expressions

22.1 Expressions of Time

A. *Months and Seasons*

The names of seasons and months are masculine, and the definite article must be used. In expressions of time, they take the dative contraction **im (in dem)**.

Seasons		*Months*	
im Frühling[1]	*in (the) spring*	**im Januar**	*in January*
im Sommer	*in (the) summer*	**im Februar**	*in February*
im Herbst	*in (the) fall*	**im März**	etc.
im Winter	*in (the) winter*	**im April**	
		im Mai	
		im Juni	
		im Juli	
		im August	
		im September	
		im Oktober	
		im November	
		im Dezember	

[1] **Das Frühjahr** can also be used for spring.

Der Herbst ist für mich die schönste Jahreszeit, denn **im November** habe ich Geburtstag.	*(The) fall is the best season of the year for me, for my birthday is in November.*
Wir fahren **im Winter** oft in die Berge.	*We often travel to the mountains in (the) winter.*

B. Days of the Week and Parts of the Day

1. Names of days of the week and parts of the day are masculine. They take the dative contraction **am (an dem)** in time expressions (exceptions: **in der Nacht, zu Mittag, um Mitternacht**). With days only, **am** may be omitted.

(am) Sonntag	*on Sunday*	**am Morgen**	*in the morning*
(am) Montag	*on Monday*	**am Vormittag**	*in the late morning*
(am) Dienstag	*on Tuesday*	**zu Mittag**	*at noon*
(am) Mittwoch	*on Wednesday*	**am Nachmittag**	*in the afternoon*
(am) Donnerstag	*on Thursday*	**am Abend**	*in the evening (until about 10:00 P.M.)*
(am) Freitag	*on Friday*		
(am) Samstag	*on Saturday*	**in der Nacht**	*at night (after 10:00 P.M.)*
		um Mitternacht	*at midnight*

Das Spiel findet **(am) Samstag** statt.	*The game is taking place (on) Saturday.*
Sie hat einen Termin **am Vormittag**.	*She has an appointment in the late morning.*

2. When combined with days of the week, parts of the day (other than *night*) are not capitalized.

Wir wollen uns **(am) Donnerstag abend** in der Stadt treffen.	*We want to meet downtown on Thursday evening.*

BUT:

Der Unfall ereignete sich **in der Nacht von Freitag zum Samstag**.	*The accident occurred (on) Friday night. (after 10:00 P.M.)*

3. Adding an **-s** to the uncapitalized forms of days and parts of the day creates adverbs denoting repeated or habitual occurrences.

Diese Geschäfte sind **sonntags** zu.	*These stores are closed on Sunday(s).*
Sie arbeitet nur **nachmittags**.	*She only works afternoons.*

C. *Duration of Time and Specific Time (Accusative Case)*

1. Duration of time is normally expressed in the accusative case with an article but without a preposition. The adjective **ganz** *(all, whole, entire)* is frequently included, but it must always be preceded by an article.

Sie blieben **den ganzen Monat** bei Verwandten.	*They stayed with relatives the entire month.*
Es hat **die ganze Nacht** geregnet.	*It rained all night.*

2. Specific time is also often expressed in the accusative case instead of with **an** or **in** plus the dative (see Sections A and B). Such expressions often include the adjectives **jed-** *(every),* **letzt-** *(last),* **nächst-** *(next),* and **vorig-** *(previous).*

Die Kinder haben **jeden Sonntag** Religionsunterricht.

OR:

Die Kinder haben **an jedem Sonntag** Religionsunterricht.

The children have religious instruction every Sunday.

Es hat **letzte Woche** stark geschneit.	*It snowed heavily last week.*

D. *Indefinite Time Expressions (Genitive Case)*

The genitive case is used with the word **Tag (eines Tages)** and parts of the day **(eines Morgens, eines Nachmittags, eines Nachts)**[2] to express indefinite time. This structure is common in narratives.

Als Gregor Samsa **eines Morgens** aus unruhigen Träumen erwachte . . . (Franz Kafka, „Die Verwandlung")	*As Gregor Samsa awoke* ***one morning*** *from restless dreams . . .*
Ein Werwolf **eines Nachts** entwich . . . (Christian Morgenstern, „Der Werwolf")	*A werewolf sneaked off* ***one night*** *. . .*

Morgens hin, abends zurück: das City-Jet-Programm der Lufthansa.

[2] Although **Nacht** is feminine, **eines Nachts** is used by analogy to **eines Tages**. This construction occurs only in this phrase.

E. Units of Time

1. The most common measurements of time are as follows:

die Sekunde, -n	*second*	**die Woche, -n**	*week*
die Minute, -n	*minute*	**das Wochenende**	*weekend*
die Stunde, -n	*hour*	**die Jahreszeit, -en**	*season*
der Tag, -e	*day*	**das Jahr, -e**	*year*
		das Jahrzehnt, -e	*decade*
		das Jahrhundert, -e	*century*

2. To express *for days, for years,* etc., German adds the suffix **-lang** to the plural of units of time. As adverbs, such words are not capitalized.

Wir haben **stundenlang / tagelang / monatelang** gewartet.	*We waited for hours / for days / for months.*

3. To indicate *how long ago* something happened, German uses the preposition **vor** + the dative (see 16.4).

Sie hat ihr Studium **vor** einem Jahr abgeschlossen.	*She completed her studies a year ago.*
Sie war **vor** wenigen Stunden hier.	*She was here (just) a few hours ago.*

4. The following expressions with units of time are quite common.

tagsüber	*during the day*
während / unter der Woche	*during the week*
an Wochentagen	*on weekdays*
am Wochenende	*on the weekend*
im Laufe des Jahres	*during the year*
alle drei Tage / Wochen / Jahre	*every three days / weeks / years*

F. Heute, gestern, *and* morgen

Heute *(today),* **gestern** *(yesterday),* **morgen** *(tomorrow),* and occasionally **vorgestern** *(the day before yesterday)* and **übermorgen** *(the day after tomorrow)* can be combined with parts of the day.

heute		**gestern**	
heute morgen	*this morning*	**gestern morgen**	*yesterday morning*
heute vormittag	*this morning*	**gestern vormittag**	*yesterday morning*
heute mittag	*this noon*	**gestern mittag**	*yesterday at noon*
heute nachmittag	*this afternoon*	**gestern nachmittag**	*yesterday afternoon*
heute abend	*this evening*	**gestern abend**	*yesterday evening*
heute nacht	*tonight (after 10 P.M.)*	**gestern nacht**	*last night*

morgen[3]	
morgen früh	*tomorrow morning*
morgen vormittag	*tomorrow morning*
morgen mittag	*tomorrow at noon*
morgen nachmittag	*tomorrow afternoon*
morgen abend	*tomorrow evening*
morgen nacht	*tomorrow night*
vorgestern abend	*the day before yesterday in the evening*
übermorgen früh	*the day after tomorrow in the morning*

22.2 Dates and Years

A. *Dates*

1. One asks for and gives dates in either of two ways in German.

Der wievielte ist heute? —Heute ist der 4. Juli. Den wievielten haben wir heute? —Heute haben wir den 4. Juli.	*What is the date today?* *Today is the 4th of July.*

2. Dates after a day of the week preceded by **am** can be in either the dative or accusative case.

Das Konzert findet **am Montag, dem / den 10. September,** statt.	*The concert takes place on Monday, September 10th.*

3. Dates on forms and in letters are given in the order *day, month,* and *year.*

   Geboren: 3.6.1976 (3. Juni 1976)

B. *Years*

Years are indicated by either **im Jahre** followed by the year or by the year *without* **in**.

Der Erste Weltkrieg brach **1914 / im Jahre 1914** aus.	*The First World War broke out in 1914.*

[3] The adverb **morgen** by itself or *before* another time expression means *tomorrow.* It means *morning* only if it follows other time expressions.

22.3 Telling Time

A. *Colloquial Time*

1. In colloquial language, the following expressions are used to tell time. Everything *before* the hour is **vor**, everything *after* the hour **nach**. A period separates hours and minutes.

Written	***Spoken***
8.00 Uhr	acht Uhr
8.10 Uhr	zehn (Minuten) nach acht
8.15 Uhr	(ein) Viertel nach acht *or:* (ein) Viertel neun (that is, *a quarter of the way to nine*)
8.20 Uhr	zwanzig (Minuten) nach acht *or:* acht Uhr zwanzig
8.30 Uhr	halb neun (that is, *halfway to nine*)
8.35 Uhr	fünfunddreißig (Minuten) nach acht
8.40 Uhr	zwanzig (Minuten) vor neun
8.45 Uhr	(ein) Viertel vor acht *or:* acht Uhr fünfundvierzig *or:* drei Viertel acht (that is, *three quarters of the way to nine*)
8.50 Uhr	zehn (Minuten) vor neun
8.55 Uhr	fünf (Minuten) vor neun

2. The preposition **um** means *at* in time expressions.

Wir kommen heute abend **um** acht. — *We are coming this evening at eight.*

3. Approximate time is indicated by either **gegen** *(toward)* or **um . . . herum** *(around)* (see also 16.2).

Der Film endete **gegen** Mitternacht. — *The film ended toward midnight.*
Sie rief **um** neun **herum** an. — *She phoned around nine.*

4. Adverbs of time are used to indicate whether the hour is A.M. or P.M.

Er kommt **um acht Uhr morgens** / **abends**. — *He is coming at eight o'clock in the morning / evening.*

B. *Official Time*

Official time (transportation schedules, performances, TV and radio times, official announcements, hours of business, etc.) uses a 24-hour clock without **Viertel**, **halb**, **vor**, or **nach**.

9.15 Uhr	neun Uhr fünfzehn (Minuten)
11.24 Uhr	elf Uhr vierundzwanzig (Minuten)
18.30 Uhr	achtzehn Uhr dreißig
22.45 Uhr	zweiundzwanzig Uhr fünfundvierzig (Minuten)
0.15 Uhr	null Uhr fünfzehn (Minuten)

English A.M. = 0.00 Uhr bis 12.00 Uhr

English P.M. = 12.00 Uhr bis 24.00 Uhr

ÜBUNGEN

A. **Verschiedene Zeiten.** Drücken Sie die Zeitausdrücke auf deutsch aus.

1. in the spring
2. afternoons
3. in the evening
4. tomorrow morning
5. in July
6. on Thursday
7. Friday evening
8. Tuesday night (after midnight)
9. on Sundays
10. Tuesday mornings
11. for hours
12. during the week
13. two weeks ago
14. on the weekend
15. all day

B. **Einiges über Sie und andere Leute.** Machen Sie bitte sechs wahre Aussagen mit Zeitausdrücken wie **vorig- / letzt-**, **nächst-**, **jed-**, und **d- ganz-**.

Beispiele: Ich gehe fast **jeden Abend** in die Bibliothek.
Letzte Woche besuchte meine Freundin ihre Oma in Frankfurt.

C. **Wie ist es bei Ihnen?** Beantworten Sie die Fragen mit Zeitausdrücken. Stellen Sie dann diese Fragen auch an andere Leute im Kurs. Berichten Sie die Antworten.

1. Welche Jahreszeit haben Sie am liebsten?
2. In welchem Monat haben Sie Geburtstag?
3. Wann lernen Sie gewöhnlich am fleißigsten für Ihre Kurse?
4. Wann gehen Sie gewöhnlich mit anderen Leuten aus?
5. Was machen Sie in den einzelnen Jahreszeiten am liebsten?
6. Zu welcher Tageszeit sind Sie ganz frisch und munter *(wide awake)*? Wann sind Sie müde oder schläfrig?
7. Wann haben Sie zum letzten Mal etwas Warmes gegessen?

D. **Wichtige Daten.** Was sind für Sie die drei wichtigsten Daten im Jahr? Was geschieht an diesen Tagen?

Beispiel: Der 4. Juli.
Am 4. Juli *fahre ich immer mit Freunden ans Meer.*

E. **Wichtige Jahre.** Haben Sie in der Schule aufgepaßt? Wann war das? (Die Antworten finden Sie unten.)

Beispiel: Die ersten Menschen landeten auf dem Mond.
Das war im Jahre 1969.

1. Die Normannen eroberten England.
2. Kolumbus kam nach Amerika.
3. Die Vereinigten Staaten von Amerika erklärten ihre Unabhängigkeit *(independence).*
4. Die Französische Revolution brach aus.
5. Die Russen stürzten *(overthrew)* den Zaren Nikolaus II.

Kennen Sie noch drei wichtige Weltereignisse mit dem genauen Jahr? Fragen Sie andere Personen danach.

F. **Wieviel Uhr ist es?** Im Winter ist es in Mitteleuropa sechs Stunden früher als an der Ostküste der USA. Sagen Sie *informell und formell,* wieviel Uhr es jetzt in Luxemburg ist.

Beispiel: 12:15 P.M. (USA)

informell: In Luxemburg ist es jetzt Viertel nach sechs / Viertel sieben abends.

formell: In Luxemburg ist es jetzt achtzehn Uhr fünfzehn.

A.M.	2:30	4:15	6:39	8:45	11:37	12:00
P.M.	1:45	3:25	5:18	8:45	10:01	11:57

G. **Stundenplan.** Wie sieht Ihr Stundenplan für morgen aus? Welche Kurse haben Sie? Haben Sie auch andere Termine? Verwenden Sie verschiedene präpositionale Zeitausdrücke in Ihren Antworten.

Beispiel: Ich habe **um** halb neun meine erste Vorlesung. **Von** zehn Uhr **bis** Viertel nach elf bin ich im Biologie-Labor. **Gegen** halb eins esse ich . . . usw.

ANWENDUNG

A. **Zeit zum Leben?** Wir leben heutzutage oft von einem Termin zum anderen und haben manchmal wenig Zeit für uns selber. Wie ist es bei Ihnen persönlich? Erzählen Sie davon.

REDEMITTEL

Bei mir ist es so:
Morgens muß ich immer . . .
Am Wochenende gibt's (gibt es) dann . . .
Abends habe ich selten Zeit für / zum . . .
Gestern abend zum Beispiel . . .
Eines Tages mußte ich sogar . . .
Alle paar Tage muß ich . . .

Antworten: 1. 1066 2. 1492 3. 1776 4. 1789 5. 1917

B. **Vom Aufstehen bis zum Schlafengehen.** Erzählen Sie von Ihrem gestrigen Tag. Verwenden Sie möglichst viele verschiedene Zeitausdrücke.

REDEMITTEL

Zwischen acht und neun bin / habe ich . . .
Um neun bin / habe ich . . .
Am Vormittag mußte ich . . .
Zu Mittag war ich . . .
Gegen eins bin / habe ich wieder . . .
Am Nachmittag war ich eine Stunde . . .
Abends bin / habe ich . . .
In der Nacht habe ich dann . . .

SCHRIFTLICHE THEMEN

TIPS ZUM SCHREIBEN *Beginning sentences with time expressions*

For the sake of stylistic variety, time expressions are frequently the first element in a sentence. Remember, however, that in German a first element is not separated from the rest of the sentence by a comma unless this first element is a clause.

A. **Der Tages- und Jahresverlauf in deutschsprachigen Ländern.** Was wissen Sie darüber? Wie sieht der Tages- und Jahresverlauf in deutschsprachigen Ländern aus? Wann arbeiten die Leute? Wann haben sie Feierabend *(end of the workday)*? Essen sie morgens und abends anders als in den USA? Welche Feiertage haben sie? Nennen Sie Tag und Datum. Schreiben Sie darüber.

B. **Keine Zeit zum Briefeschreiben.** Sie schreiben einem / einer Bekannten in Deutschland und erzählen in einem ersten Abschnitt *(paragraph)*, warum Sie jeden Tag so beschäftigt sind, daß Sie erst jetzt (nach mehreren Wochen) auf seinen / ihren Brief antworten.

Beispiel:

Liebe Trudi,

sei herzlich gegrüßt! Schon vor Wochen wollte ich auf Deinen netten Brief vom Sommer antworten, aber ich hatte einfach keine Zeit dazu. Morgens muß ich schon um sieben aus dem Bett 'raus, denn meine erste Vorlesung beginnt schon um halb neun Uhr. Tagsüber bin ich . . . usw.

Wortschatz

THE SUFFIXES -LICH AND -IG WITH ADJECTIVES OF TIME

The suffixes **-lich** and **-ig** can be used to create adjectives from nouns that express time.

THE SUFFIX -LICH

Used with a noun, the suffix **-lich** creates an adjective indicating *how often* something occurs. The stem vowel of the noun has an umlaut in most instances.

ein **jährliches** Einkommen a yearly income
ein **monatliches** Treffen a monthly meeting
eine **wöchentliche** Zeitung a weekly newspaper
ein **stündlicher** Glockenschlag an hourly chime, stroke of the hour

THE SUFFIX -IG

The suffix **-ig** creates adjectives expressing *how old* someone or something is or *how long* something occurs. The stem vowel of the noun has an umlaut in most cases.

ein **zweijähriges** Kind a two-year-old child
eine **einstündige** Prüfung a one-hour exam
eine **sechstägige** Reise a six-day trip
ein **zehnminutiges / minütiges** Schläfchen a ten-minute nap

BUT:

ein **zweimonatiger** Kurs *(no umlaut)* a two-month course

A number of adverbs of time form adjectives by adding the suffix **-ig**.

heute: die **heutige** Deutschstunde today's German class
gestern: die **gestrige** Zeitung yesterday's newspaper
damals: die **damalige** Zeit (the) time back then
jetzt: die **jetzigen** Schwierigkeiten the present difficulties
ehemals: die **ehemalige** DDR the former GDR
vor: am **vorigen** Abend (on) the previous evening

A. **Anders ausdrücken: *-ig* oder *-lich*?** Drücken Sie Sätze anders aus, indem Sie die fettgedruckten Wörter als Adjektive verwenden.

Beispiel: Herr Schmidt ist **jetzt** Besitzer des Hauses.
*Herr Schmidt ist der **jetzige** Besitzer des Hauses.*

1. Wo liegt die Zeitung **von gestern**?
2. Ich muß **jeden Tag** mein Brot verdienen.
3. Wann beginnt die Deutschstunde **morgen**?
4. Hast du die Nachrichten **heute** im Fernsehen gesehen?
5. Der Angestellte bekommt seinen Arbeitslohn *(wage)* **jede Woche**.
6. Ich hatte eine Vorlesung, **die zwei Stunden dauerte**.
7. Die Glocke läutet **jede Stunde**.

B. **Geregeltes Dasein** *(existence)*. Erzählen Sie in fünf bis sieben Sätzen, was Sie regelmäßig tun oder tun müssen. Wie regelmäßig tun Sie das?

Beispiele: Ich muß täglich zur Deutschstunde.
Ich zahle meine Miete monatlich.

THE WORDS **MAL (-MAL)** AND **ZEIT**

MAL AND **-MAL**

The word **Mal** and the suffix **-mal** (see 21.4) express the *number of times* something happens. They occur in the following common expressions:

diesmal this time
ein paarmal[4] a few times
jedesmal every time
manchmal sometimes
das erste / zweite / dritte / letzte Mal, usw. the first / second / third / last time, etc.
zum ersten / zweiten / dritten / letzten Mal[5] for the first / second / third / last time

Es war **das erste Mal,** das wir so etwas gehört hatten.	*It was the first time we had heard such a thing.*
Wir versuchten es **zum dritten Mal**.	*We tried it for the third time.*

ZEIT

The word **Zeit** expresses *specific time* or *duration of time.* It occurs in a large number of time expressions including the following:

---

[4] In the expressions **ein paar** *(a few)* and **ein paarmal, ein** is indeclinable.
Er kam nach **ein paar** Stunden. *He came after a few hours.*

[5] These expressions are often written as follows: **zum erstenmal, zum zweitenmal,** etc.

für einige Zeit for a while
in unserer Zeit in our time (now)
in früheren Zeiten in earlier times
in kurzer Zeit in a short time
in letzter Zeit lately, as of late
in der nächsten Zeit in the near future
nach einiger Zeit after some time
nach kurzer Zeit after a brief time
nach langer Zeit after a long time
von Zeit zu Zeit from time to time
vor der Zeit prematurely
vor einiger Zeit some time ago
vor kurzer Zeit a short time ago
vor langer Zeit a long time ago
zur Zeit at the present time, now
zu d e r *(or:* **jener)** **Zeit** at that time, back then
zu meiner / deiner / ihrer Zeit in my / your / her day
zu jeder Zeit (jederzeit) (at) anytime
zu gewissen Zeiten / **zu bestimmten Zeiten** } at certain times
zu gleicher Zeit at the same time
zu rechter Zeit at the right moment

A. **Alles mit *-mal.*** Machen Sie vier Aussagen über sich. Verwenden Sie die angegebenen Ausdrücke.

Beispiel: zum ersten Mal
*Ich war vor zwei Jahren **zum ersten Mal** in Europa.*

1. zum ersten Mal
2. das erste Mal
3. manchmal
4. zum letzten Mal
5. das letzte Mal

B. **Damals und jetzt.** Machen Sie vier Aussagen über die Vergangenheit und drei Aussagen über das Präsens. Verwenden Sie verschiedene Ausdrücke mit dem Wort **Zeit**.

Beispiele: **Vor kurzer Zeit** habe ich einen interessanten Film über Katzen gesehen. *(Vergangenheit)*
Ich bin **jederzeit** bereit, anderen Menschen zu helfen. *(Präsens)*

CHAPTER 23

Adverbs/ *Hin-* and *her-*

23.1 Adverbs

A. *Types of Adverbs*

1. In German as in English, adverbs **(das Adverb, -ien)** modify verbs, adjectives, or other adverbs.

Sie arbeitet **fleißig**. *(adverb modifying a verb)*	*She works diligently.*
Sie wohnen in einem **schön** möblierten Haus. *(adverb modifying an adjective)*	*They live in a beautifully furnished house.*
Er sprach **erstaunlich** gut. *(adverb modifying another adverb)*	*He spoke amazingly well.*

2. Adverbs of manner generally indicate *how* or *to what degree* an activity is done. Many German adverbs of manner have adjective equivalents (see 18.1).

Unsere Blumen wachsen **langsam**. *(adverb)*	*Our flowers are growing slowly.*
Der **langsame** Sprecher kam endlich zum Schluß. *(adjective)*	*The slow speaker finally finished.*

3. Many adverbs of *manner* have no adjective equivalents.

Ich esse **gern** Eis.	*I like to eat ice cream.*
Die Musik war **kaum** zu hören.	*The music could scarcely be heard.*

4. Adverbs of *time* generally tell *when* or *how often* an activity occurs. They include such expressions as **ab und zu** *(now and then),* **bald, da** *(then),* **damals, dann, heute, immer, manchmal, nie, oft, schon, wieder.** (See also **Wortschatz,** p. 274.)

5. Adverbs of *place* tell *where.* Some common expressions are **anderswo** *(somewhere else),* **da** *(there),* **da drüben** *(over there),* **dort, hier, innen / außen, links / rechts, nirgendwo, überall** *(everywhere),* **vorn / hinten** *(in front / behind).*

6. Some adverbs of place are used with the prepositions **nach** and **von** to indicate *direction (to / from where):* **nach links** *(to the left),* **von rechts** *(from the right);* **nach oben (gehen)** *([to go] upstairs),* **von oben** *(from above),* **nach / von vorn(e)** *(to / from the front).*

7. Some adverbs of place combine with the prefixes **hin-** and **her-** (see 23.2) to indicate direction: **anderswohin** *(to someplace else),* **überallher** *(from everywhere).*

8. Adverbs may express cause (see **Wortschatz,** p. 276).

Ich habe meine Uhr vergessen, und **daher** weiß ich nicht, wie spät es ist.	*I forgot my watch and thus I don't know what time it is.*

9. Adverbs can also convey the speaker's attitude.

Leider hat er die Stelle nicht bekommen.	*Unfortunately, he did not get the position.*

B. *The Adverb Suffix* -(er)weise

1. Some adverbs are formed by adding the suffix **-erweise** *(-ly)* to adjectives.

bedauerlicherweise	*regrettably*
dummerweise	*stupidly*
erstaunlicherweise	*amazingly*
glücklicherweise	*fortunately*
möglicherweise	*possibly*

Erstaunlicherweise wurde niemand in dem Unfall verletzt.	*Amazingly, no one was injured in the accident.*

2. Adverbs can also occasionally be formed by adding the suffix **-weise** to nouns.

fallweise	*case by case*	**stückweise**	*piece by piece*
paarweise	*in pairs*	**teilweise**	*partially*

Wir sind mit der Arbeit schon **teilweise** fertig. — *We are already partially finished with the work.*

C. *Position of Adverbs and Adverbial Phrases (Time–Manner–Place)*

1. When adverbial expressions answer the questions *how, when,* or *where,* they follow a word order sequence of Time-Manner-Place (see also 1.1). Even when one of these elements is missing, the sequence remains the same.

Time / *Place*
Er war **gestern abend im Kino**. — *He was at the movies yesterday evening.*

Manner / *Place*
Sie ist **zu Fuß in die Stadt** gegangen. — *She went into town on foot.*

2. General time precedes specific time.

Gen. Time / *Spec. Time*
Das Kind fährt **jeden Tag um acht Uhr** mit dem Rad zur Schule.
The child travels to school by bike every day at eight o'clock.

3. German adverbs and adverbial phrases often appear at the beginning of a sentence; they are not set off by a comma.

Glücklicherweise habe ich meinen Zug nicht verpaßt. — *Fortunately, I did not miss my train.*
Nach dem Film wollen wir essen gehen. — *After the movie we want to go eat.*

23.2 Hin- and her-

A. *Prefix Combinations with* hin- *and* her-

Hin- and **her-** are separable prefixes (see 2.4); they combine with adverbs, prepositions, or verbs to indicate direction *away from* **(hin-)** or *toward* **(her-)** the speaker.[1]

[1] See also **wohin** *(to where)* and **woher** *(from where)* (14.2).

Common **hin-** and **her-** Combinations

hin(gehen)	*(to go) to*
her(kommen)	*(to come) from*
dorthin(gehen)	*(to go) to there*
hierher(kommen)	*(to come) to here*
hinein[2] **/ hinaus(gehen)**	*(to go) in / out*
herein / heraus(kommen)	*(to come) in / out*
hinauf / hinab(gehen)	*(to go) up / down*
herauf / herab(kommen)	*(to come) up / down*
hinüber(gehen)	*(to go) over to*
herüber(kommen)	*(to come) over to*
hinunter(gehen)	*(to go) down to*
herunter(kommen)	*(to come) down to*

B. Use

1. **Hin-** and **her-** indicate or clarify direction with regard to the speaker or observer.

Komm die Treppe **'runter**![3] — *Come down the stairs!*
(The speaker is at the bottom of the stairs; the second person moves ***toward*** *the speaker.)*

Geh' die Treppe **hinunter**! — *Go down the stairs!*
(The speaker is at the top of the stairs; the second person moves ***away*** *from the speaker.)*

Sie stieg aus dem Zug **aus**. — *She got off the train.*
(There is no observer position.)

Sie stieg aus dem Zug **heraus**. — *She got off the train.*
(The observer is off the train.)

2. **Hin-** and **her-** must be used to indicate direction when there is no directional prepositional phrase. When a prepositional phrase does indicate direction, their use is optional.

Gehen wir **hinein**. (**Hinein** *is required.)* — *Let's go in.*

Gehen wir in die Kirche **(hinein)**. (**Hinein** *is optional.)* — *Let's go into the church.*

---

[2] The **ein** in **hinein** comes from the preposition **in**.

[3] In colloquial speech, **her** + preposition is often shortened: **herunter** (= **'runter**), **herein** (= **'rein**).

3. **Herein** and **hinaus** *(Go out!)* can occur as complete sentences.

Herein!	*Come in! (colloquial:* **'rein!***)*
Hinaus!	*(Go) out! (colloquial:* **'raus!***)*

4. **Hin-** and **her-** also appear in certain idiomatic expressions.

Die Mäuse liefen **hin und her**.	*The mice ran to and fro.*
Nach langem **Hin und Her** kauften wir dann nichts.	*After much back and forth / debating we then bought nothing.*
Das Kind lief die Straße hinunter, der Hund **hinterher**.	*The child ran down the street, the dog after him / her.*
Der Mann **fiel hin**.	*The man fell down.*
Die Frau murmelte **vor sich hin**.	*The woman muttered to herself.* (that is, *without paying any attention to her surroundings*)
Ich möchte eine Fahrkarte **hin und zurück**.	*I would like a round-trip ticket.*

ÜBUNGEN

A. **Zeitadverbien.** Erzählen Sie von sich mit den folgenden Adverbien.

Beispiel: neulich *(recently)*
Neulich habe ich einen guten Film gesehen.

1. ab und zu *(now and then)*
2. bisher *(up until now)*
3. stets *(continually, always)*
4. niemals *(never)*
5. einst *(once)*
6. kürzlich / vor kurzem *(recently)*

B. **Meinungen.** Bilden Sie Meinungsaussagen mit den folgenden Adverbien.

Beispiel: vergebens *(in vain)*
Ich finde, die meisten Menschen suchen ***vergebens*** *nach Glück.*

1. auswendig *(by heart)*
2. sicherlich *(certainly, for sure)*
3. hoffentlich *(hopefully)*
4. glücklicherweise *(fortunately)*
5. leider *(unfortunately)*
6. zufällig *(per chance)*

C. **Wo und wohin?** Drücken Sie die Sätze auf deutsch aus.

1. Come over here!
2. She's at the front.
3. They ran to the rear.
4. They are going upstairs / downstairs.
5. I can't find the book anywhere (use *nowhere*).
6. Did you look everywhere?
7. We'll have to go somewhere else.
8. "Which way do we go?" "Left."
9. They are over there.

D. **Dauernd** *(continually)* ***hin-*** **oder** ***her-*.** Ergänzen Sie durch **hin-**, **her-** oder deren weitere Formen.

Beispiel: Die Nachbarn haben eine Party; gehen wir zu ihnen ____ .
Die Nachbarn haben eine Party; gehen wir zu ihnen ***hinüber*.**

1. Klaus, ich brauche Hilfe. Komm bitte ____ !
2. Seine Eltern wohnen auf dem Land. Fahren wir morgen zu ihnen ____ ?
3. Vorsicht bitte, damit niemand in dieses Loch ____ -fällt.
4. Sie sahen weder nach links noch nach rechts, sondern nur vor sich ____ .
5. Die Gäste waren unentschlossen, ob sie bleiben sollten oder nicht. Nach langem ____ verabschiedeten sie sich.
6. Ihr dürft euch selbstverständlich zu uns ____ -setzen.
7. Vati, kannst du meinen Drachen *(kite)* vom Baum ____ -holen?
8. Aus dem einsamen Tal *(valley)* tönte plötzlich Glockengeläute *(the chiming of bells)* zu den Bergwanderern ____ .

ANWENDUNG

Es kam aber anders. Erzählen Sie von einem Unternehmen *(undertaking)* aus Ihrem Leben, das anders verlief als geplant. Verwenden Sie Zeitadverbien (siehe **Wortschatz**, S. 274) und Adverbien, die Ihre Reaktionen zum Ausdruck bringen.

REDEMITTEL

Einmal wollte ich . . .
Ich habe zuerst gedacht . . .
Leider war es so, daß . . .
Wir konnten aber trotzdem . . .
Da kam zufällig . . .
Glücklicherweise hat niemand gemerkt . . .
Wir mußten dann schließlich . . .

SCHRIFTLICHE THEMEN

TIPS ZUM SCHREIBEN *Establishing a sequence of events*

To establish a chronology of events from one sentence or clause to another, you should use adverbs of time. Remember that time expressions normally follow expressions of manner and place, but that they can also begin a sentence. You can also use adverbial conjunctions to establish logical links of explanation or contrast between sentences and clauses (see **Wortschatz,** p. 276).

A. **Der Verlauf eines schrecklichen, bedeutenden oder wichtigen Ereignisses** (*event*)**.** Berichten Sie über ein wichtiges historisches Ereignis (z.B. eine Katastrophe, einen Unfall, die Karriere eines berühmten Menschen). Verwenden

Sie dabei einige Adverbien, die den chronologischen Verlauf dieses Ereignisses verdeutlichen und die Folgen davon deutlich zum Ausdruck bringen.

Beispiel: Im Jahre 1906 ereignete sich in San Francisco ein schreckliches Erdbeben. Anfangs spürte man nur leichte Erschütterungen *(tremors),* aber kurz darauf kam die große Katastrophe, die vieles zerstörte und auch vielen Menschen das Leben kostete. Besonders schlimm war es nachher, als . . . Dennoch *(nevertheless)* konnten viele Leute . . .

B. **Aus meinem Leben.** Erzählen Sie von einem merkwürdigen Erlebnis *(experience)* aus Ihrem Leben. Wie Sind Sie zu diesem Erlebnis gekommen? Wie verlief es? Was waren die Folgen *(results)* davon?

Wortschatz

ADVERBS AND ADVERBIAL PHRASES OF TIME

The following adverbial time expressions prove useful when recounting a sequence of events.

INTRODUCING THE NARRATIVE

anfangs in the beginning
damals (back) then
eines Morgens one morning *(see 22.1)*
eines Tages one day
eines Abends one evening
einst once upon a time; some day *(future)*
einmal one time
neulich, **vor kurzem** recently
zuerst, **zunächst** (at) first

SEQUENCING EVENTS WITHIN THE NARRATIVE

auf einmal, **plötzlich** suddenly
bis dahin up until then, by then
bald darauf soon (thereafter)
kurz darauf shortly thereafter
da, **dann** then
danach after that
immer noch still
inzwischen, **mittlerweile**, **unterdessen** meanwhile
vorher first, beforehand
nachher afterwards
später later

CONCLUDING THE NARRATIVE

seitdem / **seither** (ever) since then, (ever) since that time	**schließlich** finally; in the final analysis
am Ende / **zum Schluß** finally, in the end, in conclusion	**endlich** finally, at long last
	zuletzt last, finally

1. **Am Ende** and **zum Schluß** express the idea of conclusion in general terms and are synonymous in most instances, while **zuletzt** usually concludes a series of events.

Er hatte sein ganzes Leben gearbeitet, aber **am Ende / zum Schluß** hatte er nichts.	*He had worked his entire life, but in the end he had nothing.*
Sie ging in die Bibliothek, dann in die Mensa und **zuletzt** nach Hause.	*She went to the library, then to the student cafeteria, and finally home.*

2. **Schießlich** expresses the idea that after a considerable period of time or as the result of a series of events, something *finally* happens.

Nach langer Wanderung kamen wir **schließlich** ans Ziel.	*After a long hike we finally / at last reached our destination.*

3. **Endlich** is stronger than **schließlich** and conveys the idea that something has *finally* or *at (long) last* happened.

Endlich haben wir einen Brief bekommen.	*At long last we received a letter.*

Wie ich etwas mache. Erklären Sie, in welcher zeitlichen Folge Sie etwas tun oder sich auf etwas vorbereiten *(prepare)*.

THEMENVORSCHLÄGE

1. eine schwere Prüfung
2. eine schriftliche Arbeit für einen Kurs
3. ein Auto suchen und kaufen
4. eine Wohnung suchen
5. eine Ferienreise planen

Beispiel:

eine schwere Prüfung

Zuerst frage ich die Professorin, was ich für die Prüfung lernen muß. Dann lese ich das alles noch einmal durch. Danach wiederhole ich die Kapitel, die ich für besonders wichtig halte, und zum Schluß überlege ich mir Fragen, die man in der Prüfung stellen könnte, und versuche, diese Fragen zu beantworten.

ADVERBIAL CONJUNCTIONS

German has a number of adverbs that link a train of thought from one sentence or clause to the next by providing additional information, explanation, or contrast.

außerdem moreover, furthermore *(additional information)*
daher
darum
deshalb
deswegen
aus diesem Grunde } therefore, thus, for this / that reason *(explanation)*
dennoch nevertheless, yet
stattdessen instead } *(contrast)*
trotzdem in spite of this / that

For the sake of style or emphasis, adverbial conjunctions frequently begin a second sentence or a clause.

Sie ist krank, (und) **daher / darum** kann sie nicht kommen.	*She is ill, and for this reason she cannot come.*

Adverbial conjunctions can also occur elsewhere in the second sentence or clause.

Sie ist krank und kann **deshalb / deswegen** (etc.) nicht kommen.	*She is ill and cannot come for this reason.*

Taten und ihre Folgen. Machen Sie fünf Aussagen über Taten, Situationen oder Gedanken und die Folgen davon.

Beispiele: Ich habe für meine Deutschprüfung intensiv gelernt, und deswegen werde ich eine gute Note bekommen.

Ich habe in diesem Semester wenig gearbeitet. Ich habe aber trotzdem gute Noten bekommen.

Particles

24.1 Particles

German has a number of so-called "flavoring" particles **(die Abtönungspartikel, -n** or **die Modalpartikel, -n)** that convey various degrees of interest, surprise, impatience, irritation or indignation, reassurance, agreement, skepticism, resignation, casualness, and other feelings or reactions. Particles lend colloquial German much of its color, emotion, and idiomatic flavor, but they are not always readily translatable into English and frequently derive their nuances from the tone of voice in which they are spoken. The following explanations touch on some of the most common uses and functions of particles.

A. Aber

Aber has two uses. As a conjunction it means *but;* as a flavoring particle it makes the thought expressed more forceful.

Das ist **aber** nett von dir.	*That's really nice of you.*
Hast du etwas gegen unseren Besuch?	*Have you got anything against our visit?*
—**Aber** nein!	*Of course not!*

B. Also

Also does not mean *also;* it normally means *so* and suggests reassurance or reinforcement of the idea expressed.

Es ist **also** wahr, was du gesagt hast.	*So what you said is true.*

C. Auch

1. **Auch** has a wide range of uses, all related to the idea of *also, what's more,* or *too.*

Er wollte Deutsch lernen, und er hat es **auch** getan.	*He wanted to learn German and, what's more, he did.*
Wollt ihr uns **auch** helfen?	*And do you want to help us too?*

2. **Auch** is sometimes used in the sense of *even.* With this meaning it is interchangeable with **sogar**.

Auch / Sogar in den Alpen fiel letztes Jahr weniger Schnee.	*Even in the Alps less snow fell last year.*

D. Denn

Denn occurs only in questions; it adds a tone of either mild or strong impatience, surprise, or interest. It also makes questions sound less abrupt.

Kommst du **denn** nicht mit?	*Well, aren't you going to come along?*
Was habt ihr **denn** die ganze Zeit gemacht?	*Well, what did you do the whole time?*
Was ist **denn** hier los?	*What in the world is going on here?*

E. Doch

1. **Doch** is used for emphasis in a variety of situations. Its wide range of meanings includes *after all* or *really.* It can convey:

a. indignation.

Das ist **doch** Wahnsinn!	*That's really crazy!*

b. surprise or contradiction.

Sie haben aber **doch** alle Fragen richtig beantwortet.	*You answered all questions correctly after all.* OR: *But you* **did** *answer all of the questions correctly.*

c. disbelief in negative statements.

Das kann **doch** nicht dein Ernst sein!	*You can't really be serious!*

2. **Doch** intensifies the sense of impatience or urgency in imperatives, usually in combination with **mal** (see 3.3).

Hör **doch** (mal) zu!	*Hey, come on, listen!*

3. **Doch** is also the proper response when countering the negative implication of a statement or question (see also 14.1).

Für uns hast du sicher keine Zeit. —**Doch.**	*You surely have no time for us.* *Oh yes (I do).*

F. Eben

1. As an adverb, **eben** means *just (now) / (then).* It is synonymous with **gerade**.

Die Gäste gingen **eben** weg, als wir ankamen.	*The guests were just (then) leaving, as we arrived.*

2. As an intensifier, **eben** indicates resigned acceptance of a fact.

Wenn niemand mit ins Kino will, bleiben wir **eben** zu Hause.	*If no one wants to go to the movies, we'll just (have to) stay home.*
So sind die Dinge **eben**.	*That's just the way things are.*

3. **Eben** can also imply agreement, the idea that a statement is *precisely* or *exactly* the point.

Das war aber ein schwieriger Vortrag. —**Eben!**	*That was really a difficult lecture.* *Precisely!*

G. Eigentlich

1. **Eigentlich** means *actually, to tell the truth,* or *when you get right down to it.*

Eigentlich sollten wir froh sein, daß niemand uns gestört hat.	*When you get right down to it, we should be happy that no one disturbed us.*
Du hast **eigentlich** recht.	*You are right, actually.*

2. **Eigentlich** is not nearly as strong as the adverb **wirklich,** which implies that something *really* is the case.

Compare:

Es ist **wirklich** sein Auto.	*It really is his car.*
Eigentlich ist es sein Auto.	*Actually, it is his car.*

H. Halt

Halt is synonymous with **eben** in the sense of resigned acceptance. It is very colloquial.

Wir müssen **halt** warten, bis der Regen vorübergeht.	*We'll just have to wait until the rain passes.*

I. Ja

1. **Ja** expresses the obviousness of a fact, sometimes with a slight tone of impatience; it is best rendered in English by *you know, don't you see?*, or *of course.*

Sie wissen **ja,** was ich meine.	*You know what I mean, of course.*
Das tue ich **ja** schon.	*I'm already doing that, don't you see?*

2. **Ja** adds a sense of urgency to imperatives. In this function it is often followed by **nur**.

Komm **ja (nur)** nicht zu spät nach Hause!	*Don't you dare come home too late!*

3. **Ja,** like **doch,** can also convey surprise.

Da ist sie **ja / doch**.	*Hey, there she is!*
Du hast **ja / doch** eine schöne Wohnung!	*You really have a nice apartment!*

4. **Ja** is also very similar to **doch** when it expresses that something is *of course* obvious.

Wir wollen **ja / doch** nicht vergessen, wie schwer das Leben manchmal sein kann.	*Of course, we don't want to forget how difficult life can sometimes be.*

J. Mal

Mal comes from **einmal** *(once / one time).* It adds a sense of casualness to statements and questions, similar to the idea of *hey* or *just.* It is very common in commands and suggestions.

Ich werde es **(ein)mal** versuchen.	*I'll just give it a try.*
Schauen wir **(ein)mal** nach, was in der Zeitung steht.	*Let's just see what the paper says.*
Hör **mal** zu!	*Hey, listen!*

K. Nun

Nun (often combined with **[ein]mal**) implies resigned acceptance of a situation. With this meaning it is virtually synonymous with **eben** and **halt**.

Was sollten wir **nun (ein)mal** tun?	*Well, what should we do?* (that is, *in a particular situation*)
Die Dinge stehen im Augenblick **nun (ein)mal** so.	*This just is the way things are at the moment.*

L. Nur

1. **Nur** conveys a variety of feelings including anxiety, indifference, encouragement, disappointment, and anger.

Das macht die Situation **nur** schlimmer.	*That only makes the situation worse.*
Wie kann man **nur** so unvorsichtig sein?	*How can one ever be so careless?*

2. In imperatives, **nur** adds a sense of urgency or warning.

Denke **nur** nicht, daß wir diese Beleidigung bald vergessen werden!	*Just don't think that we'll soon forget this insult!*
Tu(e) das **nur**!	*Just do it (and see what happens)!*

M. Schon

1. As an adverb, **schon** means *already.*

Wir haben es **schon** gemacht.	*We have already done it.*

2. In adverbial usage, **schon** is often used with **einmal** meaning *ever before.*

Waren Sie **schon einmal** Gast in diesem Hotel?	*Were you ever a guest in this hotel before?*

3. As a particle, **schon** expresses confidence or reassurance.

Hat sie es schon gemacht? —Ich glaube **schon**.	*Did she already do it?* *Oh, I think so.*
Ich werde es **schon** machen.	*Don't worry, I'll do it.*

4. The particle **schon** can also convey a somewhat reserved concession, the idea that although a statement is undoubtedly true, there is also another consideration.

Du hast ja eine gute Wohnung. —Das **schon,** aber keine Möbel.	*You have a good apartment, you know.* *Well, yes, but no furniture.*
Das ist **schon** richtig, was du sagst, aber . . .	*What you say is true, but . . .*

5. **Schon** gives a sense of impatient encouragement to requests.

Setz dich **schon** hin!	*Come on now, sit down!*

6. **Schon** can also be used to add a sense of confirmation or persuasive emphasis to questions.

Was kann man in so einem Fall **schon** sagen?	*What can you ever say in such a case?*
Wer möchte **schon** allein auf einer Südseeinsel leben?	*Who would ever want to live alone on a South Sea island?*

N. Überhaupt

1. In statements, **überhaupt** implies the idea of *in general* or *on the whole*, but these translations never truly capture the tone of this particle.

Es ist **überhaupt** schwierig, mit ihnen zu sprechen.	*On the whole, it is difficult to talk with them.*
Man sollte **überhaupt** mit seinen Behauptungen etwas vorsichtiger sein.	*One should in general be more careful with one's assertions.*

2. **Überhaupt** intensifies questions by conveying the idea of *ever* or *at all.*

Wie habt ihr das **überhaupt** gemacht?	*How did you ever do that?*
Versteht sie **überhaupt** Deutsch?	*Does she understand German at all?*

3. Used with negatives, **überhaupt (nicht)** means (not / nothing / anything) *at all.* It is synonymous with **gar nicht** (see **Wortschatz** 4).

Sie wissen **überhaupt** nichts.	*They do not know anything at all.*

O. Wohl

1. The particle **wohl** suggests probability (see also 7.1). Its English equivalents are *no doubt, quite likely,* or *probably.*

Diese Häuser gehören **wohl** der Gemeinde.	*These houses no doubt belong to the municipality.*
Das wird **wohl** wahr sein.	*That's probably true.*

2. In some expressions, **wohl** conveys a sense of certainty.

Das kann man **wohl** sagen!	*You can say that again!*
Du bist **wohl** nicht bei Sinnen!	*You must be out of your mind!*

P. Zwar

1. **Zwar** means *to be sure* or *of course* and is usually balanced by an **aber** *(however)* in the following clause.

Es gab **zwar** noch genug zu essen, aber niemand hatte Hunger.	*There was, to be sure, still enough to eat, but no one was hungry.*

2. **Zwar** cannot be used as an affirmative response to a question. Instead, German uses **allerdings** *(oh yes; by all means)* or **freilich** *(of course; by all means),* depending upon the type of response required.

   Compare:

Haben Sie verstanden?	*Did you understand?*
—**Allerdings**.	*Oh, yes!* (that is, *I know what you are getting at*)
—**Freilich**.	*Of course!* (that is, *did you think I wouldn't?*)

ÜBUNGEN

A. **Partikeln im Gebrauch.** Lesen Sie die folgenden Texte einmal ohne die kursivgedruckten Abtönungspartikeln und einmal mit diesen Partikeln. Erklären Sie dann auf englisch, wie die Partikeln den Text ändern und was sie zum Ausdruck bringen.

1. Deutsche Vereinigung: Vater Stratmann hat die Vereinigung mit gemischten Gefühlen erlebt. Wenn er ganz ehrlich sein soll, dann ist er *ja nun mal* Deutscher. Er weiß *zwar* nicht, ob er einen besonderen Nationalstolz hat, aber er ist *doch* ein bißchen geschichtsbewußt *(historically aware),* und als er im Fernsehen die Demonstrationen in Leipzig und die Leute auf der Mauer gesehen hat, das war *schon* ein erhebendes *(uplifting)* Gefühl, muß er ganz ehrlich sagen, da lief es ihm *doch* den Rücken runter *(chills ran down his spine). (Die Zeit)*
2. Eine kaputte Küchenuhr: Kaputt ist die Uhr, das weiß ich *wohl.* Aber sonst ist sie *doch* noch ganz wie immer: weiß und blau. Und was das Schönste ist, das habe ich Ihnen *ja* noch *überhaupt* nicht erzählt. Denken Sie *mal,* sie ist um halb drei stehengeblieben. (Wolfgang Borchert, „Die Küchenuhr")

B. **Viele haben es getan.** Lesen Sie die Sätze mit richtiger Betonung vor. Erklären Sie die Unterschiede zwischen den Sätzen. Drücken Sie die verschiedenen Nuancen auf englisch aus.

1. Sie hat es doch getan.
2. Er hat es nun einmal getan.
3. Du hast es also getan.
4. Du hast es also doch getan.
5. Habt ihr es überhaupt getan?
6. Sie haben es wohl getan.
7. Haben Sie es denn getan?
8. Sie hat es ja getan.
9. Wir haben es halt getan.
10. Haben Sie es schon einmal getan?
11. Er hat es eben getan.

C. **Besonders betonen.** Bringen Sie die folgenden Aussagen durch den Gebrauch von Abtönungspartikeln stärker zum Ausdruck. Erklären Sie die Nuancen auf englisch. Bei einigen Sätzen gibt es mehrere Möglichkeiten.

aber	eben	nun
also	eigentlich	nur
auch	halt	schon
denn	ja	überhaupt
doch	mal	wohl

1. Das verstehe ich nicht! Wie hast du das gemacht?
2. Kommen Sie mit! Sie werden Interessantes erleben.
3. Aha, du bist es!
4. Es ist in einem fremden Land problematisch, wenn man die Sprache dieses Landes nicht kann.
5. Hören Sie zu!
6. Du wolltest jetzt arbeiten gehen, nicht wahr?
7. Wir waren im Sommer in Südtirol. Waren Sie einmal in Südtirol?
8. Diesen Zug haben wir verpaßt. Wir müssen auf den nächsten warten.
9. Mensch, du hast einen schönen Wagen!
10. Ihr wollt nicht mit uns mitgehen?
11. Sehen Sie, was die Leute hier alles zerstört haben.
12. Verstehen Sie, was er meint?
13. Er hat dich nicht verstanden.
14. Das hat sie gesagt.

ANWENDUNG

Argumentation. Die Klasse einigt sich über eine These oder Behauptung, zu der es sicher viele Argumente pro und kontra gibt. Alle im Kurs sollen ihre Meinung sagen. Versuchen Sie, Ihre Argumente und Meinungen durch den Gebrauch von Adverbien *(siehe Kapitel 23)* und Abtönungspartikeln zu verstärken. Bei Meinungsäußerungen spielen auch Modalverben *(siehe Kapitel 8)* eine wichtige Rolle.

THESENVORSCHLÄGE

1. Man soll lieber nicht heiraten.
2. Die Politik eines Landes können einzelne Bürger nicht ändern.
3. In unserem Staat haben nicht alle Menschen die gleichen Chancen.
4. Geld regiert die Welt.
5. Gleiche Arbeit, gleicher Lohn *(wage)*.

REDEMITTEL

Es ist durchaus (nicht) so, daß . . .
Hoffentlich seht ihr doch ein, daß . . .
Wir sollten / müssen endlich mal . . .
Eigentlich ist das nicht ganz so falsch . . .
Das ist ja lauter Unsinn!
Ich sehe es leider, leider ganz anders.
Das ist doch überhaupt kein Argument!
Natürlich kann man das, aber . . .
Das sollte / kann man sowieso nicht sagen.
Es ist nun einmal eine Tatsache *(fact)*, daß . . .

SCHRIFTLICHE THEMEN

TIPS ZUM SCHREIBEN *Deciding when to use flavoring particles*

The choices you make about which particles or adverbs to use when writing will vary with your intentions and with the types of readers you have in mind. Most particles are clearly for colloquial usage and would not be appropriate in a critical essay. In less formal writing, for example, in letters to friends or local newspapers or in speeches, particles can lend emotion to your opinions and strengthen the rhetorical persuasiveness of your arguments.

A. **Stilebenen** *(Levels of style)*. Suchen Sie ein aktuelles Thema aus der Presse (Zeitung oder Zeitschrift). Schreiben Sie zuerst einen Aufsatz, in dem Sie sich in einem sachlichen *(objective, unbiased)* Stil zu diesem Thema äußern. Schreiben Sie dann einen Leserbrief, in dem Sie sich nicht mehr so sachlich äußern. In Ihrem Brief können Sie Gefühle und Meinungen durch Abtönungspartikeln, Adverbien und rhetorische Fragen stärker zum Ausdruck bringen.

Beispiel (Aufsatz):

Viele junge Leute benehmen sich heutzutage sehr schlecht. Man sagt, daß die Erziehung *(upbringing)* zu Hause anfangen soll, aber das ist nicht immer der Fall. Manche Eltern kümmern sich *(concern themselves)* zu wenig um ihre Kinder. Auch in der Schule fehlt oft die nötige Disziplin. Unter solchen Umständen *(circumstances)* ist es oft für junge Menschen schwierig . . .

Beispiel (Leserbrief):

An die Redaktion *(editorial staff)*

Ich finde es *doch* eine Schande *(disgrace),* wie sich viele junge Leute heutzutage benehmen. *Zwar* sagt man, daß die Erziehung zu Hause anfangen soll, aber das ist leider *doch* nicht immer der Fall. Manche Eltern kümmern sich wenig oder *überhaupt* nicht um ihre Kinder. Auch in der Schule fehlt *ja* oft die nötige Disziplin. Wie sollen *denn* junge Menschen unter solchen Umständen . . . ?

B. **Bewertung *(evaluation)* des Unterrichts.** Schreiben Sie eine informelle Bewertung Ihres Deutschkurses. Weisen Sie auf *(point out)* gute und weniger gute Aspekte dieses Kurses hin. Haben Sie einige Vorschläge, wie man den Kurs vielleicht auch anders gestalten *(structure)* könnte?

Wortschatz

EXPRESSIONS AND RESPONSES WITH FLAVORING PARTICLES

Flavoring particles are particularly common in colloquial responses to things people say or do.

das ist aber / ja wahr! that's sure true!
das ist aber / ja lächerlich! that's ridiculous!
aber nein! oh no!
also gut / also schön well, OK (I'll do it)
na also! what did I tell you!
also doch! it's true what I said after all!
na (nun) ja oh well, okay
ich denke / glaube schon I should think so
was ist denn? what's the matter?
was ist denn hier los? what's going on here?
das darf doch nicht wahr sein! that can't be (true)!
das ist es eben! / **das ist es ja!** that's just it, that's just what I mean
so ist es eben that's just how it is
ja, was ich sagen wollte, by the way, what I wanted to say
mal sehen we'll just have to (wait and) see
das wird schon stimmen I'm (pretty) sure that's right
es wird schon gehen / werden I'm (pretty) sure it'll work out okay
das habe ich mir (auch) schon gedacht that's just what I figured (too)

A. **Weniger formell.** Drücken Sie die Ideen in diesen Sätzen durch Ausdrücke mit Abtönungspartikeln informeller aus.

Beispiel: Das habe ich richtig gesagt!
Also doch!

1. Was ist los?
2. Ich bin ziemlich sicher, daß die Antwort richtig ist.
3. Genau das meine ich.
4. Sehen Sie? Es stimmt, was ich gesagt habe.
5. Ich bin sicher, daß es dir gelingen wird, das zu tun.

B. **Reaktionen.** Was sagen Sie in diesen Situationen? Verwenden Sie Ausdrücke mit Abtönungspartikeln.

Beispiel: Ein Freund sagt etwas, was Sie sich auch schon gedacht haben.
Das ist es eben!
OR:
Das ist aber wahr.

1. Jemand bringt in einer Diskussion ein Argument vor, das Sie für ziemlich überzeugend *(convincing)* halten.
2. Jemand macht eine Behauptung *(assertion),* von der Sie meinen, daß man noch abwarten muß, ob sie stimmt oder nicht.
3. Jemand berichtet Ihnen etwas Unglaubliches. Sie sind sehr überrascht.
4. Jemand fragt Sie, ob es eine gute Idee wäre, noch eine Fremdsprache zu lernen.
5. Jemand bittet Sie, an einem Spiel teilzunehmen. Anfangs wollen Sie nicht, aber nachdem man Sie mehrmals bittet, können / wollen Sie nicht mehr nein sagen.
6. Jemand macht eine Behauptung *(assertion),* die Sie für einen völligen Blödsinn *(nonsense, rubbish)* halten.

CHAPTER 25

Conjunctions

25.1 Coordinating Conjunctions

A. Forms

The coordinating conjunctions are as follows:

aber[1] *but, however*	**sondern** *but rather*
denn[1] *for, because*	**und** *and*
oder *or*	

B. Use

1. Coordinating conjunctions **(die koordinierende Konjunktion, -en)** link words, phrases, or independent clauses by adding information **(und)** or by showing a contrast **(aber, sondern)**, a cause **(denn)**, or an alternative **(oder)**. For purposes of word order, a coordinating conjunction is not considered part of the clause that follows; therefore, any verb in the second clause is still in second position.

[1] **Aber** and **denn** can occur as flavoring particles (see 24.1). In addition, **aber** can be used as an adverb meaning *however.*

Viele beschwerten sich über das Wetter, er sagte **aber** nichts.	*Many were complaining about the weather; he said nothing, however.*

Sie fuhren an den Strand, **und** wir gingen ins Gebirge.
They drove to the shore, and we went to the mountains.

Er blieb zu Hause, **denn** er wollte lesen.
He stayed home, for he wanted to read.

2. Generally, a comma separates all material linked by coordinating conjunctions. In the case of **und** and **oder**, if the two linked clauses share a common subject, no comma is used.

Sie fuhren aufs Land **und** machten eine lange Wanderung.	*They drove into the country and took a long hike.*
Willst du hier bleiben **oder** mit uns ins Kino gehen?	*Do you want to stay here or go to the movies with us?*

3. **Aber** *(but)* links clauses by providing *additional* information. The first clause can be either positive or negative.

Dieses Haus ist teuer, **aber** gut gelegen.	*This house is expensive but well-situated.*
Hans läuft nicht schnell, **aber** er denkt schnell.	*Hans does not run fast, but he thinks fast.*

4. **Sondern** *(but rather)* links clauses by providing information *contradictory* to information in the first clause. The first clause must contain a negating word such as **nicht, nie,** or **kein-** (see 4.1).

Dieses Haus ist nicht teuer, **sondern** billig.	*This house is not expensive, but (rather) inexpensive.*
Hanna arbeitet heute nicht, **sondern** sie bleibt zu Hause.	*Hanna is not working today, but (rather) she is staying home.*

25

25.2 Two-Part (Correlative) Conjunctions

The following two-part (correlative) conjunctions link words, phrases, or clauses in parallel fashion.

sowohl . . . als auch	*both . . . and, as well as*
nicht nur . . . sondern auch	*not only . . . but also*
entweder . . . oder	*either . . . or*
weder . . . noch	*neither . . . nor*

Wir lernen **sowohl** Deutsch **als (auch)** Spanisch.	*We are learning German as well as Spanish.*
Nicht nur in Luxemburg spricht man Deutsch und Französisch, **sondern auch** in der Schweiz.	*Not only in Luxembourg do people speak German and French, but also in Switzerland.*

Sie spricht **weder** Spanisch **noch** Portugiesisch.	*She speaks neither Spanish nor Portuguese.*

When **entweder . . . oder** is used in two clauses, the position of **entweder** may vary.

Entweder *gehen wir* nach Dresden, **oder** wir bleiben hier.
Entweder *wir gehen* nach Dresden, **oder** wir bleiben hier.
Wir gehen **entweder** nach Dresden, **oder** wir bleiben hier.
Either we are going to Dresden, or we are staying here.

25.3 Subordinating Conjunctions

A. *Forms*

The following subordinating conjunctions are used frequently:

als	*when, as*
als ob	*as if, as though*
bevor / **ehe**	*before*
bis	*until, by*
da	*since, because*
damit	*so that (intent)*
daß	*that*
anstatt daß	*instead (of doing) (See also* **anstatt zu;** *9.1.)*
ohne daß	*without (doing) (See also* **ohne zu;** *9.1.)*
so daß	*so that (result only)*
falls	*in case, if*
indem	*by (doing)*
nachdem	*after*
ob	*whether, if*
obgleich / **obschon** / **obwohl**	*although, even though*
seitdem (seit)	*since (temporal)*
sobald	*as soon as*
solange	*as long as*
sooft	*as often as*
während	*while*
weil	*because*
wenn	*when, if, whenever*
wenn . . . auch	*even if, even though*
wenn . . . nicht / **wenn . . . kein-**	*unless*

B. Use

1. Subordinating **(subordinierend)** conjunctions connect a dependent clause with a main clause in such a way that the dependent clause becomes "subordinate" or secondary to the main clause and cannot stand alone as a complete sentence. Subordinate clauses elaborate directly upon main clause statements, usually by telling when, how, why, or under what conditions the activity of the main clause occurs. In a subordinate clause, the conjugated verb is always in final position. The two clauses are separated by a comma.

Main Clause	*Subordinate Clause*
	wenn *(if)* das Wetter schön *ist.*
Wir gehen heute im Park spazieren,	**weil** *(because)* wir Zeit dazu *haben.*
	obwohl *(although)* es heute stark *regnet.*

2. A subordinate clause can occur either before or after the main clause. If the subordinate clause comes first, the subsequent main clause must begin with a verb. In other words, within the overall sentence the subordinate clause is the first element and the main clause verb is still in second position.

Subordinate Clause	*Main Clause*
1	*2*
Da wir großen Hunger haben,	*gehen* wir jetzt essen.

Since we are very hungry, we are going to eat now.

3. Interrogative words (see 14.2) can also function as subordinate conjunctions. The conjugated verb is still in final position.

Niemand wußte, **warum** er sich das Leben genommen hatte.	*No one knew why he had taken his life.*

C. Als, wenn, wann

1. **Als** *(when, as)* refers only to *one-time* events or situations in the past. The one-time event can also occur over a long period of time.[2]

Als wir in Berlin ankamen, regnete es.	*When we got to Berlin, it was raining.*
Als ich ein Kind war, lebte meine Familie in Europa.	*When I was a child, my family lived in Europe.*

[2] When narrating past events in the present tense, German speakers sometimes use **wie** instead of **als**.

Wie / als sie in das Zimmer kommt, sieht sie jemanden aus dem Fenster springen.	*When / as she comes into the room, she sees someone leap out the window.*

2. **Wenn** *(when, whenever)* refers to recurring events in the past.

Es war immer viel los, **wenn** wir Berlin besuchten.	*There was always a lot going on when(ever) we visited Berlin.*

3. **Wenn** can also mean either *when* or *whenever (inevitable)* or *if (possible).*

Wenn ein Mensch stirbt, . . . *(inevitable)*	*Whenever a person dies . . .*
Wenn dieser Mensch bald stirbt, . . . *(possible)*	*If this person dies soon, . . .*

4. The interrogative **wann** (see 14.2) always refers to specific time and often occurs in indirect questions.

Weißt du, **wann** sie das Haus verlassen hat?	*Do you know when she left the house?*

D. Als ob / als wenn

Als ob *(less common:* **als wenn***)* means *as if* and is used in clauses to express conjecture or a contrary-to-fact condition. Such clauses are normally in the subjunctive mood (see 27.8), and they frequently follow phrases such as **Es ist / war**, **Er tut / tat**, **Es scheint / schien**.

Es war ihm, **als ob** sie einander schon einmal getroffen hätten.	*It seemed to him as if they had already met each other once before.*[3]

E. Bevor / ehe

Bevor and **ehe,** which both mean *before,* can be used interchangeably. The conjunction **bevor** is not to be confused with the *preposition* **vor** (see 16.4), nor with the *adverb* **vorher** (see **Wortschatz** 23).

Compare:

Bevor / ehe Kai ins Bett ging, trank er ein Glas Milch. *(conjunction)*	*Before Kai went to bed, he drank a glass of milk.*
Vor dem Schlafengehen trank Maria eine Tasse Tee. *(preposition)*	*Before going to bed, Maria drank a cup of tea.*
Ulrich ging schlafen, aber **vorher** trank er ein Glas Saft. *(adverb)*	*Ulrich went to bed, but beforehand he drank a glass of juice.*

---

[3] The word **ob** (or **wenn**) can be omitted and the meaning *as if* retained, providing **als** is followed immediately by the verb. This structure occurs frequently in poetry.

Es war, **als** hätt der Himmel Die Erde still geküßt. (J. von Eichendorff)	*It was as if Heaven had quietly kissed the Earth.*

F. Bis

1. The conjunction **bis** *(until)* expresses duration of an action *until* a certain time or place is reached. It also occurs as a preposition (see 16.2).

Wir arbeiten (solange), **bis** wir fertig sind.	*We are working until we are finished.*
Sie fahren, **bis** sie Genf erreichen.	*They are driving until they reach Geneva.*

2. **Bis** is often used to indicate the time *by when* an action is completed.

Bis der Winter kam, hatte ich den Pullover fertig gestrickt.	*By the time winter came, I had finished knitting the sweater.*

G. Da / weil

1. **Da** *(since, as)* and **weil** *(because)* are often used interchangeably to explain *why* an action occurs. However, **da** normally explains the situation leading to an action, whereas the more emphatic **weil** often indicates the reason for doing something.

Da er nichts Besseres zu tun hatte, ging Herr Ziegler in den Zoo.	*Since Mr. Ziegler had nothing better to do, he went to the zoo.*
Weil er die Schimpansen sehen wollte, ging Herr Ziegler in den Zoo.	*Because he wanted to see the chimpanzees, Mr. Ziegler went to the zoo.*

2. The conjunction **da** should not be confused with the adverb **da** *(then, there:* see 23.1 and **Wortschatz** 23*)*.

H. Damit, so daß

1. **Damit** *(so that)* signifies a *purpose* for doing something.

Eltern sparen Geld, **damit** ihre Kinder studieren können.	*Parents save money so that their children can go to college.*

If both clauses have the same subject, German frequently uses a construction with **um + zu** + infinitive instead of **damit** (see 9.1).

Wir sparen Geld, um studieren zu können.	*We are saving money in order to be able to go to college.*

2. **So daß** indicates the *result* of an action.

Es regnete tagelang, **so daß** die Felder unter Wasser standen.	*It rained for days, so that the fields were under water.*
Es regnete **so** schwer, **daß** auch die Straßen überschwemmt waren.	*It rained so hard that even the streets were flooded.*

I. Daß

Daß *(that)* is often omitted, as in English, but then the clause is not subordinated and the verb remains in regular second position.

Compare:

Sie hofften, **daß** jemand sie besuchen würde. Sie hofften, jemand **würde** sie besuchen.	*They hoped (that) someone would visit them.*

J. Falls

Falls *(in case, if, providing)* is sometimes used instead of **wenn** to express possibility.

Du kannst mitkommen, **falls** du Lust hast.	*You can come along if you feel like it.*

K. Indem

Indem *(by [-] ing)* has an instrumental function; it expresses how someone achieves a result. Note that unlike English, German includes the subject again in the second clause.

Du kannst viel Geld sparen, **indem** du das Auto selber reparierst.	*You can save a lot of money by repairing the car yourself.*
Indem er viel trainierte, wurde er ein schneller und erfolgreicher Läufer.	*By training a lot, he became a fast and successful runner.*

L. Nachdem

The conjunction **nachdem** *(after)* should not be confused with the *preposition* **nach** (see 16.3) or the *adverb* **nachher** (see **Wortschatz** 23).

Compare:

Sie geht ins Kino, **nachdem** sie gegessen hat. *(conjunction)*	*She is going to the movies after she has eaten.*
Sie geht **nach** dem Essen ins Kino. *(preposition)*	*She is going to the movies after the meal.*
Sie ißt jetzt, und **nachher** geht sie ins Kino. *(adverb)*	*She is eating now, and afterwards she is going to the movies.*

M. Ob

Ob *(whether (if))* should not be confused with **wenn** (see p. 292).

Weißt du, **ob** der Zug schon angekommen ist?	*Do you know whether the train has already arrived?*

BUT:

Wenn der Zug hier ist, sollten wir sofort einsteigen.	*If the train is here, we should board immediately.*

N. Obgleich / obschon / obwohl

Obgleich, **obschon**, and **obwohl** all mean *although,* but **obwohl** is most common.

Der Redner sprach weiter, **obwohl** alle Zuhörer eingeschlafen waren.	*The speaker kept talking, although all members of the audience had fallen asleep.*

O. Seitdem

1. **Seitdem** (often abbreviated to **seit**) means *since* in a temporal sense. German uses the present tense with **seit(dem)** to express an action that began in the past and continues into present time; English requires the present perfect.

Seit(dem) wir dieses neue Buch *benutzen, lernen* wir mehr Deutsch.	*Ever since we have been using this new book, we have been learning more German.*

2. In addition to the conjunction **seit(dem)**, there are the dative *preposition* **seit** *(since, for)* (see 16.3) and the *adverbs* **seitdem** and **seither** (see **Wortschatz** 23).

Wir benutzen dieses neue Buch **seit** einigen Wochen, und **seitdem / seither** lernen wir mehr Deutsch.	*We have been using this new book for several weeks, and since then we have been learning more German.*

P. Sobald, solange, sooft

The conjunctions **sobald** *(as soon as),* **solange** *(as long as),* and **sooft** *(as often as)* are often used to indicate the condition for doing an action.

Sobald sie kommt, könnt ihr gehen.	*As soon as she comes, you can go.*
Du mußt hier bleiben, **solange** es regnet.	*You must stay here as long as it is raining.*
Sie sprechen Deutsch, **sooft** sie können.	*They speak German as often as they can.*

Q. Während

1. The conjunction **während** *(while)* indicates the simultaneous occurrence of two actions. This conjunction should not be confused with the *preposition* **während** *(during)* (see 16.5).

   Compare:

Während einige Kinder Fußball spielten, saßen andere im Sandkasten. *(conjunction)*	*While some children played soccer, others sat in the sandbox.*
Während der Ferien bleiben manche Leute zu Hause. *(preposition)*	*During school vacation some people stay home.*

2. The conjunction **während** can also be used to contrast two actions.

Im Rheinland trinkt man viel Wein, **während** man in Bayern oft Bier vorzieht.	*In the Rhineland people drink a lot of wine, while in Bavaria people often prefer beer.*

R. Weil *(see p. 293)*

S. Wenn . . . auch / auch wenn

Wenn . . . auch and **auch wenn** mean *even if* or *even though.* **Wenn** and **auch** are normally separated by one or more words or phrases when **wenn** precedes **auch**. They normally occur together when **auch** comes first.

Ich lese Kafkas Geschichten gern, **wenn** ich sie **auch** nicht verstehe (*or*: **auch wenn** ich sie nicht verstehe).	*I like to read Kafka's stories, even though / even if I do not understand them.*

T. Wenn . . . nicht / wenn . . . kein-

There is no exact German equivalent for *unless.* The most common way to express the same idea is by using **wenn** and the negating words **nicht** or **kein-**.

Wir werden nicht arbeiten, **wenn** Sie uns **nicht** bezahlen.	*We won't work unless you* (that is, *if you do not*) *pay us.*
Er kommt nicht, **wenn** er **keine** Zeit hat.	*He is not coming unless he has time.*

ÜBUNGEN

A. ***Aber* und *sondern*.** Ergänzen Sie die Sätze durch **aber** und **sondern**.

Beispiel: Ich kann Deutsch nicht schreiben . . .
*Ich kann Deutsch nicht schreiben, **sondern*** (ich kann) es nur sprechen.
*Ich kann Deutsch nicht schreiben, **aber*** ich verstehe es.

1. Meine Nachbarin ist keine Ärztin, . . .
2. Wir wollen keinen Krieg, . . .
3. Frankfurt liegt nicht am Rhein, . . .
4. Man soll nicht alles glauben, was in der Zeitung steht, . . .
5. In diesem Teil der Stadt gibt es nicht viele Geschäfte, . . .

B. **Ideen verbinden.** Drücken Sie die Sätze durch gepaarte Konjunktionen anders aus.

Beispiel: Ich habe ein rotes Fahrrad und ein blaues Fahrrad.
*Ich habe **sowohl** ein rotes Fahrrad **als auch** ein blaues.*
OR: *Ich habe **nicht nur** ein rotes Fahrrad, **sondern auch** ein blaues.*

nicht nur . . . sondern auch	entweder . . . oder
sowohl . . . als auch	weder . . . noch

1. In dieser Stadt wohnen viele reiche Menschen, aber auch viele arme.
2. Ich möchte keinen Tee. Ich möchte keinen Kaffee.
3. Wir wollen Deutschland besuchen. Wir wollen die Schweiz besuchen.
4. Du mußt Deutsch lernen, oder du mußt Französisch lernen, aber nicht beides.
5. Es gibt viele Fische im Meer, kleine und große.

Machen Sie wahre Aussagen mit jeder der gepaarten Konjunktionen.

C. **Wie geht es weiter?** Beenden Sie die Aussagen mit den folgenden Konjunktionen. Beginnen Sie jeden zweiten Satz (2, 4, 6, 8) mit einem subordinierten Nebensatz. Vergessen Sie nicht, daß im Nebensatz das konjugierte Verb am Ende steht.

Beispiel: Ich weiß, . . .
*Ich weiß, daß manche Menschen sehr intolerant **sind**.*
*Daß manche Menschen sehr intolerant **sind**, weiß ich.*

als ob	damit	nachdem
bevor / ehe	daß	ob
bis	indem	wenn

1. Es gefällt mir überhaupt nicht, . . .
2. Ich lerne Deutsch, . . .
3. Man kann gute Noten bekommen, . . .
4. Meine Eltern fragen mich immer wieder, . . .

5. Am besten putzt man sich die Zähne, . . .
6. Er wird sicher noch eine Weile dauern, . . .
7. Manche Menschen können sich nicht konzentrieren, . . .
8. Man muß lange studieren, . . .
9. Manche Menschen tun so, . . .

D. **Ben und Louise.** Drücken Sie die Sätze auf deutsch aus.

1. *When* Louise was in Berlin, she wrote Ben a letter.
2. She said *that* he should **(sollte)** visit her there *if* he ever came **(käme)** to Berlin.
3. He was very excited *because* he had never before **(noch nie)** been in Berlin.
4. He waited *until* the semester was over *before* booking a flight **(einen Flug buchen)**.
5. *By* booking with Lufthansa, he was able to fly directly to Berlin.
6. He phoned Louise *as soon as* he arrived in Berlin.
7. *But since* no one answered, he went directly to the youth hostel.
8. He left a message **(eine Nachricht hinterlassen)**, *in case* Louise called.
9. *While* (he was) standing in front of the youth hostel, he ran into **(traf)** Lisa.
10. She told him Louise had already returned to New York, *although* the semester was not yet over.

E. ***Als, wenn* und *wann*.** Machen Sie mit den Konjunktionen **als, wenn** und **wann** jeweils zwei Aussagen über sich oder über Ihr bisheriges Leben.

Beispiele: **Als** ich ein Kind war, habe ich mich immer gefreut, **wenn** wir Schnee hatten.

Ich bin nicht sicher, **wann** ich mit meinem Studium fertig werde.

F. **Warum?** Beantworten Sie die Fragen mit Hilfe der Konjunktionen **da, weil, denn** und **damit**.

Beispiel: Warum sind wir hier?
Weil wir nicht „dort“ sind.

1. Warum sind Frauen / Männer so kompliziert?
2. Warum gibt es nie genug Zeit?
3. Warum bekomme ich immer das kleinste Stück vom Kuchen?
4. Warum müssen wir sterben?
5. Warum stellen wir immer solche Fragen?

Stellen Sie fünf weitere solche Fragen an andere Studenten. Wer hat die besten Antworten?

G. **Ja, das möchte ich mal wissen!** Sagen Sie, was Sie wissen möchten. Verwenden Sie fünf verschiedene Fragewörter (siehe auch Kapitel 14, Übung G).

Beispiele: Ich möchte mal wissen, **warum** der Himmel blau ist.
wie man Glück im Leben findet.
was für einen Beruf ich wählen sollte.

ANWENDUNG

Taten und ihre Folgen. Haben Sie (oder jemand, den Sie kennen) einmal etwas besonders Großartiges / Wichtiges / Dummes getan? Erklären Sie jemandem, *wann* das war, *warum* es dazu kam und *was* die Folgen *(consequences)* davon waren.

REDEMITTEL

wann

Ja, das war damals, als . . .
Ehe ich . . .

warum

Vielleicht dachte ich, daß . . .
Ich habe es getan, damit / da / weil / denn . . .
Es war mir damals, als ob . . .

Folgen

Aber obwohl / sobald / indem ich . . .
Jedoch hatte ich nicht damit gerechnet *(figured),* daß . . .
So kam es, daß . . .
Aber jetzt weiß ich . . .

SCHRIFTLICHE THEMEN

TIPS ZUM SCHREIBEN *Writing with conjunctions*

You can make your sentences more interesting by using coordinating and subordinating conjunctions. Coordinating conjunctions enable you to add information **(und)** or show a contrast **(aber)**, a cause **(denn)**, or an alternative **(oder)**. Subordinate conjunctions prove particularly useful when expressing intention **(damit)**, cause **(da)**, reason **(weil)**, or contrast **(obwohl, während)**.

Vary your writing style by mixing longer sentences with shorter ones. Complex sentences with more than one clause work well in explanations, but you might make key points and conclusions in shorter, simple sentences.

If a subordinate clause contains information you wish to stress, consider beginning the sentence with this clause. Remember that all clauses in German must be set off by commas, and that in subordinate clauses the inflected verb is placed in final position.

A. **Rotkäppchen im guten Stil.** Verbessern Sie den Stil des folgenden Textabschnitts mit Hilfe von koordinierenden, subordinierenden und gepaarten Konjunktionen.

Rotkäppchen sollte ihrer Großmutter einen Korb bringen. Die Großmutter fühlte sich nicht wohl und lag im Bett. Rotkäppchen machte sich auf den Weg. Sie wanderte durch den Wald. Sie sang Lieder. Sie kam in den Wald. Sie traf einen Wolf. Das war aber ein böser Wolf. Rotkäppchen wußte das nicht.

„Guten Tag, Rotkäppchen," sagte der Wolf, „wo hinaus so früh?"

„Zur Oma."

„Und was trägst du im Korb?"

„Kuchen und Wein. Dann hat die Oma etwas zu essen. Dann hat sie etwas zu trinken."

Der Wolf meinte, sie sollte der Großmutter auch einen Blumenstrauß *(bouquet)* mitbringen. Besonders schöne Blumen wuchsen ja im Wald. Rotkäppchen dachte, der Wolf hatte recht. „Ich bringe der Oma einen Blumenstrauß. Das wird sie freuen."

Das Mädchen kam vom Weg ab immer tiefer in den Wald hinein. Sie suchte Blumen. Der Wolf lief stracks zum Haus der Großmutter.

Jetzt erzählen Sie diese Geschichte weiter. Verwenden Sie Konjunktionen.

B. **Eine Bildgeschichte.** Erzählen Sie nicht nur, was geschieht, sondern auch, was das Mädchen und der Hund denken, und *warum* sie so denken. Verwenden Sie die folgenden Konjunktionen und Vokabeln.

Konjunktionen:	aber	als	da (*oder:* weil / denn)
	daß	obwohl	während

Vokabeln:	die Wanne *(wash tub)*	näher kommen *(come closer)*
	füllen *(fill)*	stecken *(stick)*
	ausziehen *(take off)*	die Bürste *(brush)*

C. **Einen Standpunkt vertreten.** Schreiben Sie über ein Thema, wofür Sie sich besonders interessieren. Erklären Sie nicht nur, *wie* Sie dazu stehen, sondern auch *warum*.

THEMENVORSCHLÄGE

1. Sollten Kinder und Erwachsene weniger fernsehen?
2. Brauchen wir eine Energiesparpolitik?
3. Sollten alle Kinder eine Fremdsprache lernen?
4. Atomkraftwerke: ja oder nein?
5. Sollten Ausländer unbegrenzt in die USA / nach Deutschland einwandern dürfen?
6. Sollte man Euthanasie erlauben?

Beispiel:

Obwohl ich Fremdsprachen für sehr wichtig halte, bin ich nicht der Meinung, *daß* alle Schulkinder unbedingt eine Fremdsprache lernen sollten. Manche Kinder wollen es tun, *denn* sie interessieren sich für andere Länder und Kulturen. Aber es gibt andererseits Kinder, die . . . *Indem* man sie dazu zwingt, Fremdsprachen zu lernen, . . .

Wortschatz

EXPRESSIONS FOR *TO THINK*

Several German expressions can be translated as *to think,* but they have somewhat different meanings.

DENKEN

The verb **denken** changes its meaning depending upon the preposition or prefix with which it is used.

1. **denken** to think *(mental activity);* to think, believe; to think (something) possible *(see also* **sich denken, Wortschatz** *27).*

Sie **denkt** viel.	*She thinks a lot.*
Er **denkt,** daß es morgen regnen wird.	*He believes that it will rain tomorrow.*
Wer hätte das **gedacht?**	*Who would have thought that possible?*

2. **denken an** *(accusative)* to think of *or* about *(no opinion implied);* to think of, remember

Ein Held **denkt** nicht **an** die Gefahr.	*A hero does not think about the danger.*
Der alte Mann **dachte** oft **an** seine verstorbene Frau.	*The old man often thought of his deceased wife.*

3. **denken von** to think of, have an opinion

Was **denkst** du **von** seinem Plan?	*What do you think of his plan?*
—Ich **denke** viel **davon**.	*I think highly of it.*

4. **nachdenken über** *(accusative)* to think about *or* over, reflect upon, ponder *(but not to weigh alternatives)*

Die Beamtin hat **über** das Problem **nachgedacht**.	*The official thought about the problem.*

ÜBERLEGEN

This verb can be used either with the dative reflexive or nonreflexively.

1. **überlegen** to think about, ponder, consider *(alternatives or possibilities)*

Sie **überlegt** gerade, ob sie mitgehen sollte oder nicht.	*She is considering just now whether she should go along or not.*

2. **sich etwas überlegen** to think something over, consider something

Das muß ich **mir überlegen**.	*I'll have to think that over.*
Haben Sie **sich** mein Angebot **überlegt**?	*Have you considered my offer?*

MEINEN AND GLAUBEN

These verbs are used to ask for and express opinions. They are very similar in meaning.

1. **meinen** to think, be of the opinion, mean, say

Was hat er damit **gemeint**?	*What did he mean by that?*
Sie **meinte,** daß wir jemanden um Rat bitten sollten.	*She said / thought that we should ask someone for advice.*

2. **glauben** to think (that is, *believe*)

Glaubst du, daß er recht hat?	*Do you think he is right?*

HALTEN VON AND HALTEN FÜR

1. **Halten von** to think of, have an opinion. This expression is synonymous with **denken von** and is often used to ask for an opinion.

Was **halten** Sie **von** solchen Leuten?	*What do you think of such people?*

As a statement, **halten von** can only be used with **viel, wenig, etwas,** or **nichts**.

Ich **halte wenig von** solchen Leuten.	*I think little of such people.*

2. **halten für** to think someone or something is, regard as, consider (to be). In statements, this expression is completed either with a noun in the accusative case (after **für**) or with an adjective.

Wofür hältst du mich?	*What do you think I am?*
Ich **halte** dich **für** einen Narren / **für** närrisch.	*I think you are a fool / foolish.*

Compare the following usage of **halten von** and **halten für**.

Was **hältst** du **von** dem Plan des Bürgermeisters?	*What do you think of the mayor's plan?*
Ich **halte** nicht viel **von** seinem Plan.	*I do not think very highly of it.*
Ich **halte** seinen Plan **für** ganz geschickt.	*I consider his plan (to be) quite clever.*

A. **Das denkt er nur.** Drücken Sie die Sätze auf deutsch aus. Es gibt für einige Sätze verschiedene Möglichkeiten.

1. He thinks we are his enemies.
2. Why do you think he thinks that?
3. He thinks we don't like him any more.
4. I think he should think about what he says.
5. Oh, don't think about it anymore!

B. **Halten von** und **halten für.** Fragen Sie einen Partner / eine Partnerin im Kurs nach seiner / ihrer Meinung über bekannte Menschen oder Ereignisse. Stellen Sie drei bis fünf Fragen mit **halten von.** Ihr Partner / Ihre Partnerin soll die Fragen mit **halten für** beantworten.

Beispiel: Was hältst du von der neuen Politik des Präsidenten?
Ich halte sie (seine Politik) für schlecht.

CHAPTER 26

Relative Pronouns

26.1 Relative Clauses

Both in English and German, relative clauses **(der Relativsatz, ̈-e)** supply specific information about a previously mentioned person, thing, or idea. A relative clause normally follows the word to which it refers. Since it is a clause, it must have a subject and a verb; thus it usually provides more information than an adjective.

Compare:

Dieses **kleine** Land hat einen hohen Lebensstandard. *(adjective modifier)*	*This small country has a high standard of living.*
Dieses Land, **das viel kleiner ist als seine Nachbarländer**, hat einen hohen Lebensstandard. *(relative clause modifier)*	*This country, which is much smaller than its neighbors, has a high standard of living.*

26.2 Relative Pronouns

A. *Forms*

1. In English, relative clauses are normally introduced by the relative pronouns *who, whom, whose, that* (for persons) and *which, that* (for things). The noun or pronoun to which they refer is called the *antecedent*.

antecedent	*relative clause*
The man	*who* came to dinner
The children	(to) *whom* we gave the presents
The book	*that* they read

In German, a relative clause is introduced by a relative pronoun **(das Relativpronomen, -)** that has *number, gender,* and *case.* With the exception of the dative plural and the four genitives, the forms of the relative pronoun are identical to those of the definite article.[1]

	Masc.	*Fem.*	*Neut.*	*Pl.*
Nom.	der	die	das	die
Acc.	den	die	das	die
Dat.	dem	der	dem	**denen**
Gen.	**dessen**	**deren**	**dessen**	**deren**

2. There is an alternative set of relative pronouns using the declined forms of **welch-** *(which).* These forms are quite uncommon and used primarily to avoid repetition of identical words.

Da kommt die, **welche** die Vasen gekauft hat. — *Here comes the one who bought the vases.*

INSTEAD OF:

Da kommt die, die die Vasen gekauft hat.

26

B. Use

1. A relative clause is a subordinate clause; the inflected verb therefore moves to final position within this clause.

Compare:

Ihr Freund wohnt in Marburg. **Er** ist ein bekannter Journalist.

verb ⟶

Ihr Freund, **der** ein bekannter Journalist ist, wohnt in Marburg.

Her friend, who is a well-known journalist, lives in Marburg.

[1] Historically, both relative pronouns and definite articles evolved from the demonstrative pronouns; the genitive articles **des** and **der** and the dative plural article **den** are simply shortened forms of the demonstratives **dessen, deren**, and **denen**.

2. A relative pronoun has the same *gender* and *number* as the word to which it refers (its antecedent).

Ihr Freund, **der** in Marburg wohnt, . . .

Ihre Schwester, **die** in Bremen studiert, . . .

3. Relative pronouns are often the subject of relative clauses and are therefore in the nominative case. They can also occur as accusative or dative objects, as objects of prepositions, or as genitive constructions (see 26.3). Thus the *case* of a relative pronoun is determined not by the case of its antecedent, but by the grammatical function of this relative pronoun within its own clause.

Wir brauchen einen Politiker, . . .	*We need a politician . . .*
der unsere Interessen vertritt. *(subject)*	*who represents our interests.*
den jedermann respektiert. *(accusative object)*	*whom everyone respects.*
mit dem man auch reden kann. *(object of a preposition)*	*with whom one can also speak.*
Sie sollten zu einer Ärztin gehen, . . .	*You should go to a doctor . . .*
die Sprechstunden auch am Abend hat. *(subject)*	*who also has office hours in the evening.*
die Sie besser kennen. *(accusative object)*	*whom you know better.*
zu der Sie Vertrauen haben. *(object of a preposition)*	*in whom you have trust.*
Er hat ein Problem, . . .	*He has a problem . . .*
das nicht weggehen will. *(subject)*	*that / which won't go away.*
das er lösen muß. *(accusative object)*	*that / which he has to solve.*
über das er nicht gern spricht. *(object of a preposition)*	*about which he does not like to talk.*
Das Buch schildert Völker, . . .	*The book portrays peoples . . .*
die in Osteuropa wohnen. *(subject)*	*that / who live in Eastern Europe.*
die man im Westen nicht gut kennt. *(accusative object)*	*that / whom people in the West do not know well.*
denen wir helfen sollten. *(verb with dative object)*	*that / whom we should help.*

4. Relative clauses in German must be set off by commas.

5. Relative pronouns cannot be omitted in German, as they often may be in English.

Er liest das Buch, **das** ich ihm gab.	*He's reading the book I gave him.*

6. A preposition used with a relative pronoun must be at the beginning of the relative clause. It cannot be placed at the end of the sentence, as is common practice in colloquial English.

Das ist der Urlaub, **von dem** ich träume.	*That's the vacation (that) I'm dreaming of.*

7. A relative clause normally follows the antecedent *with its modifiers* as closely as possible.

Er kennt einen Autor aus der Schweiz, **der** Kurzgeschichten schreibt.	*He knows an author from Switzerland who writes short stories.*
Die Autorin, **die** diesen Roman geschrieben hat, kommt aus der ehemaligen DDR.	*The author who wrote this novel comes from the former GDR.*

It is preferable, however, not to split up a sentence by inserting a relative clause between an antecedent and an immediately following participle or short infinitive phrase.

Compare:

Preferable Sie hat Bücher bestellt, **die** er schon kennt.	*She has ordered books that he already knows.*
Awkward Sie hat Bücher, **die** er schon kennt, bestellt.	
Preferable Ich möchte einen Rucksack kaufen, **der** nicht so teuer ist.	*I would like to buy a backpack that isn't so expensive.*
Awkward Ich möchte einen Rucksack, **der** nicht so teuer ist, kaufen.	

26.3 Genitive Relative Pronouns

As with all other relative pronouns, use of the genitive forms **dessen** and **deren** *(whose, of which)* is determined by the antecedent, not by the word which follows the relative pronoun. **Dessen** refers to a masculine or a neuter noun, **deren** to a feminine or a plural one.

Wir haben einen Hund, **dessen** Beine sehr lang sind.	*We have a dog whose legs* (that is, *the legs of which*) *are very long.*
Wir haben eine Katze, **deren** Beine sehr kurz sind.	*We have a cat whose legs* (that is, *the legs of which*) *are very short.*

Prepositions used before **dessen** or **deren** do not affect the case of these two relative pronouns; the following noun is the object of the preposition.

Kennst du die Familie, **in deren** altem Haus wir übernachten werden?	*Do you know the family in whose old house we will spend the night?*
Da kommt der Mann, **von dessen** schrecklichem Unfall du uns erzählt hast.	*Here comes the man whose terrible accident you told us about.*

26.4 Was, wo-Compounds, and wo as Relative Pronouns

A. Was

Was is used as a *definite* relative pronoun with reference to

1. the antecedents **etwas, nichts, alles, viel(es), wenig(es), manches, einiges,** and the demonstratives **das** and **dasselbe**.

Es gibt fast nichts, **was** ihn überrascht.	*There is almost nothing that surprises him.*
Er tut dasselbe, **was** sie tut.	*He does the same thing (that) she does.*

2. neuter adjective nouns, usually in the superlative.

Das war das Beste, **was** er je getan hat.	*That was the best thing (that) he ever did.*

3. neuter ordinal numbers.

Das erste, **was** wir tun müssen, ist Folgendes:	*The first thing (that) we must do is the following:*

4. an antecedent that is an entire clause or activity.

Im Tiergarten haben wir einen Eisbären gesehen, **was** sehr interessant war.	*At the zoo we saw a polar bear, which was very interesting.* (that is, *the experience of seeing a polar bear was interesting*)

Ihre Gesundheit ist das Beste, was Sie haben.

Compare:

Wir haben einen Eisbären gesehen, **der** sehr interessant war. (that is, *the polar bear itself was interesting*)

B. Wo-*Compounds*

1. Prepositions are not normally used with the relative pronoun **was**; **wo**-combinations **(worauf, wodurch, womit,** etc.) are used instead.

Gib mir etwas, **womit** ich schreiben kann.	*Give me something with which I can write.*
Sie hat den ersten Preis gewonnen, **worauf** sie sehr stolz ist.	*She won first prize, of which she is very proud.* (that is, *she is proud of the fact that she won first place*)

2. A **wo**-compound may also be used to refer to a specific antecedent that is *not a person.* However, the preposition + relative pronoun **(der, die, das,** etc.) is generally preferred.

Acceptable	*Preferable*
Hier ist die Flasche, **woraus** er getrunken hat.	Hier ist die Flasche, **aus der** er getrunken hat.

Note that neither **da**-compounds (see 17.1) nor **wo**-compounds (see 14.2) can be used when the antecedent is a person.

C. Wo

As in English, the adverb **wo** *(where)* can function as a relative pronoun referring to an antecedent that is a place or location.

Wir haben die Fabrik besucht, **wo** *(or:* **in der***)* sie arbeitet.	*We visited the factory where* (or: *in which*) *she works.*

26.5 The Indefinite Relative Pronouns **wer** and **was**

A. Wer *and* was *(Who / What)*

1. The *indefinite* relative pronoun **wer (wen, wem, wessen)** meaning *who (whom, whose)* is used when there is no antecedent referring to a specific person.

Er will nicht sagen, **wer** den Krug zerbrochen hat. *(nominative)*	*He does not want to say who broke the jug.*

Ich weiß nicht, **wen** sie heiratet. *(accusative)*	*I do not know whom she is going to marry.*
Sag uns, **mit wem** du gesprochen hast. *(dative)*	*Tell us with whom you spoke.*
Die Polizei konnte nicht feststellen, **wessen** Hund das Kind gebissen hatte. *(genitive)*	*The police were not able to ascertain whose dog had bitten the child.*

2. **Was** functions like **wer** but refers to things or concepts.

Er hat nie gesagt, **was** er wirklich gedacht hat.	*He never said what he really was thinking.*

B. Wer *and* was *(Whoever / Whatever)*

1. **Wer** and **was** can also be used to mean *whoever (he / she who)* and *whatever* respectively. In this usage, the first clause begins with **wer** or **was**, and the second clause generally begins with an optional demonstrative pronoun (see 13.3).

Wer ihm hilft, **(der)** bekommt ein freies Essen.	*Whoever helps him gets a free meal.*

2. The demonstrative pronoun must be used if it is not in the same case as **wer**.

Wer mich um Hilfe bittet, **dem** werde ich helfen.	*Whoever asks me for help, I will help.*

3. Both **wer** and **was** occur frequently in proverbs and sayings.

Wer aus der Haut fährt, **(der)** lebt außer sich.	*He who leaps out of his skin lives beside himself.*
Was ich nicht weiß, **(das)** macht mich nicht heiß.	*What I don't know won't hurt me.*

ÜBUNGEN

A. **Am Rhein.** Schreiben Sie Relativsätze.

Beispiel: Der Rhein ist ein Fluß. Er fließt durch mehrere Länder.
Der Rhein ist ein Fluß, der durch mehrere Länder fließt.

1. Am Rhein stehen viele alte Burgen *(castles)*. Sie stammen aus dem frühen Mittelalter.
2. Hoch oben auf einem Rheinfels *(cliff)* sitzt die Lorelei. Sie singt ein altes Lied.
3. Auf beiden Seiten des Rheins wächst der Wein. Den trinken die Rheinländer so gern.

4. Der Rhein fließt durch einige große Städte. In ihnen gibt es jetzt viel Industrie und auch viel Umweltverschmutzung *(air pollution).*
5. Die Mosel mündet *(empties)* bei der Stadt Koblenz in den Rhein. Sie ist über zweitausend Jahre alt.
6. Touristen können mit Schiffen auf dem Rhein fahren. Sie wollen die Romantik dieses Flusses näher kennenlernen.

B. **Eine gute Wanderausrüstung.** Sie und ein paar Freunde wollen eine Woche in den Bergen wandern. Sie sprechen mit dem Verkäufer im Sportgeschäft.

Beispiel: Wir brauchen Anoraks *(parkas),* ____ wasserdicht sind.
Wir brauchen Anoraks, die wasserdicht sind.

1. Wir brauchen Bergschuhe, ____ aus Leder sind.
2. Wir suchen Rucksäcke, ____ leicht sind und in ____ man viel tragen kann.
3. Wir möchten eine Wanderkarte, auf ____ auch schwierige Touren eingezeichnet *(marked)* sind.
4. Es wäre auch gut, einen Kompaß zu haben, ____ man auch bei Nacht lesen kann.
5. Haben Sie auch ein Zelt *(tent),* in ____ drei Personen schlafen können?
6. Zuletzt muß jeder von uns eine Brille tragen, ____ unsere Augen vor der Höhensonne schützt *(protects).*

C. **Personenbeschreibung.** Was wissen wir über Anita und Willi? Verwenden Sie Relativpronomen.

Beispiel: Sie kann mehrere Sprachen.
Sie ist eine Frau, die mehrere Sprachen kann.
OR: *Sie ist eine Person, die mehrere Sprachen kann.*

Anita

1. Alle Leute mögen sie.
2. Sie spricht gern über Politik.
3. Sie treibt viel Sport.
4. Zu ihr kann man kommen, wenn man Probleme hat.
5. Willi könnte ohne sie nicht glücklich sein.
6. Ihr Lachen ist ansteckend *(contagious).*

Beispiel: Er arbeitet sehr fleißig.
Er ist ein Mann, der sehr fleißig arbeitet.
OR: *Er ist jemand, der sehr fleißig arbeitet.*

Willi

1. Alle Leute mögen ihn.
2. Mit ihm kann man sich gut unterhalten (*converse*).
3. Er kocht sehr gern.
4. Man hört über ihn nur Positives.

5. Man kann ihm trauen.
6. Sein Englisch ist recht gut.

Beschreiben Sie jetzt jemanden, den Sie kennen. Schreiben Sie fünf bis sechs Sätze mit verschiedenen Relativpronomen.

D. **Die Dinge nur loswerden.** In Ihrer Garage gibt es noch viel altes Gerümpel *(junk)*, das Sie gern loswerden möchten. Versuchen Sie, andere Leute zum Kauf dieser Dinge zu überreden *(persuade)*.

Beispiele: Hier ist ein Fahrrad, **das** noch gut fährt

Hier sind ein paar alte Hobby-Zeitschriften, **in denen** es interessante Artikel gibt.

1. ein Kinderwagen mit nur drei Rädern
2. Plakate *(posters)*
3. ein leeres Aquarium
4. eine Öllampe
5. Autoreifen *(tires)*
6. ein kleines Modellflugzeug mit Motor
7. ein künstlicher Weihnachtsbaum
8. alte Kleidungsstücke

Und was für unwiderstehliche *(irresistible)* Dinge gibt es wohl auch noch in Ihrer Garage?

E. **Situationen.** Wie drücken Sie die folgenden Ideen aus?

Beispiel: You are looking for a pencil with which to write.
Ich suche einen Bleistift, mit dem ich schreiben kann.

1. You can't find the coat you just bought.
2. You have a friend *(masculine or feminine)* for whom you would like to buy a present.
3. You want to buy a couple of pets **(Haustiere)** you can play with.
4. You want to learn a foreign language many people speak.
5. There is much **(viel)** you simply don't understand.

Machen Sie jetzt drei bis vier Aussagen über Dinge, die Sie wirklich brauchen oder haben möchten, die Sie aber jetzt nicht haben.

F. **Tips für Europabesucher.** Machen Sie aus zwei Sätzen einen Satz mit Relativpronomen im Genitiv. Übersetzen Sie die neuen Sätze.

Beispiel: Auf dem Land gibt es viele Pensionen. Ihre Zimmer sind nicht so teuer .

Auf dem Land gibt es Pensionen, deren Zimmer nicht so teuer sind.

In the countryside there are bed-and-breakfast establishments whose rooms are not so expensive.

1. Im Herbst fahren viele Touristen in den Kaiserstuhl (Weingebiet in Südbaden). Seine Weine genießen einen besonders guten Ruf.
2. Man soll unbedingt auf den Dachstein (im Land Salzburg) hinauffahren. Von seinem Gipfel *(summit)* aus hat man einen herrlichen Panoramablick auf die umliegende Alpenwelt.
3. Im Sommer pilgern viele Touristen zum Kitzsteinhorn (Berg in Österreich). Auf seinen Gletschern *(glaciers)* kann man auch im Sommer Ski laufen.
4. Zu den großen Natursehenswürdigkeiten *(natural attractions)* Europas gehört die Adelsberger Grotte (in Slovenien). Ihre Tropfsteine *(stalactites)* bewundern Tausende von Besuchern jedes Jahr.
5. Besonders beliebt sind überall im Alpengebiet die Kurorte *(health resorts)*. Ihre Bergluft ist besonders gesund.

Gibt es denn auch in Ihrem Land oder in anderen Ländern, die Sie kennen, Sehenswürdigkeiten, die man unbedingt besuchen sollte? Schreiben Sie bitte drei Sätze mit **dessen** oder **deren**.

G. ***Der, die, das, was* oder *wo?*** Beenden Sie die Sätze mit passenden Relativsätzen.

Beispiele: Ich habe einen Computer, . . .
Ich habe einen Computer, **der** *mir Spaß macht.*

Ich tue alles, . . .
Ich tue alles, **was** *mir Spaß macht.*

1. Ich möchte das tun, . . .
2. Ameisen *(ants)* sind Insekten, . . .
3. Manche Menschen sind intolerant, . . .
4. Deutsch ist eine Sprache, . . .
5. Liechtenstein ist ein Land, . . .
6. Es gibt viele Dinge, . . .
7. Ich weiß viel, . . .
8. Eine schwere Krankheit wäre *(would be)* das Schlimmste, . . .
9. Es gibt noch manches, . . .
10. Ich möchte an einen Ort reisen, . . .

H. **Was ich alles möchte.** Ergänzen Sie die Sätze. Verwenden Sie entweder Präpositionen mit Relativpronomen oder **wo-** plus Präposition.

Beispiele: Ich möchte einen Freund haben, . . . (mit / über)
Ich möchte einen Freund haben, **mit dem** *ich über alles sprechen kann.*

Ich möchte nichts tun, . . . (über / von)
Ich möchte nichts tun, **worüber** *ich mich später schämen müßte.*

1. Ich möchte Professoren haben, . . . (mit / von / für)
2. Ich möchte etwas studieren, . . . (mit / über)

3. Ich würde gern einen Beruf erlernen, . . . (in / durch)
4. Ich möchte später viel(es) sehen, . . . (von / über)
5. Ich möchte später an / in einem Ort wohnen, . . . (an / in)

I. **Was die Eltern nicht wissen.** Es gibt gewiß einiges, was Ihre Eltern über Sie nicht wissen. Erzählen Sie in etwa fünf Sätzen davon. Verwenden Sie **was** und Formen von **wer**.

Beispiel: Meine Eltern wissen nicht, . . .
Meine Eltern wissen nicht, ***wer*** *mein fester Freund ist.*
mit wem *ich jeden Tag zu Mittag esse.*
was *ich abends tue, wenn ich keine Hausaufgaben habe.*

J. **Sprüche und Antisprüche.** Was bedeuten diese Sprüche bekannten? Erfinden Sie eigene Varianten (Antisprüche!) dazu. Je cleverer, desto besser!

Beispiel: Wer im Glashaus sitzt, soll nicht mit Steinen werfen.
Wer im Glashaus sitzt, ***(der)*** *soll keinen Krach* (noise, racket) *machen.*
(den) *sieht jeder.*
(der) *braucht gute Vorhänge* (curtains).

1. Wer *a* sagt, muß auch *b* sagen.
2. Wer den Pfennig nicht ehrt *(respects),* ist des Talers nicht wert.
3. Wer nichts wagt *(dares),* gewinnt nichts.
4. Wer zuletzt lacht, lacht am besten.
5. Was ich nicht weiß, macht mich nicht heiß.
6. Was man nicht im Kopf hat, muß man in den Beinen haben.

Erfinden Sie ein paar „weise" Sprüche dieser Art! Es gibt doch tausend Möglichkeiten!

ANWENDUNG

A. **Fotos.** Bringen Sie ein paar Fotos oder Dias *(slides)* von einer Reise oder einer Episode aus Ihrem Leben zur Unterrichtsstunde mit. Erklären Sie die Orte und Menschen auf Ihren Bildern. Sie sollen selbstverständlich Relativpronomen verwenden.

REDEMITTEL

Urlaub, den man nie vergißt.

Hier seht ihr . . . , die . . .
Die Leute auf diesem Bild . . .
Links / rechts im Bild sind die . . . , die wir . . .
Das war in einem [Hotel], in dem / wo . . .

B. **Gut und nicht so gut.** Was für Dinge (Menschen, Gegenstände, Ideen, usw.) finden Sie gut oder nicht so gut? Diskutieren Sie mit anderen Studenten darüber. Verwenden Sie Relativpronomen.

REDEMITTEL

Gut finde ich die [Kurse], die / in denen . . .
Nicht so gut finde ich das, was . . .
Ich halte viel / nichts von [Menschen], die . . .
Ich mag [Städte] (nicht), wo / in denen . . .

C. **Zukunftswünsche.** Diskutieren Sie mit anderen Studenten über ihre Wünsche für die Zukunft.

REDEMITTEL

Ich suche vor allem einen Beruf, . . .
Natürlich möchte ich Kollegen haben, . . .
Vielleicht kann ich in einer Stadt / in einer Gegend wohnen, wo . . .
Hoffentlich lerne ich einen Mann / eine Frau kennen, . . .
Ich möchte selbstverständlich auch noch eine Familie haben, . . .
Ich möchte übrigens auch nichts / etwas erleben, was . . .

D. **Eindrücke und Meinungen.** Fragen Sie andere Personen, was sie von gewissen bekannten oder berühmten Persönlichkeiten halten. Diskutieren Sie darüber.

REDEMITTEL

Was denken / halten Sie von . . . ?
Wie ist Ihr Eindruck von . . . ?
Ich halte ihn / sie für eine Person, die / der / deren . . .
Nun, (ich finde,) das ist ein Mensch, der / den / dem / dessen . . .
Er / sie kommt mir wie jemand vor, der . . .
Meiner Meinung nach hat er / sie etwas getan, was . . .
Nun, wer so etwas tut, der / den / dem . . .

SCHRIFTLICHE THEMEN

TIPS ZUM SCHREIBEN *Using and avoiding relative clauses*

Relative clauses work well in analytical writing; they enrich your prose by providing additional information about the persons and things you wish to discuss. Since relative clauses tend to interrupt the flow of a sentence, you should use them sparingly, however, particularly in fast-paced narratives or in compositions where the emphasis is on action(s) rather than explanation. Often a descriptive prepositional phrase can convey the same information (see **Tips zum Schreiben**, Chapter 16). For example, **die Familie, die in der nächsten Straße**

wohnt, is expressed more succinctly by **die Familie in der nächsten Straße**. A relative clause with **haben** (for example, **die Studentin, die das Buch hatte**) can invariably be replaced by a prepositional phrase **(die Studentin mit dem Buch)**. Relative clauses with the verb **sein (die Preise, die sehr hoch waren)** are even less desirable, since an adjective construction **(die sehr hohen Preise)** usually supplies the same information. (See also **Tips zum Schreiben** in Chapter 19.)

A. **Charakterbeschreibung.** Beschreiben Sie eine Person, die Sie kennen, oder einen Charakter aus einem Buch oder einem Film.

Beispiel:

Oskar ist ein Mensch, der die Welt anders sieht als andere Menschen. Er redet auch dauernd von Dingen, die andere Menschen nicht interessieren. Wenn er z.B. . . .

B. **Es war(en) einmal . . .** Schreiben Sie eine kleine Geschichte, die so anfängt. Verwenden Sie mindestens fünf verschiedene Relativpronomen.

C. **Der Mensch.** Schreiben Sie einen Aufsatz mit diesem Titel. Vielleicht gibt Ihnen der folgende Textauszug *(excerpt)* ein paar Ideen.

Man könnte den Menschen geradezu *(frankly)* als ein Wesen *(being)* definieren, das nie zuhört . . . Jeder Mensch hat eine Leber, eine Milz *(spleen)*, eine Lunge und eine Fahne *(flag)* . . . Es soll Menschen ohne Leber, ohne Milz und mit halber Lunge geben; Menschen ohne Fahne gibt es nicht . . . Menschen miteinander gibt es nicht. Es gibt nur Menschen, die herrschen *(rule)*, und solche, die beherrscht werden . . . Im übrigen *(in other respects)* ist der Mensch ein Lebewesen, das klopft, schlechte Musik macht und seinen Hund bellen läßt . . . Neben den Menschen gibt es noch Sachsen *(Saxons)* und Amerikaner, aber die haben wir noch nicht gehabt und bekommen Zoologie erst in der nächsten Klasse. (Kurt Tucholsky, 1890–1935)

Wortschatz

CATEGORIES OF THINGS

The following words designate general categories of nouns. They are useful when classifying or defining items.

der Apparat, -e / **das Gerät, -e** } apparatus, tool, device, piece of equipment

die Einrichtung, -en layout, setup, contrivance; furnishings

das Fahrzeug, -e vehicle

das Gebäude, - building
der Gegenstand, ⸚e object, thing, item
das Instrument, -e instrument
die Krankheit, -en illness
die Maschine, -n machine
das Medikament, -e medicine, drug
das Mittel, - means, medium

das Möbel, - *(piece of)* furniture
das Spiel, -e game
  das Brettspiel, -e board game
  das Kartenspiel, -e card game
das Spielzeug, -e toy
der Stoff, -e material, cloth, fabric
das Transportmittel, - means of transportation
das Werkzeug, -e tool, implement

A. **Was ist das?** Schreiben Sie Definitionen. Verwenden Sie Relativsätze oder substantivierte Infinitive (siehe 9.1).

Beispiele: das Klavier
Ein Klavier ist ein (Musik)instrument, das 88 Tasten (keys) *hat.* (Relativsatz)

die Schere *(scissors)*
Eine Schere ist ein Werkzeug zum Schneiden. (substantivierter Infinitiv)

1. die Kirche
2. das Penizillin
3. (das) Poker
4. die Uhr
5. der Hammer
6. (die) Baumwolle *(cotton)*
7. die Schlaftablette
8. der Krebs *(cancer)*

Schreiben Sie fünf weitere Definitionen für Gegenstände aus fünf verschiedenen Kategorien.

B. **Zurück in die Zukunft.** Was für technische Erfindungen *(inventions)* des 20. Jahrhunderts würde jemand aus einem früheren Jahrhundert gar nicht verstehen? Wie könnte man solche Erfindungen erklären?

VORSCHLÄGE

1. das Auto, -s
2. der Computer, -
3. der Fernseher, -
4. das Flugzeug, -e
5. das Penizillin
6. die Rolltreppe, -n
7. der Fernkopierer, - *(fax machine)*
8. der Satellite, -n (weak noun, see 11.3)
9. das Telefon, -e
10. der Videorecorder, -

COGNATES

English and German both stem from the Germanic branch of the Indo-European languages. Many words in both languages derive from a common root word and are called *cognates (co-natus* = "co-born"). Sometimes such words have maintained a similar spelling and meaning in both languages and are quite obvious: **das Wort** (cognate: *word),* **finden** (cognate: *to find).* Frequently, however, the related meanings have diverged or become obscured over the centuries: **das Geld** *(money*; cognate: *yield),* **schmerzen** *(to hurt, pain*; cognate: *to smart).*

One important linguistic development separating German from English is a shift in consonants known as the "second sound shift" **(die zweite Lautverschiebung)**. Knowing the relationships between consonants in the two languages can help in identifying cognates and can make their meanings easier to remember.

Consonant Relationships

German	*English*	*Example*
t, tt	d	**Tür** door; **anstatt** instead
d	th	**drei** three; **Erde** earth
s, ss, ß	t	**das** that; **was** what
		essen eat; **lassen** let
		Fuß foot; **weiß** white
z, tz	t[2]	**zwanzig** twenty; **Herz** heart
		Katze cat; **sitzen** sit
b	v	**sieben** seven; **geben** give
ch	gh	**Licht** light; **lachen** laugh
ch	k	**brechen** break; **Woche** week
f, ff, pf	p(p)	**helfen** help; **hoffen** hope
		Apfel apple; **Pfeife** pipe
g	y	**sagen** say; **Weg** way
mm	mb	**Kammer** chamber; **Lamm** lamb
sch	sh	**Fleisch** flesh; **scharf** sharp
schl	sl	**schlafen** sleep
schm	sm	**Schmied** smith
schn	sn	**Schnee** snow
schw	sw	**schwimmen** swim

When trying to guess cognates on the basis of consonant shifts, first make the consonant changes, retaining the German root vowels. Then pronounce the

[2] In *st* combinations, the consonant *t* remains the same in both languages: ***Sturm*** *(storm).*

new word in German. Does it sound at all like an English word? Try substituting various similar vowels, and use your imagination.

Zeitung *(newspaper)* → T**ei**ding → tiding(s)[3]
sterben *(die)* → ster**v**en → starve[4]

A. **Wie heißt der Kognat?** Geben Sie englische Kognate für die folgenden Wörter. Unterstreichen Sie die verschobenen *(shifted)* Konsonanten. Geben Sie auch die englische Bedeutung des Wortes, wenn die Bedeutung anders ist als der Kognat.

Beispiel: Herd
Herd: hearth (stove)

leicht

1. Seite
2. Pfund
3. Teufel
4. Heim(at)stadt
5. dachte
6. Zunge
7. grüßen
8. leicht
9. durch
10. Dieb
11. Auge
12. Feder
13. Witz
14. recht
15. Sicht
16. Harfe
17. anders
18. Scham
19. gleiten
20. schmelzen

nicht mehr so leicht (Die Antworten finden Sie unten.)

1. Wert *(value)*
2. Zug
3. treten *(step)*
4. Bude *(stall)*
5. Knabe *(youth)*
6. Knecht *(farmhand, servant)*
7. Zweig *(branch)*
8. Frachter *(type of boat)*
9. Flasche
10. kurz
11. heben *(lift, elevate)*
12. teuer *(expensive)*
13. eben
14. bieten
15. Zoll *(customs)*
16. Becher *(goblet)*
17. Griff *(handle)*
18. suchte
19. Tier
20. Macht *(power, strength)*

---

[3] The word **Zeitung** originally meant **news** in German. With the introduction of newspapers in the seventeenth century, the word took on its present-day meaning. The word *tiding* is preserved in English phrases such as "Christmas tidings" and "tidings of great joy."

[4] In former times, starvation was one of the most common causes of death; to starve was to die.

Answers: **nicht mehr so leicht:** 1. worth 2. tug 3. tread 4. booth 5. knave 6. knight 7. twig 8. freighter 9. flask 10. curt 11. heave 12. dear 13. even 14. bid 15. toll 16. beaker 17. grip 18. sought 19. deer 20. might *recht schwierig* (Hier wird die zweite Lautverschiebung Ihnen nicht immer helfen. Die Antworten finden Sie unten.)

1. eitel *(vain)*
2. fahren
3. kühn *(bold)*
4. Zimmer
5. Schmutz *(dirt)*
6. Tal *(valley)*
7. Ziel *(goal)*
8. Herbst
9. riechen *(smell)*
10. laufen
11. teilen *(divide, distribute)*
12. wachsen
13. traurig
14. Mut *(courage)*
15. gleich
16. zwischen
17. Zaun *(fence)*
18. Dach *(roof)*
19. Baum
20. werfen *(throw)*

B. **Kognate suchen.** Suchen Sie zehn deutsche Wörter, für die es englische Kognate gibt. Je schwieriger, desto besser! Lassen Sie andere Studenten die englischen Kognate erraten *(guess correctly)*.

Answers: **recht schwierig:** 1. idle 2. fare (ye well) 3. keen 4. timber 5. smut 6. dale 7. (un)til 8. harvest 9. reek 10. lope 11. deal 12. (a waxing) moon 13. dreary 14. mood 15. like 16. twixt 17. town (village with a wall around it) 18. thatch 19. boom (To "lower the boom" originally meant to let down the wooden barrier on a toll road, thus preventing travelers from proceeding without paying.) 20. warp

CHAPTER 27

Conditional Subjunctive (Subjunctive II)

27.1 Subjunctive versus Indicative

In both English and German, the *indicative* mood (from Latin **modus** = *mode*) is used to express a real condition and its conclusion or result.

Condition *Conclusion / Result*
Wenn er **kommt**, **werden** wir ein Picknick machen.
If he comes, we will have a picnic.

The *subjunctive II* **(der zweite Konjunktiv)** is used to express an unreal, hypothetical, or contrary-to-fact condition and its conclusion or result.

Condition *Conclusion / Result*
Wenn er **käme**, **würden** wir ein Picknick machen.
If he came / were coming, we would have a picnic.

27.2 Subjunctive II Forms

The conditional subjunctive is formed by adding the subjunctive endings **-e, -est, -e; -en, -et, -en** to the second principal part (the past-tense stem) of all types of verbs, hence the name subjunctive II. Some strong-verb and irregular-verb stems require an umlaut in subjunctive II.

Subjunctive II Forms

	Weak	*Strong*	*Strong*	*Irregular Weak*	*Modal*
Infinitive	lernen	gehen	kommen	wissen	können
Past tense	(lernte)	(ging)	(kam)	(wußte)	(konnte)
ich	lern**te**	ging**e**	**käme**	**wüßte**	**könnte**
du	lern**test**	ging**est**	**kämest**	**wüßtest**	**könntest**
er / sie / es	lern**te**	ging**e**	**käme**	**wüßte**	**könnte**
wir	lern**ten**	ging**en**	**kämen**	**wüßten**	**könnten**
ihr	lern**tet**	ging**et**	**kämet**	**wüßtet**	**könntet**
sie / Sie	lern**ten**	ging**en**	**kämen**	**wüßten**	**könnten**
	would learn	*would go*	*would come*	*would know*	*would be able to*

A. Regular Weak Verbs

The past-tense stems of regular weak verbs do not add an umlaut in subjunctive II. These forms are identical with those of the past-tense indicative. With weak verbs, however, German normally uses an alternate subjunctive construction with **würde(n)** (the subjunctive II of **werden**) + the infinitive of the weak verb (see 27.3). The two forms are identical in meaning.

Infinitive	*Past Ind.*	*Subj. II*	*Alternate Construction*
lernen	lernte	er / sie **lernte**	**würde . . . lernen**
arbeiten	arbeitete	er / sie **arbeitete**	**würde . . . arbeiten**

B. Strong Verbs

1. Strong verbs in subjunctive II take an umlaut whenever the past-tense stem vowel is **a, o, u,** or **au**. With the exception of very common verbs such as **sein, werden, gehen, kommen,** and **tun,** strong-verb subjunctive forms rarely occur in spoken German. Instead, German uses **würde(n)** + the verb infinitive with these verbs as well (see 27.3). The strong-verb subjunctive II forms are more frequent in formal writing.

Infinitive	*Past Ind.*	*Subj. II*	*Alternate Construction*
schneiden	schnitt	er / sie **schnitte**	**würde . . . schneiden**
biegen	bog	er / sie **böge**	**würde . . . biegen**
brechen	brach	er / sie **bräche**	**würde . . . brechen**
fahren	fuhr	er / sie **führe**	**würde . . . fahren**

2. A number of strong verbs with the stem vowel **a** in the simple past have alternative subjunctive forms with **ö** or **ü**. In some instances, the irregular forms are the only forms. These forms sound obsolete and are normally replaced by **würde(n)** + the infinitive of the verb.

Infinitive	*Past Indic.*	*Subj. II*		*Alternate Construction*
beginnen	begann	er / sie **begönne**	(*or* **begänne**)	**würde . . . beginnen**
empfehlen	empfahl	er / sie **empföhle**	(*or* **empfähle**)	**würde . . . empfehlen**
gewinnen	gewann	er / sie **gewönne**	(*or* **gewänne**)	**würde . . . gewinnen**
stehen	stand	er / sie **stünde**	(*or* **stände**)	**würde . . . stehen**
helfen	half	er / sie **hülfe**		**würde . . . helfen**
sterben	starb	er / sie **stürbe**		**würde . . . sterben**
werfen	warf	er / sie **würfe**		**würde . . . werfen**

C. *Irregular Weak Verbs*

All of the irregular weak verbs take either an umlaut or an **e** in subjunctive II. With the exception of **wissen**, these subjunctive forms are usually replaced by **würde(n)** + the infinitive of the verb.

Infinitive	*Past Indic.*	*Subj. II*	*Alternate Construction*
brennen	brannte	er / sie **brennte**[1]	**würde . . . brennen**
bringen	brachte	er / sie **brächte**	**würde . . . bringen**
denken	dachte	er / sie **dächte**	**würde . . . denken**
kennen	kannte	er / sie **kennte**[1]	**würde . . . kennen**
nennen	nannte	er / sie **nennte**[1]	**würde . . . nennen**
rennen	rannte	er / sie **rennte**[1]	**würde . . . rennen**
wissen	wußte	er / sie **wüßte**	**würde . . . wissen**
BUT:			
senden	sendete / sandte	er / sie **sendete**	**würde . . . senden**
wenden	wendete / wandte	er / sie **wendete**	**würde . . . wenden**

D. *Modal Verbs*

Modal verbs with an umlaut in the infinitive take an umlaut in subjunctive II; **sollen** and **wollen** do not. The subjunctive forms of these verbs are *not* normally replaced by **würde(n)** + the verb infinitive (see 27.3). Note the meanings of the modals in the subjunctive.

---

1 The **e** in the subjunctive of these verbs resulted from an umlauted a **(ä)**. The sound is the same; only the orthography is different.

Infinitive	*Past Indic.*	*Subj. II*	
dürfen	durfte	er / sie **dürfte**	*would / might be permitted to*
können	konnte	er / sie **könnte**	*could / would be able to*
mögen	mochte	er / sie **möchte**	*would like to*
müssen	mußte	er / sie **müßte**	*would have to*
BUT:			
sollen	sollte	er / sie **sollte**	*should*
wollen	wollte	er / sie **wollte**	*would want to*

E. Haben, sein, werden

Haben, sein, and **werden** are the verbs most commonly used in subjunctive II. They all require an umlaut. Their alternative forms with **würde(n)** + infinitive are much less frequent.

Infinitive	*Past Indic.*	*Subj. II*	*Alternate Construction*
haben	hatte	er / sie **hätte**	**würde . . . haben**
sein	war	er / sie **wäre**	**würde . . . sein**
werden	wurde	er / sie **würde**	**würde . . . werden**

27.3 Subjunctive II versus **würde(n)** + Infinitive

As indicated in the charts, the subjunctive II of any verb is identical in meaning with **würde(n)** + the infinitive of that verb.

er / sie ginge = er / sie würde gehen	*he / she would go*
wir hätten = wir würden haben	*we would have*

These two structures do not occur with equal frequency, however. In colloquial German, only the subjunctive II forms of **haben, sein, werden, gehen, kommen, tun, wissen** and the modal verbs are still very common. With most other verbs there is an increasing tendency to substitute **würde** *(would)* + a main verb infinitive, particularly in the concluding clause of a statement.[2]

Wenn sie hier **wäre, würde** sie uns **helfen**.	*If she were here, she would help us.*
Wenn er uns nur **schreiben würde**!	*If he would only write us!*

[2] Until a few years ago, **würde** + infinitive in **wenn**-clauses was considered poor style, particularly in written German. In most instances this opinion no longer holds true.

Haben, sein, werden, and the modal verbs, however, seldom occur with **würde** + infinitive.

Wenn ich da **wäre** und mehr Zeit **hätte, könnte** ich euch helfen.	*If I were there and had more time, I could help you.*

Subjunctive II occurs with greatest frequency in formal writing, where excessive repetition of **würde(n)** + an infinitive would be poor style. As a rule, stylists frown upon the use of **würde(n)** in both clauses of a conditional statement, unless the subjunctive II forms of both verbs sound stilted or obsolete. The less common a strong verb, the greater the probability that its subjunctive II forms will be avoided.

27.4 Uses of Conditional Subjunctive

A. *Hypothetical Conditions and Conclusions*

1. Subjunctive II is most often used to express an unreal or contrary-to-fact condition and conclusion. Such "hypothetical" statements consist of two parts: a **wenn**-clause and a concluding clause. Since the **wenn**-clause is a subordinate clause, the verb is placed at the end of this clause (see 1.3; 25.3). The following clause begins either with a conjugated verb or with an optional **dann** or **so** followed by the conjugated verb. The English equivalent is *If . . . , then . . . .*

   Compare:

Wenn wir besser **verdienen würden**, (dann / so) **könnten** wir ein Haus **kaufen**.	*If we earned more, (then) we could buy a house.*
Wenn sie mehr Zeit **hätte**, (dann / so) **würde** sie uns **besuchen**.	*If she had more time, (then) she would visit us.*

2. The order of the main clause and the **wenn**-clause can be reversed, just as in English. **Dann** is then omitted.[3]

Wir **könnten** ein Haus kaufen, wenn wir besser **verdienen würden**.	*We could buy a house if we earned more.*

[3] Occasionally a **wenn**-clause begins with a verb and no **wenn**. In such instances, the **dann** or **so** in the concluding clause is optional but normally included. In English, this usage is restricted to the verbs *to have* and *to be,* but not in German.

Hätte sie mehr Zeit, (dann / so) würde sie uns besuchen.	*Had she more time, (then) she would visit us.*
Käme er jetzt, (dann / so) könnte er uns helfen.	*If he came now, (then) he could help us.*

B. Conclusions Without Expressed Conditions

It is possible to use the subjunctive without any condition expressly stated, though one is often implied by the context. In such instances, German uses **würde** + main verb infinitive with weak verbs, subjunctive II with **haben** and modals, and either form with most strong verbs.

Das **würde** ich nicht **sagen**!	*I wouldn't say that!*
Das **könnte** sein.	*That could be.*
Wir **blieben** lieber zu Hause.	*We would prefer to stay home.*
BETTER:	
Wir **würden** lieber zu Hause **bleiben**.	

C. Wishes

1. Since wishes are inherently contrary to fact, they are also expressed by a **wenn**-clause in the subjunctive. The intensifying adverb **nur** is often added.

Wenn er (nur) **käme / kommen würde**! (fact: *he is not coming)*	*If only he were coming!*

2. As in conditional statements (see footnote 3, p. 325), **wenn** can be omitted; the verb in first position expresses the idea of *if*.

Wäre es nur wärmer!	*Were it only warmer!*

3. German often prefaces contrary-to-fact wishes with the verbs **wollen** or **wünschen**; the verbs in both clauses are then in the subjunctive.

Ich **wollte / wünschte,** wir **hätten** mehr Zeit!	*I wish we had more time!*

D. Polite Requests

The conditional subjunctive is used to make very polite requests.

Würden Sie bitte etwas leiser sprechen?	*Would you please speak more softly?*
Ich **hätte gern / möchte** einen Nachtisch.	*I would like some dessert.*
Könnten Sie mir bitte 20 Mark wechseln?	*Could you please change 20 marks for me?*
Dürfte ich Sie bitten, ihm zu helfen?	*Might I ask you to help him?*
Wäre es möglich, noch etwas zu bestellen?	*Would it be possible to order something else?*

Conditional Subjunctive in Past Time

A. Forms

The conditional subjunctive in past time is formed with the subjunctive auxiliary forms **hätte(n)** or **wäre(n)** (see 5.2 for **haben** versus **sein**) + the past participle of any verb.[4]

Ich **hätte gearbeitet**.	*I would have worked.*
Sie **wären gegangen**.	*They would have gone.*

B. Use

1. The subjunctive in past time is used to express unreal conditions and conclusions contrary to fact in the past.

   Compare:

Wenn sie früher **käme, würde** sie den Zug nicht **verpassen**. *(present)*	*If she came* (that is, *would come*) *earlier, she would not miss the train.*
Wenn sie früher **gekommen wäre, hätte** sie den Zug nicht **verpaßt**. *(past)*	*If she had come earlier, she would not have missed the train.*

2. Past subjunctive and present subjunctive can be used in the same sentence.

   Compare:

Past Time	*Past Time*
Wenn Mozart länger **gelebt hätte,**	**hätte** er mehr Sinfonien **komponiert**.
If Mozart had lived longer,	*he would have composed more symphonies.*

Past Time	*Present Time*
Wäre er nicht so jung **gestorben,**	**gäbe** es jetzt mehr Kompositionen von ihm.
If he had not died so young,	*there would now be more compositions by him.*

3. As with the present subjunctive, the order of the two clauses in the past subjunctive can be reversed.

Vielleicht **wäre** Mozart nicht so jung **gestorben,** wenn er sich mehr **geschont hätte**.	*Perhaps Mozart would not have died so young if he had taken better care of himself.*

[4] Alternative forms with **würde** + **haben / sein** + past participle **(Ich würde gearbeitet haben; Sie würde gegangen sein)** are grammatically possible, but usually avoided.

4. The past subjunctive can also occur in conclusions without expressed conditions.

So etwas **hätten** unsere Studenten nie **getan**.	*Our students would never have done such a thing.*

5. Wishes about past time require past subjunctive.

Wenn er nur länger auf Godot **gewartet hätte**!	*If only he had waited longer for Godot!*

27.6 Modals in Past Subjunctive

A. *Without Accompanying Infinitives*

When no infinitive accompanies a modal verb, the past subjunctive is formed with the subjunctive auxiliary **hätte(n)** + a past participle.

Ihre Mutter **hätte** das nicht **gewollt**.	*Her mother would not have wanted that.*
Wir **hätten** es nicht **gekonnt**.	*We would not have been able to do it.*

B. *With Double Infinitives*

1. If an infinitive accompanies the modal verb, the past subjunctive is formed with the auxiliary **hätte(n)** + a double infinitive (see 8.5). The subjunctive double infinitive construction is quite common with the three modals **können**, **müssen**, and **sollen** but less so with the others.

Common	
Sie **hätte gehen können**.	*She could have gone (but didn't).*
Sie **hätte gehen müssen**.	*She would have had to go.*
Sie **hätte gehen sollen**.	*She should have gone (but didn't).*
Less Common	
Sie **hätte gehen dürfen**.	*She would have been permitted to go.*
Sie **hätte** nicht **gehen mögen**.	*She would not have liked to go.*
Sie **hätte gehen wollen**.	*She would have wanted to go.*

2. The double infinitive always comes last, even in subordinate clauses; the auxiliary **hätte(n)** precedes it.

Wer weiß, ob sie die Prüfung **hätte bestehen können**.	*Who knows whether she could have passed the exam.*

When there is no double infinitive, the regular word order prevails.

Wer weiß, ob sie es **gekonnt hätte**.	*Who knows whether she would have been able to do it.*

27.7 Indicative versus Subjunctive with **können, müssen,** and **sollen**

Compare the following indicative and subjunctive forms.

können

Indicative	*Subjunctive*
Sie **konnte** es **tun**. *She was able to do it.*	*Sie* **könnte** es **tun**. *She could / would be able to do it.*
Sie **kann / konnte** es **getan haben**. *She could have done it.* (that is, *it is possible that she did it*)	*Sie* **hätte** es **tun können**. *She could have done it (but didn't).*

müssen

Indicative	*Subjunctive*
Wir **mußten** es **tun**. Wir **haben** es **tun müssen**. *We had to do it.*	*Wir* **müßten** es **tun**. *We would have to do it.* OR: *We (really) should do it.*
Wir **müssen** es **getan haben**. *We must have done it.*	Wir **hätten** es **tun müssen**. *We would have had to do it.* OR: *We (really) should have done it.*

sollen

Indicative	*Subjunctive*
Du **solltest** es **tun.** Du **hast** es **tun sollen**. *You were supposed to do it.*	Du **solltest** es **tun**. *You should / ought to do it.*
Du **sollst** es **getan haben**. *You are said to have done it.*	Du **hättest** es **tun sollen**. *You should have done it (but you didn't).*

27.8 Conditional Subjunctive after **als (ob) / als (wenn)**

A clause introduced by **als (ob)** or **als (wenn)** (see 25.3) often describes a situation that *appears* to be the case but in the speaker's view may not be true. In such instances, German normally uses subjunctive II forms.

Present subjunctive is used if the **als ob** clause refers to the *same time* as the main clause.[5]

Er tut / tat (so), *als ob* er den Chef nicht **verstünde**. — *He acts / acted as if he does / did not understand the boss (but he probably does).*

Past subjunctive is used if the **als ob** clause refers to a *time prior* to the time of the main clause.

Er tat / tut so, *als ob* er den Chef nicht **verstanden hätte**. — *He acts / acted as if he had not (previously) understood the boss.*

Often the **ob** or **wenn** is omitted and the verb placed directly after **als**.

Das Haus sieht aus, *als* **wohnte** jetzt niemand dort. — *The house looks as if no one were now living there.*

ÜBUNGEN

A. **Formen üben.** Sagen Sie es anders.

Beispiele: er ginge
er würde gehen

sie würde uns schreiben
sie schriebe uns

1. du würdest denken
2. sie fielen
3. er würde sitzen
4. sie würde stehen
5. wir trügen es
6. sie würde fliegen
7. er schnitte sich
8. sie fänden uns
9. ich träfe ihn
10. ihr würdet froh sein
11. wir läsen es
12. ich würde dir helfen
13. er würde laufen
14. es würde kalt werden
15. sie verließe ihn

B. **Formen in der Vergangenheit** (*past*). Setzen Sie die Formen in Übung A in die Vergangenheit.

Beispiele: er ginge
er wäre gegangen

sie würde uns schreiben
sie hätte uns geschrieben

---

[5] In present time, the indicative is often used if in the speaker's view the impression is a correct one.

Er benimmt sich, als ob er krank ist. — *He is behaving as if he is sick* (that is, *he probably is sick*).

C. **Wie schön wäre das!** Stefan denkt, wie schön es wäre, wenn er morgen keine Schule hätte. Setzen Sie seinen Brief an Gabi in den Konjunktiv.

Liebe Gabi,

ach, wie schön wäre das, wenn wir morgen keine Schule hätten! Ich *stehe* erst gegen neun Uhr *auf*. Nach dem Frühstück *kommen* dann Freunde zu mir, und wir *gehen* in der Stadt bummeln. Vielleicht *essen* wir zu Mittag in einem Straßencafé. Danach *kaufen* wir im Musikgeschäft ein paar CDs, wenn wir noch genug Geld *haben*. Wenn nicht, dann *wissen* wir auch etwas anders zu tun. Wir *können* uns zum Beispiel einen Film ansehen. Du *darfst* mitkommen, wenn du *willst*, aber du *mußt* schon um zehn Uhr bei mir sein. Es *ist* dann sicher sehr lustig.

Dein Stefan

D. **Wie schön wäre das *gewesen*!** Setzen Sie Stefans Brief von Übung C in den Konjunktiv der Vergangenheit.

Ach, wie schön wäre das gewesen, wenn wir *gestern* keine Schule gehabt hätten . . .

E. **Wie wäre es, wenn . . . ?** Erzählen Sie in ein bis zwei Sätzen davon.

Beispiel: wenn das Semester schon zu Ende wäre
Wenn das Semester schon zu Ende wäre, würde ich nach Hause fahren und arbeiten. Ich würde (ginge) auch fast jeden Abend mit Freunden ausgehen.

1. wenn Sie mehr Zeit hätten
2. wenn Sie im Lotto viel Geld gewinnen würden
3. wenn Sie die Gelegenheit *(opportunity)* hätten . . . [zu tun]
4. wenn Sie Minister im Kabinett des US-Präsidenten wären
5. wenn Ihr Deutsch perfekt wäre

Machen Sie fünf weitere Aussagen dieser Art *(type)* über sich selbst oder über Menschen, die Sie kennen.

F. **Ach, solche Studenten!** Frau Professor Schwerenote überlegt, wie ihr Kurs vom letzten Jahr gewesen wäre, wenn die Studenten nur mehr gearbeitet hätten. Was denkt sie?

Beispiel: Udo lernte nicht fleißig und bekam deswegen eine schlechte Note.
Wenn Udo fleißig gelernt hätte, hätte er sicher eine gute Note bekommen.

1. Sara schlief manchmal während der Stunde ein und störte den Unterricht dauernd durch lautes Schnarchen *(snoring)*.
2. Heinz hat seine Aufgaben nie rechtzeitig abgegeben *(handed in)* und verlor deswegen Punkte bei der Bewertung seiner Arbeit.
3. Josef schwänzte *(cut class)* manchmal und schrieb deswegen oft die falschen Hausaufgaben.

4. Angelika hat oft während der Stunde mit anderen Studenten gesprochen und deswegen oft den Unterricht gestört *(disturbed).*
5. Vicki hörte oft nicht zu und wußte deshalb oft nicht, was andere gerade gesagt hatten.

Und was denken diese fünf Studenten wahrscheinlich über Frau Professor Schwerenote?

G. **Ach, wenn es nur anders wäre!** Drücken Sie Wünsche zu den folgenden Themen aus. Verwenden Sie möglichst viele verschiedene Verben.

Beispiel: zu Ihrem Deutschkurs
Ach, wenn es im Deutschkurs nicht so viele Prüfungen gäbe!

1. zu Ihrem Leben
2. zum Leben Ihrer Eltern
3. zu einer Situation auf Ihrer Uni oder in Ihrer Schule
4. zum Leben in Ihrem Heimatland
5. zur Sozialpolitik in Ihrem Land
6. zur Weltpolitik
7. zu einem weiteren Thema

H. **O je.** Haben Sie als Kind manches (nicht) getan, was Sie jetzt bereuen *(regret)*? Machen Sie fünf Aussagen.

Beispiele: Ich wünschte, ich hätte meine Eltern nicht so viel geärgert.
Ach, wenn ich nur meinen Eltern mehr geholfen hätte!

I. **Wir bitten höflichst.** Was sagen Sie in diesen Situationen?

Beispiel: Im Zug raucht eine Frau neben Ihnen eine Zigarette. Das stört Sie.
Würden Sie bitte so nett sein und jetzt nicht rauchen?
OR: *Dürfte ich Sie bitten, jetzt nicht zu rauchen?*

1. Sie essen mit anderen Leuten zusammen und wollen die Butter haben.
2. Sie wollen $10 von jemandem borgen.
3. Bei einer Prüfung haben Sie die Anweisungen Ihres Professors / Ihrer Professorin nicht verstanden.
4. Sie bitten am Informationsschalter im Bahnhof um Auskunft.
5. Sie sind in einer Buchhandlung und suchen ein bestimmtes Buch.

J. **Berühmte Menschen.** Erzählen Sie, was fünf berühmte Menschen (lebend oder tot) vielleicht anders hätten tun können oder sollen.

Beispiel: Abraham Lincoln
Er hätte an einem anderen Tag ins Theater gehen können (oder *sollen*).

K. **Ich hätte helfen sollen.** Drücken Sie die Sätze auf deutsch aus.

1. I was supposed to help with the garden yesterday.
2. I could have helped, if I had had the time.

3. I probably should have helped.
4. But since I didn't have the time, I couldn't help.
5. My parents had to work without me.
6. If I had helped them, they would not have had to do everything alone.

L. **Menschen, die so tun, als (ob).** Machen Sie fünf Aussagen über Menschen, die Sie kennen und die so tun, *als ob.* Machen Sie bitte ein paar Aussagen über die Gegenwart *(present)* und ein paar über die Vergangenheit.

Beispiele: Mein Bruder tut / tat immer so, **als ob** er alles besser wüßte als ich.
Meine Lehrer taten früher immer so, **als** hätte ich etwas Dummes gesagt.

ANWENDUNG

A. **Was wäre, wenn?** Diskutieren Sie mit anderen Leuten, wie die Welt und das Leben anders wären, wenn gewisse Dinge anders wären.

THEMENVORSCHLÄGE

1. Wenn niemand ein Telefon / einen Fernseher hätte.
2. Wenn Sie unsichtbar wären.
3. Wenn es keinen Strom mehr gäbe.
4. Wenn es noch keine Computer gäbe.
5. Wenn niemand ohne Erlaubnis aus Ihrem Land ausreisen dürfte.

REDEMITTEL

Wenn (das) so . . . wäre, ja dann . . .
Ja, erstens würde ich . . .
Ich glaube, ich würde . . .
Für mich wäre dann die Hauptsache / das Wichtigste . . .
Dann müßte / könnte man auch . . .
Und schließlich würde man / ich . . .

B. **Änderungsvorschläge.** Diskutieren Sie mit anderen Studenten eine Situation im heutigen Leben, die anders werden sollte oder könnte. Geben Sie Ihre Meinung darüber, wie man diese Situation ändern sollte, könnte oder müßte, damit alles besser wäre oder sein könnte.

THEMENVORSCHLÄGE

1. Ihr eigenes Leben
2. die AIDS-Erkrankungen
3. die große Armut *(poverty)* auf der Welt
4. das Drogenproblem
5. die Zerstörung *(destruction)* der Umwelt

6. eine Situation auf Ihrer Universität oder an Ihrer Schule
7. die politische Lage irgendwo auf der Welt

REDEMITTEL

Meiner Meinung / Ansicht nach müßte / könnte / sollte man . . .
Ich glaube, wir müßten / könnten . . .
Ich bin der Meinung / Ansicht, daß . . .
Es wäre besser, wenn . . .
Ich wünschte, wir könnten . . .
So wie ich die Sache sehe, müßte man . . .
Man kann ja auch umgekehrt *(conversely)* argumentieren und sagen, daß . . .

C. **Wenn das anders verlaufen wäre.** Besprechen Sie mit anderen Leuten ein politisches, kulturelles oder historisches Ereignis. Diskutieren Sie, was vielleicht geschehen wäre, wenn man anders gehandelt hätte. Was wären die Folgen *(results)* für heute?

THEMENVORSCHLÄGE

1. Wenn Amerika 1776 den Unabhängigkeitskrieg nicht gewonnen hätte.
2. Wenn Franzosen im Jahre 1789 die Bastille nicht gestürmt hätten.
3. Wenn der Norden im amerikanischen Bürgerkrieg nicht gesiegt hätte.
4. Wenn Lenin die Werke von Karl Marx nicht gelesen hätte.
5. Wenn Japan Pearl Harbor nicht angegriffen hätte.
6. Wenn es in der Sowjetunion weder Glaznost noch Perestroika gegeben hätte.

SCHRIFTLICHE THEMEN

TIPS ZUM SCHREIBEN *Using the conditional subjunctive*

If you are presenting facts, you will use the indicative. If you are conjecturing, you *must* use the conditional subjunctive. In your writing, strive for a stylistic balance between subjunctive II and the alternate construction with **würde(n)** + an infinitive (see 27.3). As a rule, avoid the subjunctive II of weak verbs and less commonly used strong verbs (for example, **hülfe, schöbe, löge,** (etc.). If at all possible, however, you should not include **würde(n)** plus an infinitive in both clauses of a conditional statement. Sometimes you can substitute the modals **könnte(n)** and **dürfte(n) / müßte(n)** for **würde** without changing the meaning significantly (see below). Avoid too many **hätte'** s and **wäre'** s; they add little to a composition. Finally, once you have initiated conjecture with a **wenn-**clause, there is no need to keep repeating this condition; continued use of the subjunctive signals continuing conjecture: **Wenn ich eine Uhr *wäre,* dann *würde* ich gern an einer Wand im Bahnhof *hängen.* Ich *dürfte*** (*instead of* **würde) nie *schlafen,* denn ich *müßte*** (*instead of* **würde**) **die Zeit *messen* und den Menschen *zeigen,* wie spät es ist.**

A. **Wenn ich [X] wäre.** (Ihr Professor / Ihre Professorin wird Ihnen sagen, was in Ihrem Fall das X sein soll.)

B. **Mal was anderes.** Erzählen Sie, wie es wäre, wenn Sie einmal aus der Routine Ihres täglichen Alltags ausbrechen könnten. Was würden / könnten Sie anders tun? Wo? Mit wem? Warum?

C. **Der Wunsch.** In was für einer Welt würden Sie gern leben?

Beispiel:

Ich würde gern in einer Welt leben, in der alle Menschen in Frieden leben und arbeiten dürften. Alle würden glücklich sein, und niemand müßte sterben, weil er nicht genug zu essen bekäme. In einer solchen Welt gäbe es auch keine Rechtsanwälte *(lawyers)*, denn niemand würde gegen andere Menschen einen Prozeß führen, und ein weiser Richter *(judge)* würde alle Streitfälle (*disputes*) schlichten *(settle)* . . . usw.

D. **Ein Bittbrief.** Schreiben Sie einen kurzen aber höflichen Brief, in dem Sie eine Person, eine Firma, ein Fremdenverkehrsamt *(tourist bureau)* usw. um etwas bitten.

Beispiel:

Steierischer Landesfremdenverkehrsverband
Herrengasse 16 (Landhaus)
A-8010 Graz
Österreich / Europa

Sehr geehrte Herren,

ich möchte meinen Winterurlaub in Österreich verbringen und bitte Sie deswegen um Auskunft über Winterferienorte in der Steiermark. Vor allem hätte ich gern Auskunft über Skiorte und über günstige Zugverbindungen. Ich wäre Ihnen auch sehr dankbar, wenn Sie mir diese Information umgehend *(promptly)* per Luftpost schicken könnten, damit ich Fahrt und Unterkunft bald buchen kann.

Mit herzlichen Grüßen

Ihr

Wortschatz

EXPRESSIONS FOR *TO IMAGINE*

The verbs **sich vorstellen, sich denken,** and **sich einbilden** can all be translated in English as *to imagine,* but they convey different meanings.

1. **sich** *(dative)* **vorstellen**[6] to imagine, conceive of, picture to oneself

Ich kann es **mir** gar nicht **vorstellen,** ein solches Kleid zu tragen.	*I cannot even imagine wearing such a dress.*
Stell dir nur **vor,** wie es wäre, ohne Telefon zu leben.	*Just imagine how it would be to live without a telephone.*

2. **sich** *(dative)* **denken** to imagine, think (*sometimes synonymous with* **sich vorstellen,** *but usually implies the belief or expectation that something is as imagined*)

Das kann ich **mir** gar nicht **denken**.	*I cannot imagine that (happening) at all.*
Ich habe **mir** diesen Kurs anders **gedacht**.	*I thought this course would be different.*

3. **sich** *(dative)* **einbilden** to imagine *(usually erroneously),* believe, suppose

Das **bilden** sie **sich** nur so **ein**.	*They are just imagining that (but it really isn't so).*
Er **bildet** sich **ein,** ein großer Held zu sein.	*He thinks he is a great hero (but he really isn't.)*

Sich viel einbilden expresses the idea of being conceited or thinking highly of oneself.

Er **bildet** sich viel **ein**.	*He is very conceited.*

Compare:

Die Frau kann **sich** eine solche Krankheit gar nicht **vorstellen**.	*The woman cannot imagine such an illness.*
Die Frau **bildet sich** diese Krankheit nur **ein**.	*The woman just imagines that she has this illness.*

---

[6] There is also the verb **(sich) vorstellen** with an *accusative* object; it means *to introduce (oneself).*
Darf ich mich vorstellen? *May I introduce myself?*

A. **Anders ausdrücken.** Drücken Sie die Ideen anders aus.

Beispiel: Rolf denkt immer, daß er krank ist.
Rolf bildet sich immer ein, krank zu sein.

1. Hans träumt davon, wie es wäre, am Meer zu leben.
2. Ursula hält sich für ein großes Talent.
3. So etwas hätten wir nicht von ihm erwartet.
4. Er befürchtet, daß Leute hinter seinem Rücken sich über ihn lustig machen.
5. Von einem solchen Glück konnten sie nicht einmal träumen.

B. **Persönliche Fragen.** Geben Sie zwei oder drei Antworten auf jede Frage.

1. Was bilden Sie sich manchmal ein?
2. Was stellen Sie sich manchmal vor?
3. Was hätten Sie sich nie gedacht?

EXPRESSIONS FOR *TO ACT, TO BEHAVE*

The following verbs mean *to act,* but they are not synonymous.

1. **sich benehmen** to act, behave (*according to notions of socially good or bad behavior*). It is usually used with adverbs such as **anständig** (*decently*), **gut, schlecht, unmöglich**, etc.

Kinder, **benehmt euch** bitte!	*Children, please behave!*
Auf der Party haben **sich** ein paar Gäste sehr schlecht **benommen**.	*At the party a few guests behaved very badly.*

2. **sich aufführen** to act, behave, carry on. It requires an adverb.

Du hast **dich** aber komisch **aufgeführt**.	*You certainly behaved strangely.*

3. **sich verhalten** to act, react, behave in a given situation

Wie **verhalten sich** Menschen in solchen Streßsituationen?	*How do people behave in such stressful situations?*
Er wartete, was kommen sollte, und **verhielt sich** ganz ruhig.	*He waited to see what was to come and acted very calmly.*

4. **tun** to act or behave as if[7]

Der Hund **tut** (so), als ob er uns nicht hörte.	*The dog is acting as if he doesn't hear us.*

[7] For the choice of indicative or subjunctive after **als ob,** see 27.8.

5. **handeln** to act, take action

Manche Leute **handeln** nur im eigenen Interesse.	*Some people act only in their own interest.*

A. **Welche Verben passen?** Ergänzen Sie die Sätze durch passende Verben aus diesem Teil des Wortschatzes.

1. Während der Operation ____ sich der Patient ganz ruhig.
2. Wenn niemand seine Bitte erhört, dann muß er selber ____ .
3. Während des Unterrichts hat sich das Kind unmöglich ____ .
4. Die anderen Partygäste waren schockiert, weil Fred sich so unmöglich ____ .
5. Gernot ____ immer sehr schnell, wenn er eine Entscheidung getroffen hat.
6. Hilda weiß nicht alles, sie ____ nur so.
7. Das Tier ____ sich ganz wild, bis die Gefahr vorüber war.

B. **Situationen.** Erklären Sie, was man in diesen Situationen tun muß oder soll. Es gibt manchmal mehr als nur eine Möglichkeit.

Beispiel: Man will guten Eindruck machen.
Man muß / soll sich höflich (politely) *benehmen.*

1. Andere Leute im Bus wollen schlafen.
2. Andere Leute brauchen dringend Hilfe.
3. Man will nicht verraten *(reveal),* daß man Angst hat.
4. Man hat sich um eine Stelle beworben *(applied)* und stellt sich jetzt beim Personalchef einer Firma vor.
5. Man will nicht für einen Narren *(fool)* gelten (*see* **Wortschatz** *8*).

CHAPTER 28

Indirect Discourse Subjunctive (Subjunctive I)

28.1 Indirect Discourse

28

A. *Indirect Discourse versus Direct Discourse*

In both English and German, there are two ways to relate what someone else said or wrote: with either direct or indirect discourse. Direct discourse involves repeating the person's words exactly as stated, in a direct quotation **(direkte Rede)**. Note the use of quotation marks to set off the speaker's words.

Die Lehrerin sagte: „Ich habe wenig Zeit zum Lesen."	*The teacher said, "I have little time for reading."*

The other, far more common, way to relate what someone said or wrote is to restate the person's words as an indirect quotation: *He / she said that . . .* This form is known as indirect discourse **(indirekte Rede)**. Indirect speech requires the appropriate changes in personal pronouns; it can be introduced either with or without the word *that* **(daß)**.

Die Lehrerin sagte, daß **sie** (*not:* **ich**) wenig Zeit zum Lesen hat.	*The teacher said (that) she has little time for reading.*

OR:

Die Lehrerin sagte, **sie** hat wenig Zeit zum Lesen.

B. *Subjunctive versus Indicative in Indirect Discourse*

In German, either the indicative or the subjunctive can be used in indirect discourse, depending upon the speaker's attitude toward the statement(s) being reported. If speakers employing indirect discourse have no reason to distance themselves from the initial statement or to question its validity, then the *indicative* tends to be used.

Herr Kunz sagte, daß er jetzt gute Beziehungen in Ulm **hat**. *(indicative)*	*Mr. Kunz said that he now has good connections in Ulm.*

If, however, speakers wish to indicate that they are only reporting what someone said, then they might use one of two possible indirect discourse subjunctive forms, subjunctive I or subjunctive II. In the following examples, the speaker reports what Mr. Kunz said but takes no responsibility for the validity of this statement.

Herr Kunz behauptete, daß er jetzt gute Beziehungen in Ulm **hätte**. *(subjunctive II)* Herr Kunz behauptete, daß er jetzt gute Beziehungen in Ulm **habe**. *(subjunctive I)*	*Mr. Kunz claimed that he now has / had good connections in Ulm.*

28.2 Indirect Discourse Subjunctive Forms

A. *Subjunctive II Forms*

Subjunctive II forms are generated by adding the subjunctive personal endings **-e, -est, -e; -en, -et, -en** to the second principal part of verbs (see 27.2).

B. *Subjunctive I Forms*

1. The forms for subjunctive I, often referred to as special subjunctive, are generated by adding the subjunctive personal endings to the first principal part (that is, the infinitive stem) of all verbs.

Subjunctive I Forms

	sein	haben	werden	*Modal*	*Other Verbs*
ich	sei	hab**e**	werd**e**	müss**e**	nehm**e**
du	sei**(e)st**	hab**est**	werd**est**	müss**est**	nehm**est**
er / sie / es	sei	hab**e**	werd**e**	müss**e**	nehm**e**
wir	sei**en**	hab**en**	werd**en**	müss**en**	nehm**en**
ihr	sei**et**	hab**et**	werd**et**	müss**et**	nehm**et**
sie / Sie	sei**en**	hab**en**	werd**en**	müss**en**	nehm**en**

2. Subjunctive I forms that are identical with the indicative are never used. Thus, aside from modal verbs and the verbs **wissen** and **sein**, only third-person-singular forms of subjunctive I occur with any regularity.[1]

Indicative		*Subjunctive*	
ich	**lerne**	**lerne**	*(identical with the indicative)*
du	**lernst**	**lernest**	*(uncommon)*
er / sie / es	**lernt**	**lerne**	
wir	**lernen**	**lernen**	*(identical with the indicative)*
ihr	**lernt**	**lernet**	*(uncommon)*
sie / Sie	**lernen**	**lernen**	*(identical with the indicative)*

C. *The Choice between Subjunctive I and II*

Subjunctive II forms are identical in meaning with subjunctive I forms when used in indirect discourse. Which subjunctive to use depends upon numerous factors, and actual usage deviates considerably from the prescriptions of grammarians.

1. Subjunctive II tends to be used in spoken German, though it also occurs in writing.
2. Subjunctive I usually predominates in formal written German, especially in media reporting, where style and the impression of objectivity are important considerations.
3. If *either* subjunctive I *or* subjunctive II is identical with the indicative, the distinctly subjunctive form is generally chosen.

Sie behauptete, sie **lerne** zu wenig. *(subjunctive I, because subjunctive II* ***lernte*** *would be identical with the past indicative)*	*She claimed she was learning too little.*
Sie meinte, daß die Kinder zu spät **kämen**. *(subjunctive II, because subjunctive I* ***kommen*** *would be identical with the present indicative)*	*She said that the children were coming too late.*

[1] The second-person singular and plural subjunctive I forms, while often distinct from the indicative, sound stilted and are simply not used. German uses subjunctive II instead.

Sie dachte, *du* **hättest** (*not:* **habest**) keine Zeit zum Schreiben.	*She thought you didn't have any time for writing.*

4. If *both* subjunctives are identical with the indicative, then subjunctive II tends to be used.

   Sie meinte, daß die Kinder auch zu langsam **lernten**.
   She said that the children were also learning too slowly.

5. In indirect discourse, a hypothetical statement (see 27.4) remains in subjunctive II.

   Direct Quotation

   „Wir würden kommen, wenn wir Zeit hätten."

   Indirect Quotation

   Sie sagten, daß sie kommen **würden,** wenn sie Zeit **hätten**.
   They said they would come if they had time.

   For the reasons cited above, indirect discourse is inevitably a mix of both subjunctives.

   Der Generalsekretär des Goethe-Instituts teilte mit, die Nachfrage nach Deutschkursen **sei** jetzt weltweit so stark, daß sie von den insgesamt 150 Auslandsinstituten nicht mehr befriedigt werden **könne**. Insbesondere in Polen, Ungarn und der [ehemaligen] Sowjetunion **wollten** die Menschen jetzt Deutsch lernen; in Polen allein **fehlten** etwa 1.000 Deutschlehrer. *(Deutschland Nachrichten)*

   The General Secretary of the Goethe Institute reported that the demand for German courses is now so strong worldwide that it can no longer be satisfied by the present total of 150 institutes abroad. In particular in Poland, Hungary, and the [former] Soviet Union, people now want to learn German; in Poland alone there is a shortage of approximately 1,000 German teachers.

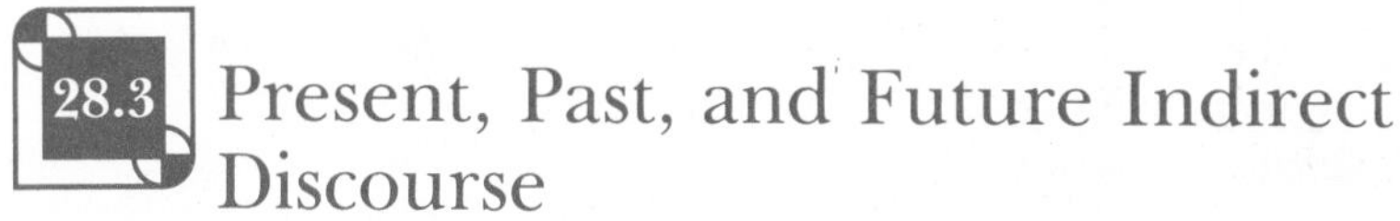

28.3 Present, Past, and Future Indirect Discourse

A. *Present Indirect Discourse*

If the original quotation is in the present tense, then the indirect quotation requires the present subjunctive—either subjunctive I or II.

Direct Quotation
„Ich habe heute keine Zeit."

Indirect Quotation
Sie sagt, daß sie heute keine Zeit **habe / hätte**.
She says she has no time today.

Note that tense of the introductory verb **sagt** has no influence on the choice of forms in the indirect quotation.

Sie sagte, Sie hat gesagt, Sie hatte gesagt, Sie wird sagen,	sie **habe** heute keine Zeit. sie **hätte** heute keine Zeit.

B. Past Indirect Discourse

If the original quotation is in past *time* (simple past, present perfect, or past perfect tense), then the indirect quotation requires the past subjunctive. The past subjunctive is formed by using either subjunctive I or II of the auxiliary **haben** or **sein** (see 5.2 for **haben** versus **sein)** + the past participle of the main verb.

Direct Quotation
„Ich schrieb ihm nicht."
„Ich habe / hatte ihm nicht geschrieben."

Indirect Quotation
Sie sagte, sie **habe / hätte** ihm nicht **geschrieben**. — *She said (that) she has / had not written him.*

Direct Quotation
„Ich ging am vorigen Abend ins Theater."
„Ich bin / war am vorigen Abend ins Theater gegangen."

Indirect Quotation
Sie erklärte, sie **sei / wäre** am vorigen Abend ins Theater **gegangen**. — *She explained (that) she went / had gone to the theater the previous evening.*

C. Future Indirect Discourse

If the direct quotation refers to future *time* (future tense or present tense with future meaning), then the indirect statement requires future subjunctive. Future subjunctive is formed by using either subjunctive I or II of **werden** plus the main verb infinitive.

Direct Quotation
„Ich werde später mehr Zeit haben."

Indirect Quotation
Sie meinte, sie **werde / würde** später mehr Zeit **haben**. — *She said (that) she will / would have more time later.*

28.4 Uses of Indirect Discourse Subjunctive

A. *Extended Indirect Discourse*

In both English and German, indirect quotations are normally introduced by verbs of speaking, thinking, or opining: **Sie sagt, Er meinte** (see **Wortschatz,** p. 349). In English, such introductory verbs must be repeated each time: *He said . . . , She remarked . . . , They replied . . .* German is more economical; continued use of the subjunctive signals continuing use of indirect discourse, and no introductory verbs are needed after the initial one.

Das Telefon klingelte, und schon redete ein erregter Leser auf mich ein. Er **sei** erschüttert, versicherte er mir. Man **dürfe** doch nicht von „Ladendiebstahl" *(store theft)* sprechen. Ob[2] ich **meinte**, daß man einen Laden stehlen **könne**. Richtig **müsse** es „Warendiebstahl" heißen, denn schließlich **würden** Waren und nicht der Laden gestohlen. (Eike Christian Hirsch, *Den Leuten aufs Maul*)

The telephone rang and immediately an excited reader began to lecture me. He was terribly upset, he assured me. [He said] one could not really talk about "shoplifting." [He wondered] whether I thought that a shop could be lifted. [He said] the correct thing to say was "ware lifting," because when you got right down to it wares were stolen, not the shop.

B. *Indirect Questions*

Questions are often reported in indirect discourse subjunctive. As with statements, subjunctive II is more common in colloquial German, subjunctive I, in more formal usage. In most instances, the indicative is also possible. The conjunction **ob** *(whether)* introduces yes-no questions.

Direct Quotation
„Geht es meinem Patienten jetzt besser?"

Indirect Question

Die Ärztin fragte, ob es ihrem Patienten jetzt besser **gehe / ginge** (*or indicative:* **ging**).	*The doctor inquired whether her patient was now better.*

[2] The word **ob** implies "he wanted to know whether" and is quite common in this usage.

Direct Quotation
„Wer hat ein Radio mitgebracht?"

Indirect Question

Er wollte wissen, wer ein Radio mitgebracht **habe / hätte** (*or indicative:* **hatte**).	*He wanted to know who had brought along a radio.*

C. Indirect Commands

The imperative is reported in indirect discourse subjunctive with either subjunctive I or II of **sollen** (sometimes **müssen**). The indicative is also possible.

Direct Quotation
„Besuche uns bald!"

Indirect Statement

Sie sagten, daß er sie bald besuchen **solle / sollte** (*or indicative:* **soll**).	*They said that he should visit them soon.*

D. Additional Uses of Subjunctive I

Since there are no imperative forms for the third person, German uses subjunctive I in these instances. This construction is sometimes referred to as the exhortatory subjunctive.

Es **lebe** der König!

OR:

Der König **lebe**!	*Long live the king!*
Man **nehme** zwei Eier. *(recipe)*	*Take two eggs.*
Edel **sei** der Mensch, hilfreich und gut! (Goethe)	*Noble be man(kind), helpful and good!*

ÜBUNGEN

A. **Indirekte Rede analysieren.** Unterstreichen Sie die Konjunktivformen in dem folgenden Text. Erklären Sie, warum entweder Konjunktiv I oder Konjuntiv II verwendet wird.

Nach dem Erreichen der staatlichen Einheit im Oktober 1990 wachse Deutschland nun auch wirtschaftlich *(economically)* und gesellschaftlich *(socially)* zusammen, erklärte Bundeskanzler Helmut Kohl in seiner Neujahrsansprache. An die Westdeutschen richtete *(directed)* der Kanzler die Mahnung *(admonition)*, Wiedervereinigung heiße auch, daß die Sorgen der

Menschen in den neuen Bundesländern das gemeinsame *(joint)* Anliegen *(concern)* aller Deutschen sein müßten: es dürfe kein „Hüben" *(over here)* und „Drüben" *(over there)* mehr geben. Innerhalb weniger Jahre werde im Osten Deutschlands einer der besten Industriestandorte *(industrial sites)* Europas entstanden *(arisen)* sein, kündigte *(declared)* Kohl an. Bei allen Übergangsschwierigkeiten dürfe man nicht vergessen, daß es die Länder Osteuropas „viel, viel schwerer" hätten als die Deutschen. *(Deutschland Nachrichten)*

B. **Von direkter Aussage zur indirekten Rede.** Geben Sie die Aussagen im Konjunktiv der indirekten Rede wieder.

Beispiel: Man lebt heutzutage ungesund. Sie meinte, . . .
Sie meinte, man lebe heutzutage ungesund.

1. Im vergangenen Jahr hatten die Gastbetriebe *(eating establishments)* höhere Besucherzahlen.
   Das Fremdenverkehrsamt *(office of tourism)* gab bekannt, daß . . .
2. Vermutlich *(presumably)* sind auch in diesem Sommer mehr Touristen zu erwarten.
   Man meint jetzt, daß . . .
3. Es wird nicht mehr lange dauern, bis das Wohnproblem in der ehemaligen DDR gelöst ist.
   Politiker gaben der Hoffnung Ausdruck, es . . .
4. Wenn man jetzt nichts dagegen tut, wird das Straßenverkehrssystem in der deutschen Bundesrepublik in wenigen Jahren zusammenbrechen.
   Experten behaupten, . . .
5. Bleib fit, bleib gesund!
   Überall heißt es jetzt, man . . .
6. Früher brachten die Zeitungen meist schlechte Nachrichten.
   Viele sind der Meinung, . . .
7. Die besten Jahre sind jetzt.
   Manche denken, . . .
8. Die besten Jahre waren schon.
   Andere fragen, ob . . .
9. Wählervertrauen *(voter trust)* ist ein rohes Ei, man kann es nur einmal in die Pfanne hauen *(toss into the skillet)*.
   Der Redner bemerkte, . . .
10. Weil in der alten DDR die nötige Finanzierung fehlte, konnte der Staat viele Wohnhäuser nicht renovieren.
    Man erklärte die Sache so: . . .
11. „Man soll den Tag nicht vor dem Abend loben *(praise)*." (Sprichwort)
    Nachdem Sprichwort heißt es, man . . .
12. „Arbeite nur, die Freude kommt von selbst."
    Der Dichter Goethe empfahl, man . . .

C. **Aus der Presse.** Berichten Sie, was die Presse berichtet. Verwenden Sie die indirekte Rede.

Auf den deutschen Straßen droht *(threatens)* der Verkehrskollaps. Die Autodichte *(automobile density)* in Westdeutschland ist mit 450 Fahrzeugen je 1.000 Einwohner inzwischen die höchste in Europa. Seit dem letzten Krieg hat man in Deutschland 150.000 Kilometer Straßen gebaut, aber für weitere Straßen ist in der eng besiedelten *(thickly settled)* Bundesrepublik kaum noch Platz, sofern man nicht *(unless one)* das ganze Land dem Straßenverkehr weihen *(dedicate)* will. Das führt dazu, daß auch auf den Autobahnen der Verkehr immer häufiger zum Stillstand kommt. Staus *(traffic jams)* von 100 Kilometer Länge sind, besonders zur Ferienzeit, keine Seltenheit mehr. *(Deutschland Nachrichten)*

Aus Deutschland wird berichtet, . . .

D. **Aus Büchern.** Suchen Sie sieben deutsche Sätze aus Büchern oder Zeitungen. Setzen Sie diese Sätze in die indirekte Rede um. Geben Sie die Autoren oder Sprecher dieser Sätze an.

Beispiel: Bluthochdruck *(high blood pressure)* ist in den letzten Jahrzehnten zu einer richtigen Volkskrankheit geworden.

Mutter Theresa Berghammer schreibt, daß Bluthochdruck in den letzten Jahrzehnten zu einer richtigen Volkskrankheit geworden sei. (Gesundheit durch wiederentdeckte Hausmittel)

ANWENDUNG

A. **Worte der Woche.** Geben Sie einige wichtige Zitate der letzten Woche zu politischen Ereignissen in der indirekten Rede wieder.

REDEMITTEL

Es steht / stand in der Zeitung, (daß) . . .
Nach Angaben *(figures)* [des Pressesprechers] . . .
Die [Regierung] gab bekannt, (daß) . . .
Es heißt / hieß *(is / was said)* auch, (daß) . . .

B. **Interview.** Interviewen Sie außerhalb des Kurses jemanden, der Deutsch spricht, und zwar über seine / ihre Meinungen zu einem aktuellen politischen Ereignis *(event)* oder Thema. Stellen Sie etwa sieben Fragen. Berichten Sie die Ergebnisse *(results)* Ihres Interviews im Kurs. Erklären Sie, welche Fragen Sie stellten, und geben Sie die Meinungen dieser Person in der indirekten Rede wieder.

REDEMITTEL: FRAGEN

Was halten Sie von . . . ?
Wie sehen Sie die Sache . . . ?
Darf ich Sie fragen, wie Sie zu den neuesten Ereignissen stehen?

Und wie beurteilen *(judge)* Sie . . . ?
Finden Sie es richtig / gut, daß . . . ?
Was für einen Eindruck hat . . . auf Sie gemacht?

REDEMITTEL: BERICHTEN

Er / sie ist der Ansicht / Meinung, (daß) . . .
Er / sie sagte auch, (daß) . . .
Bemerkt hat er / sie auch, (daß) . . .
Allerdings gab er / sie zu, (daß) . . .
Er / sie gab der Hoffnung Ausdruck, (daß) . . .

SCHRIFTLICHE THEMEN

TIPS ZUM SCHREIBEN *Paraphrasing*

Quoting a person directly can lend impact to a text. In compositions, however, you should use direct quotations sparingly. Instead, put the speaker's comments into your own words—a process known as paraphrasing. To make your reader aware that you are only paraphrasing what others say or said, in German you can use indirect discourse subjunctive. Remember that in writing, subjunctive I forms are generally preferred, unless they are identical with the indicative. Also keep in mind that you do not have to preface every indirect statement with an introductory clause; the subjunctive alone can maintain the indirect discourse for two or three sentences at a time (see example in 28.4). This approach will also allow you to avoid constant repetition of the word **daß**. When you do wish to introduce indirect statements, use a variety of verbs and expressions (see **Wortschatz,** p. 349)—not just the verbs **sagen, meinen,** and **antworten**.

A. **So steht es geschrieben.** Fassen Sie einen Artikel aus einer deutsch- oder englischsprachigen Zeitung kurz zusammen.

Beispiel:

In diesem Artikel steht, daß im Freistaat Bayern 80,2 Prozent der Bevölkerung regelmäßige Biertrinker seien. Sie lägen damit an der Spitze aller Bundesländer. Die wenigsten Anhänger finde das Bier im Bundesland Bremen, wo nur 51,9 Prozent regelmäßig Bier trinken. Nach Ansicht des Autors, seien solche Statistiken irreführend *(misleading),* weil . . . Auch scheint er der Meinung zu sein, daß . . .

B. **Lebensansichten** *(views on life)*. Gibt es jemanden, dessen Lebensphilosophie und Meinungen Sie für richtig oder besonders interessant halten? Erzählen Sie davon.

Beispiel:

Der Philosoph Friedrich Nietzsche (1844–1900) meinte, es gebe starke und schwache Menschen auf der Welt. Aufgabe der Starken sei es, über die Schwachen zu herrschen. Nur so könne der Mensch in den Worten Nietzsches . . . usw.

Wortschatz

VERBS OF SPEAKING

Most of the following verbs of speaking can introduce indirect discourse subjunctive. Many of them take a dative (indirect) object with persons and an accusative (direct) object or a prepositional phrase with things.

andeuten to indicate
ankündigen to declare, announce
antworten (auf)[3] to answer
(sich äußern (über[3] **/ zu)** to express (one's opinion) (about)
behaupten to assert, maintain
bekanntgeben to announce
bemerken to remark, say
sich beschweren (über) to complain (about)
beteuern to assure, swear
betonen to emphasize
bitten um to ask for
etwas einwenden (gegen) to raise an objection (to)
entgegnen (auf) to reply (to)
erklären to explain
sich erkundigen (nach) to inquire (about)
erläutern to elucidate, elaborate
erwähnen to mention
erwidern (auf) to reply (to)
erzählen (von) to tell (about)
fragen (nach) to inquire, ask (about)
informieren to inform
leugnen to deny
meinen to say, be of the opinion
mitteilen to inform
plaudern to chat
raten to advise
reden (über / von) to talk (about)
sagen (von) to say, tell (about)
schwatzen / schwätzen to chatter, prattle
sprechen (über / von) to speak (about)
sich unterhalten (über) to converse (about)
verdeutlichen to clarify
verkünden to announce, proclaim
versichern to assure
versprechen to promise
wissen wollen to want to know
zugeben to admit, confess
zusammenfassen to summarize

[3] With verbs of speaking, the prepositions **auf** and **über** normally govern the accusative case.

Die Nachbarn haben **sich** über den Lärm von der Straße **beschwert**.	*The neighbors complained about the noise from the street.*
Sie **behauptete**, sie habe die Vase nicht zerbrochen.	*She maintained she had not broken the vase.*
Wer kann diesen Text kurz **zusammenfassen**?	*Who can briefly summarize this text?*

A. **„Sagen" kann man das besser.** Drücken Sie den Inhalt der Sätze durch andere Verben anders (und präziser) aus.

Beispiel: Als er den Vorschlag *(suggestion)* machte, sagte niemand etwas.
Auf seinen Vorschlag erwiderte man nichts.

1. Sie sagte genau, wie der Text zu verstehen war.
2. Gegen diesen Plan kann ich nichts sagen.
3. Sie sagte, daß sie Unterstützung *(support)* brauche.
4. Der Chef sagte den Angestellten, daß man 100 Arbeitskräfte würde entlassen müssen.
5. Von ihren Problemen sagte sie nichts.
6. Sie sagte ihm, daß er nach Europa reisen sollte.
7. Der Bürgermeister sagte seine Meinung über die städtischen Baupläne.
8. Sie saßen am Teetisch und sagten allerlei *(all sorts of things)*.
9. Nachdem sie soviel über die Talente des Kindes gesagt hatte, glaubte man endlich daran.
10. Der Polizist sagte, daß er etwas über den Unfall erfahren *(find out)* wollte.

B. **Synonyme.** Suchen Sie für jedes Verb andere Verben, die zu derselben Kategorie des Sprechens gehören. Natürlich werden diese Verben in ihren Bedeutungen nicht immer identisch sein. Bilden Sie Sätze mit einigen dieser Verben.

Beispiel: fragen

fragen: Er fragte nach meiner Gesundheit.

sich erkundigen: Sie erkundigte sich nach seiner Adresse.

wissen wollen: Wir wollen wissen, wann das Konzert beginnt.

1. reden
2. berichten
3. erklären
4. plaudern
5. antworten
6. versichern
7. verkünden

CHAPTER 29

Passive Voice

29.1 Uses of **werden**

29

A. *Main Verb*

When used as a main verb, **werden** means *to become.*

Die Stadt **wird** größer.	*The city is becoming larger.*

B. *Future Tense*

When used as a future-tense auxiliary, **werden** means *will* and is followed by a main verb infinitive at the end of the sentence or clause (see 7.1).

Die Stadt **wird** in Zukunft mehr Wohnungen **bauen**.	*The city will build more apartments in the future.*

C. *Passive Voice*

When used as an auxiliary for the passive voice **(das Passiv)**, **werden** means *is being;* it is followed by a main verb past participle at the end of the sentence or clause.

Ein neuer Bürgermeister **wird** **gewählt**.	*A new mayor is being elected.*

29.2 Passive Voice

A. Forms

1. English expresses the passive in terms of something "being" done; it is formed with the auxiliary verb *to be* + the past participle of the main verb. German expresses the passive as a process, as something "becoming" done; thus the passive is formed with the auxiliary **werden** + a main verb participle at the end of the sentence or clause.[1]

Die Pakete **werden** heute nach Stettin **geschickt**.	*The packages are being sent to Stettin today.*

Infinitive: **geschickt werden**

	Present Tense	
ich **werde** . . .	geschickt	*I am sent / being sent*
du **wirst** . . .	geschickt	*you are sent / being sent*
er / sie / es **wird** . . .	geschickt	*he / she / it is sent / being sent*
wir **werden** . . .	geschickt	*we are sent / being sent*
ihr **werdet** . . .	geschickt	*you are sent / being sent*
sie / Sie **werden** . . .	geschickt	*they / you are sent / being sent*
	Past Tense	
ich **wurde** . . .	geschickt	*I was sent / was being sent*
du **wurdest** . . .	geschickt	*you were sent / were being sent*
etc.		
	Present Perfect Tense	
ich **bin** . . .	geschickt **worden**	*I was sent / have been sent*
du **bist** . . .	geschickt **worden**	*you were sent / have been sent*
etc.		
	Past Perfect Tense	
ich **war** . . .	geschickt **worden**	*I had been sent*
du **warst** . . .	geschickt **worden**	*you had been sent*
etc.		
	Future Tense	
ich **werde** . . .	geschickt **werden**	*I will be sent*
du **wirst** . . .	geschickt **werden**	*you will be sent*
etc.		

[1] To indicate that the passive expresses a process, German grammarians often use the term **Vorgangspassiv** *(process passive),* as opposed to **Zustandspassiv** *(statal passive)* (see 29.3).

2. In the passive, only the conjugated auxiliary **werden** changes; the main verb participle remains the same in the various tenses. In the perfect tenses, the past participle **geworden** is shortened to **worden**. **Sein** is its auxiliary.

3. In subordinate clauses, the past participle is followed by the conjugated auxiliary at the end of the sentence or clause.

Ich weiß, daß er im Unfall nur leicht **verletzt wurde**.	*I know that he was only slightly injured in the accident.*

B. Use (Active Voice versus Passive Voice)

1. In the active voice, the subject of a sentence performs the action, hence the term *active* voice. In the following sentence, the focus is on the subject **(die Leute)** and what they do **(singen)**.

Die Leute **singen** viele Lieder.	*The people are singing many songs.*

2. In the passive voice, the subject does *not* perform the action indicated by the verb, but rather receives the action, hence the term *passive* voice. The persons performing the action play a secondary role.

Viele Lieder **werden** von den Leuten **gesungen**.	*Many songs are being sung by the people.*

For this reason, the passive voice is used chiefly to emphasize the occurrence of an action rather than who or what did the action. Indeed, who or what caused the action might not even be known.

Auf dem Fest **wurden** viele Lieder **gesungen**.	*At the festival many songs were sung.*

C. Agents with the Passive

1. When the performer or *agent* of an action *is* expressed in a passive sentence, then this agent is named in a prepositional phrase.

Compare:

Active	*Passive*
Mein *Mann* **kocht** die Suppe.	Die Suppe **wird** *von meinem Mann* **gekocht.**
My husband cooks the soup.	*The soup is being cooked by my husband.*

In the first example, **Mann** is the subject; in the second sentence, **Suppe** is the subject and **Mann** is the agent. In other words, the direct object of the active sentence becomes the subject of the passive sentence, and the subject of the active sentence becomes the prepositional agent of the passive sentence.

2. The choice of preposition with agents is determined as follows:

a. **Von** *(by)* + dative is used to indicate the agent or performer of an action.

Das Papier wurde **von** dem Chinesen Ts'ai Lun **erfunden**.	*Paper was invented by the Chinese Ts'ai Lun.*
Sein Fahrrad ist **von** einem Auto überfahren worden.	*His bicycle was run over by a car.*

b. **Durch** *(by, through)* + accusative is used to indicate the process or means through which an action occurs.

Die Stadt Chicago wurde einmal **durch** einen Brand zerstört.	*The city of Chicago was once destroyed by a fire.*
Schwierigkeiten werden manchmal **durch** Fleiß überwunden.	*Difficulties are sometimes overcome through diligence.*

c. **Mit** *(with)* + dative is used to indicate the instrument or tool with which an action is performed.

Der Baum muß **mit** einer Axt gefällt werden.	*The tree has to be felled with an axe.*

D. Passive Voice with Modals

1. Modals themselves are never in the passive voice, but they are used with the passive. In such instances, they are followed by the passive infinitive, which remains unchanged.

Compare:

Ich muß nach Hause **fahren**. *(active infinitive)*	*I must drive home.*
Ich muß nach Hause **gefahren werden**. *(passive infinitive)*	*I must be driven home.*

Infinitive: ***gefahren werden***

sie **muß** . . . gefahren **werden**	*she must be driven*
sie **mußte** . . . gefahren **werden**	*she had to be driven*
sie **hat** . . . gefahren **werden müssen**	*she has had to be driven*
sie **hatte** . . . gefahren **werden müssen**	*she had had to be driven*
sie **wird** . . . gefahren **werden müssen**	*she will have to be driven*

2. The present perfect, past perfect, and future tenses of modals seldom occur in the passive. The present and simple past tenses, as well as the subjunctive modals **müßte(n)** *(should, ought to)*, **könnte(n)** *(could)*, and **sollte(n)** *(should)* are quite common; they are often introduced by **es** (see 29.4).

Es **kann / könnte** mehr **getan werden**.	*More can / could be done.*
Es **sollte** auch **erwähnt werden**, daß . . .	*It should also be mentioned that . . .*

29.3 True Passive versus Statal Passive

The verb **werden** in the passive voice always expresses the *process* of something happening; a sentence without **werden** is not a true passive.

Compare:

Der Computer **wird** repariert.	*The computer is being repaired. (It cannot be used now.)*
Der Computer **ist** repariert.	*The computer is repaired. (It can be used now.)*

The first example above contains the verb **werden** and is a true passive. The second sentence does not contain the verb **werden** and is known as a statal passive **(das Zustandspassiv)**. The statal passive is not really a passive at all; the only verb is **ist**, and the past participle **repariert** is a predicate adjective describing the state or condition of the computer. **Der Computer ist repariert** is structurally the same as **Der Computer ist neu**.

29.4 Introductory es with the Passive Voice

In German, passive statements often begin with an introductory **es**, a dummy subject, as it were, followed by the conjugated verb and the real sentence subject with which the verb agrees.

Es wurden viele Brücken gebaut.	*Many bridges were (being) built.*

The introductory **es** is particularly common when there is no stated subject or object, that is, when only the occurrence of an activity is expressed. The conjugated verb is then in the 3rd person singular.

Es wird heute gearbeitet.	*There is work going on today.* (literally, *"it" is being worked today*)
Es wurde gestern viel getanzt.	*There was lots of dancing yesterday.* (literally, *"it" was danced a lot yesterday*)

The **es** is omitted if the sentence begins with another element.

Letztes Jahr wurden viele Brücken gebaut.
Gestern wurde viel getanzt.

29.5 Dative Objects in the Passive Voice

As shown on p. 353, the *accusative* object in the active sentence becomes the *nominative* subject of the passive sentence. A dative object, however, remains in the dative in both the active and the passive sentence.

Active:

Jemand schrieb **der Frau** (*Dat.*) *einen Brief* (*Acc.*).	*Someone wrote the woman a letter.*

Passive:

Der Frau (*Dat.*) wurde *ein Brief* (*Nom.*) geschrieben.	*The woman was written a letter.*
OR:	
Ein Brief (*Nom.*) wurde **der Frau** (*Dat.*) geschrieben.	

Some verbs take a dative object only (see **Wortschatz** 10). When such a verb is used in the passive, the sentence is formed without any subject at all, though sometimes an introductory **es** is included. The conjugated verb is always in the 3rd person singular.

Active	
Man dankte ihm.	*They thanked him.*
Passive	
Ihm wurde gedankt.	*He was thanked.*
OR:	
Es wurde **ihm** gedankt.	
Active	
Jemand hat **den Leuten** geholfen.	*Someone has helped the people.*
Passive	
Den Leuten ist geholfen worden.	*The people have been helped.*
OR:	
Es ist **den Leuten** geholfen worden.	

29.6 Substitutes for the Passive Voice

Since repeated use of the passive voice is considered poor style, one of several active-voice equivalents is often substituted.

A. Man

Man is a common alternative to the passive when no specific subject performs the action.

Hier raucht **man** nicht. (Hier wird nicht geraucht.)	*There is no smoking here.*
Wie macht **man** das? (Wie wird das gemacht?)	*How is that done?*

B. Reflexive Verbs

Reflexive constructions are used occasionally in place of the passive.

Das **lernt sich** leicht. (Das wird leicht gelernt.)	*That is easily learned.*
Wie **schreibt sich** das? (Wie wird das geschrieben?)	*How is that spelled?*

C. Sich lassen

The use of reflexive **sich lassen** with an infinitive expresses the idea that something can be done or that someone lets something *be done* (see **lassen**, **Wortschatz** 9).

Dieser Satz **läßt sich** nicht leicht **übersetzen**. (Dieser Satz kann nicht leicht übersetzt werden.)	*This sentence cannot be easily translated.* (that is, *it does not let itself be easily translated*).
Wir **lassen uns** nicht wieder **überlisten**.	*We are not letting ourselves be outwitted again.*

D. Sein . . . zu + *Infinitive*

Sein . . . zu + an infinitive can replace the passive to express that something *can* or *must be done*.

Diese Videofilme **sind** bis morgen **zurückzubringen**.
(Diese Videofilme **müssen** bis morgen zurückgebracht werden.)

These videotapes must be returned by tomorrow. (that is, *they are to be returned by tomorrow*)

Das Spiel **ist** vielleicht noch **zu gewinnen**.
(Das Spiel **kann** vielleicht noch gewonnen werden.)

The game can perhaps still be won. (that is, *it is perhaps still to be won*)

ÜBUNGEN

A. **Kleinanzeigen.** Erklären Sie die kleinen Anzeigen *(advertisements)* im Passiv Präsens.

Beispiel: Autoreparatur—billig!
Autos werden billig repariert.

1. Suche Partnerin fürs Leben!
2. Alter VW Käfer *(Beetle)* zu verkaufen!
3. Ankauf *(purchase)* von Antiquitäten!
4. Fahrradverleih! (verleihen = *to rent*)
5. Mensa stellt Koch ein! (einstellen = *to hire*)
6. Studienprobleme? Wir beraten dich! (beraten = *to advise*)
7. Zimmervermittlung! (vermitteln = *to locate, find*)

B. **Historisches.** Wählen Sie aus fünf verschiedenen Jahrhunderten jeweils ein Jahr, in dem etwas besonders Wichtiges geschah. Erzählen Sie im Präteritum davon.

Beispiele: 1066: England wurde im Jahre 1066 von den Normannen erobert *(conquered).*

1914: Der Erzherzog *(Archduke)*) Franz Ferdinand von Österreich wurde 1914 in Sarajevo erschossen.

C. **Veränderungen in der Stadt.** Erzählen Sie im Perfekt von drei oder vier Veränderungen der letzten paar Jahre, welche die Lebensqualität Ihrer Heimatstadt verbessert oder verschlechtert haben.

Beispiele: Viele neue Häuser sind gebaut worden.
Eine Kirche ist renoviert worden.

Und welche Veränderungen in Ihrer Stadt sind für die Zukunft geplant? Machen Sie bitte Aussagen im Futur oder mit Modalverben.

Beispiele: Ich glaube, daß bald ein neues Einkaufszentrum gebaut werden wird.

Es soll auch eine neue Schule eröffnet werden.

Ich weiß nicht, was sonst gemacht werden wird.

D. **Was alles getan werden mußte.** Einige Studenten fanden eine ziemlich heruntergekommene *(run down)* Wohnung. Was mußte getan werden, bevor sie einzogen? Verwenden Sie das Passiv mit oder ohne **es**.

Beispiele: Fenster ersetzen
Zwei kaputte Fenster mußten ersetzt werden.

Vorhänge *(curtains)* aufhängen
Es mußten auch Vorhänge aufgehängt werden.

1. die Küche sauber machen
2. die Gardinen *(drapes)* reinigen
3. das Badezimmer putzen
4. eine Tür reparieren
5. den Keller aufräumen

Und wie sieht es in Ihrer Wohnung oder in Ihrem Haus aus? Was könnte, sollte oder müßte *(see subjunctive, 27.2; 27.7)* in der Zukunft *(future)* noch getan werden?

E. **Kartenverkauf: Passiv oder Zustandspassiv?** Drücken Sie die folgenden Sätze auf deutsch aus.

1. The concert was planned for April 7.
2. Tickets were sold two weeks before the concert.
3. After two days the best seats were sold.
4. Most of the tickets were sold to **(an)** students.
5. By the **(bis zum)** day of the concert not all the tickets were sold.
6. By evening, however, the concert was sold out **(ausverkauft)**.

F. **Was wird dort gemacht?** Beantworten Sie die Fragen im Passiv und mit oder ohne **es**.

Beispiele: in einer Bibliothek
Es werden dort Bücher ausgeliehen.
Dort wird gelesen.

1. an einem Kiosk *(newsstand)*
2. in einem Bett
3. in einer Autowerkstatt
4. in einem Kino
5. in einer Disco
6. in einem Pariser Restaurant

G. **Passiv mit dem Dativ.** Drücken Sie die Sätze mit dem Passiv anders aus. Übersetzen Sie Ihre neuen Sätze.

Beispiel: Man hat der alten Frau geholfen.
Der alten Frau ist geholfen worden.
OR: *Es ist der alten Frau geholfen worden.*
The old woman was / has been helped.

1. Man erzählte den Kindern nichts davon.
2. Man hat den Gastgebern *(hosts)* gedankt.
3. Uns empfiehlt man, dieses Buch zu lesen.
4. Mir haben viele Leute zum Geburtstag gratuliert.
5. Man wird ihr wahrscheinlich raten, nichts zu sagen.

H. **Anders ausdrücken.** Drücken Sie die Sätze durch andere Konstruktionen aus.

Beispiele: Das kann man nicht mit Sicherheit sagen.
Das läßt sich nicht mit Sicherheit sagen.
OR: *Das kann nicht mit Sicherheit gesagt werden.*
OR: *Man kann das nicht mit Sicherheit sagen.*

1. Wie buchstabiert man dieses Wort?
2. Autofahren ist leicht zu lernen.
3. Es konnte festgestellt *(ascertained)* werden, daß . . .
4. Solche Behauptungen *(assertions)* lassen sich nicht so einfach beweisen *(prove)*.
5. Änderungen an der chemischen Verbindung *(compound)* waren nicht zu erkennen *(recognize)*.
6. Das Wasser muß mindestens zwanzig Minuten gekocht werden.

ANWENDUNG

A. **Klischeevorstellungen.** Über fast jedes Volk und jedes Land auf der Welt gibt es Klischees. In Japan z.B. soll angeblich *(supposedly)* immer gearbeitet werden, in Amerika wird Energie verschwendet *(wasted)*, in Deutschland wird viel Bier getrunken, usw. An welche Klischees denken Sie? Welche Klischees halten Sie für richtig, welche für falsch? Diskutieren Sie mit anderen Personen darüber. Konzentrieren Sie sich dabei auf das Passiv und auch auf das Pronomen **man** als Passiversatz.

REDEMITTEL

Es wird behauptet, daß in Amerika / Deutschland . . . [getan] wird.
Manche meinen, es wird in Amerika / Deutschland . . . [getan].
Es wurde ja oft gesagt, daß . . .
In Amerika / Deutschland soll angeblich *(supposedly)* viel . . . [getan] werden.
Man kann nicht behaupten, daß . . .

REAKTIONEN

Damit stimme ich (nicht) überein.
Das halte ich für nicht ganz richtig / falsch.
Das finde ich (nicht) richtig.
Das ist ja Unsinn!
Das läßt sich nicht einfach so behaupten.
Das kann man auch anders sehen.

B. **Den Deutschunterricht besprechen.** Diskutieren Sie mit Ihrem Professor oder Ihrer Professorin darüber, was *Ihrer* Ansicht nach in Ihrem Deutschkurs zuviel, zuwenig oder genug gemacht wurde oder wird. Was könnte anders gemacht werden?

VORSCHLÄGE

1. übersetzen
2. Deutsch sprechen
3. diskutieren
4. in Gruppen arbeiten
5. Grammatik erklären und üben
6. lesen
7. Hörverständnis *(listening comprehension)* üben
8. Texte interpretieren

SCHRIFTLICHE THEMEN

TIPS ZUM SCHREIBEN ***Avoiding overuse of the passive***

The passive is often used in technical writing, where the agent of an action is not important, or in instances where the writer either does not know or does not wish to tell who performed the action. Most readers, however, find sentences in the active voice easier to read than sentences in the passive, where the doer, if there is one, is hidden in a prepositional phrase and thus takes longer to find. In addition, since the passive is wordy, it can deprive your prose of action and color. Use the passive sparingly, and only when the agent is unknown or when you wish to emphasize the occurrence of an action rather than its cause. Remember that you can avoid frequent repetition of the passive by using alternative constructions (see 29.6).

A. **Eine interessante Veranstaltung** *(organized event)***.** Erzählen Sie von einer Veranstaltung, bei der Sie einmal mitgemacht haben. Sie sollen nicht so sehr davon erzählen, *wer* was getan hat, sondern, *was* geschah oder gemacht wurde.

Beispiel:

Einmal nahm ich an einer Protestaktion teil. Am Anfang organisierte man . . . Es wurden Transparente *(banners)* verteilt *(distributed)* . . . Es wurde viel geredet . . . Gegen Ende der Aktion marschierte man . . . Zum Schluß mußten alle Demonstranten . . . zurückgebracht werden.

B. **Bessere Lebensqualität.** Was könnte oder müßte (siehe 27.2 und 27.7) getan werden, um die Atmosphäre und die Lebensqualität an Ihrer Universität oder in Ihrer Stadt attraktiver zu machen?

Beispiel:

Meiner Meinung nach könnte die Lebensqualität an dieser Universität durch renovierte Unterrichtsräume erheblich *(substantially)* verbessert werden. Man müßte auch mehr Räume einrichten *(set up)*, in denen man sich auch außerhalb der Unterrichtszeit treffen könnte. Vielleicht sollten auch mehr Parkplätze geschaffen werden, damit . . . Es ließe sich sicher noch viel mehr machen, um das Leben an dieser Universität angenehmer zu gestalten *(shape)*.

Wortschatz

VERBS OF ACCOMPLISHMENT

The following verbs express ways of accomplishing activities.

bauen to build
besiegen to conquer
besteigen to climb, ascend
entdecken to discover
erfinden to invent
erforschen to explore
erreichen to reach, attain
gewinnen to win
gründen to found, set up
herstellen to establish, produce, manufacture
komponieren to compose
malen to paint
verfassen to author, write *(a book)*, draw up *(a document)*

A. **Was wurde von wem getan?** Drücken Sie einige Antworten im Aktiv aus, einige im Passiv. Verwenden Sie die folgenden Verben.

Beispiel: das Dynamit
Alfred Nobel erfand im Jahre 1867 das Dynamit.
OR: *Das Dynamit wurde im Jahre 1867 von Alfred Nobel erfunden.*

besiegen	besteigen	entdecken	erfinden
erreichen	gründen	komponieren	verfassen

Was	Von wem
1. das *Kommunistische Manifest* (1848)	Henri Dunant
2. das *Weihnachts-Oratorium* (1734)	Johannes Gutenberg
3. die Buchdruckerkunst (1445)	Roald Amundsen
4. der Südpol (1911)	Karl Marx
5. das Rote Kreuz (1864)	J. S. Bach
6. Mount Everest (1953)	Edmund Hillary und Tenzing Norgay
7. der Tuberkel-Bazillus (1882)	Robert Koch
8. die Römer im Teutoburgerwald (9 nach Chr.)	Hermann der Cherusker (Arminius)

B. **Menschen und ihre Leistungen.** Schlagen Sie *(look up)* weitere berühmte Leistungen nach. Fragen Sie andere Studenten im Kurs danach. Verwenden Sie manchmal das Passiv.

> **„Wenn der Mensch alles leisten soll, was man von ihm fordert, so muß er sich für mehr halten, als er ist." (Goethe)**

THE VERB **SCHAFFEN**

The verb **schaffen** can be used either as a weak or a strong verb.

1. As a weak verb, **schaffen (schaffte, hat geschafft)** means *to manage to do* or *to accomplish* a task, often within particular constraints.

Sie wollten die Arbeit bis sechs Uhr beenden, und sie haben es **geschafft**.	*They wanted to finish work by six o'clock, and they managed to do so.*
Wir haben es **geschafft**!	*We did it!*

Schaffen can also mean *to work (hard).*

Er hat sein ganzes Leben lang (schwer) **geschafft**.	*He worked (hard) his whole life.*

Schaffen sometimes means *to bring* or *get* an object to a particular place.

Der Gepäckträger hat die vielen Koffer in den Zug **geschafft**.	*The porter got the many suitcases into the train.*

2. When used as a strong verb, **schaffen (schuf, hat geschaffen)** means *to create, make,* or *bring about.*

Gott soll die Welt in sechs Tagen **geschaffen** haben.	*God is said to have created the world in six days.*
Du mußt etwas Ordnung in deinem Leben **schaffen**.	*You must bring about some order in your life.*

3. The participle **geschaffen** occurs often as an adjective meaning *made* or *cut out for* something.

Sie ist für diese Rolle **geschaffen.**	*She is made for this role.* (that is, *it is the ideal role for her*)

A. ***Geschaffen* oder *geschafft*?** Ergänzen Sie die Sätze durch das richtige Partizip.

1. Man sollte in zwei Stunden mit dem Examen fertig sein. Hast du es ge- ____ ?
2. Haben die Kinder den Schnee vor der Haustür weg- ____ ?
3. Diese Diskussion hat eine gute Atmosphäre ge- ____ .
4. Dieser Posten ist für ihn wie ge- ____ .
5. Ludwig van Beethoven hat viele unsterbliche Werke ge- ____ .

B. **Das habe ich getan.** Was haben Sie *geschafft* und *geschaffen*? Machen Sie zwei Aussagen mit jedem Partizip.

Beispiele: Ich habe mehr Ruhe in meinem Leben geschaffen.
Ich habe es geschafft, bisher alle meine Kurse zu bestehen *(pass).*

CHAPTER 30

Verb Prefixes

30.1 Separable Prefixes

German creates many words by adding separable prefixes (see 2.4) to root verbs.[1] Here are examples using the most common separable prefixes.

ab-	*off, away, down*	abnehmen	*to take off weight*
an-	*on, at, to(ward)*	ansehen	*to look at*
auf-	*up, open, on*	aufmachen	*to open up*
aus-	*out*	aussterben	*to die out*
bei-	*by, with*	beistehen	*to stand by someone, aid*
ein-	*into*	einsteigen	*to get into, climb into*
durch-[2]	*through*	durchsetzen	*to carry* or *put through*
fort-	*away*	fortgehen	*to go away*
her-[3]	*(to) here*	herkommen	*to come (to) here*
hin-[3]	*(to) there*	hingehen	*to go (to) there*

[1] Separable prefixes also occur with the many nouns and adverbs derived from these verbs.

[2] **Durch** as well as **über** and **um** on p. 365 are also used inseparably with numerous verbs (see 2.4).

[3] **Hin-** and **her-** are mainly used in combination with other separable prefixes (see 23.2).

los-	*loose*	loslassen	*to turn loose*
mit-	*with, along*	mitsingen	*to sing along*
nach-	*after*	nachblicken	*to look* or *gaze after*
über-[2]	*over, across*	überfließen	*to flow over*
um-[2]	*around, about, over*	umdrehen	*to turn over*
vor-	*before, ahead*	vorarbeiten	*to work ahead*
vorbei-	*by, past*	vorbeilaufen	*to run by*
weg-	*away*	weggehen	*to go away*
weiter-	*further, on*	weiterlaufen	*to run further*
wieder-[4]	*again*	wiedersehen	*to see again*
zu-	*to, towards; to a shut position*	zumachen	*to shut*
zurück-	*back*	zurückrufen	*to call back*
zusammen-	*together*	zusammenstehen	*to stand together*

Some pairs of separable prefixes, when combined with the same verb, form antonyms.

andrehen	*to turn on*	**ab**drehen	*to turn off*
anziehen	*to put on (clothes)*	**aus**ziehen	*to take off*
aufmachen	*to open*	**zu**machen	*to close*
aufsteigen	*to climb up*	**ab**steigen	*to climb down*
einatmen	*to inhale*	**aus**atmen	*to exhale*
vorgehen	*to go ahead, precede*	**nach**gehen	*to go after, follow*
zunehmen	*to increase, gain*	**ab**nehmen	*to decrease, lose*

30

30.2 Inseparable Prefixes

Unlike separable prefixes, the inseparable prefixes **(be-, emp-, ent-, er-, ge-, miß-, ver-,** and **zer-)** have no meanings by themselves (see 2.4). However, with the exception of **emp-** and **ge-**, these prefixes transform the meanings of root verbs in fairly specific ways.

A. Be-

1. A **be-** prefix makes a verb transitive, regardless of whether the root verb is transitive or intransitive.

antworten auf	*to answer*	beantworten	*to answer*
kämpfen gegen	*to fight against*	bekämpfen	*to fight against*
sprechen über	*to talk about*	besprechen	*to discuss*

[4] This prefix is used inseparably in the verb **wiederholen** *(to repeat)*.

2. The meaning of the verb may change considerably when a **be-** prefix is added.

kommen	*to come*	bekommen	*to receive*
sitzen	*to sit*	besitzen	*to possess*
suchen	*to search*	besuchen	*to visit*

3. The prefix **be-** also creates transitive verbs from some nouns and adjectives.

der Freund	*friend*	befreunden	*to befriend*
die Frucht	*fruit*	befruchten	*to fertilize, impregnate*
richtig	*correct*	berichtigen	*to correct*
ruhig	*calm*	beruhigen	*to calm*

B. Ent-

When added to nouns, adjectives, or verbs, the prefix **ent-** expresses the idea of separation or removal. It is often equivalent to the English *de-* (*detach*), *dis-* (*disconnect*), or *un-* (*undo*).

das Fett	*fat, grease*	entfetten	*to remove the fat*
die Kraft	*strength*	entkräften	*to weaken*
fern	*far*	entfernen	*to remove*
heilig	*sacred*	entheiligen	*to desecrate*
decken	*to cover*	entdecken	*to discover*
falten	*to fold*	entfalten	*to unfold*
kommen	*to come*	entkommen	*to escape, get away*

C. Er-

1. The prefix **er-** converts many adjectives into verbs reflecting the quality expressed by the adjective.

hell	*bright*	erhellen	*to brighten*
hoch	*high*	erhöhen	*to heighten*
möglich	*possible*	ermöglichen	*to make possible*

2. The prefix **er-** also changes the meaning of many root verbs to imply successful completion of an activity.

arbeiten	*to work*	erarbeiten	*to obtain through work*
finden	*to find*	erfinden	*to invent*
raten	*to (take a) guess*	erraten	*to guess correctly*

With certain verbs, the "completion" of the action is death:

ermorden	*to murder*	erstechen	*to stab to death*
erschießen	*to shoot fatally*	ertrinken	*to die by drowning*
erschlagen	*to slay*		

D. Miß-

The prefix **miß-** indicates that something is done falsely or incorrectly. It often corresponds to the English *mis-* or *dis-* and is only used with about fifteen verbs in German.

behandeln	*to handle*	mißhandeln	*to mistreat*
deuten	*to interpret*	mißdeuten	*to misinterpret*
gefallen	*to be pleasing*	mißfallen	*to displease*
trauen	*to trust*	mißtrauen	*to distrust*

Umweltveränderung

Leben im sauren Regen

Total verarmt nach 150 Jahren

E. Ver-

1. The prefix **ver-** sometimes implies that the action of a root verb is done incorrectly.

fahren	*to drive*	sich verfahren	*to take the wrong road*
führen	*to lead*	verführen	*to seduce, lead astray*
legen	*to lay*	verlegen	*to mislay*
rechnen	*to calculate*	sich verrechnen	*to miscalculate*
sprechen	*to speak*	sich versprechen	*to misspeak*

2. **Ver-** can also indicate that an action continues until something is used up or destroyed.

brauchen	*to use*	verbrauchen	*to use up*
brennen	*to burn*	verbrennen	*to burn up*
fallen	*to fall*	verfallen	*to fall into ruin*
gehen	*to go*	vergehen	*to pass* or *fade away*
schwinden	*to dwindle*	verschwinden	*to disappear*
spielen	*to play*	verspielen	*to gamble away*

3. In some instances, **ver-** indicates going, giving, or chasing away.

reisen	*to travel*	verreisen	*to go away on a trip*
schenken	*to give as a gift*	verschenken	*to give away*
jagen	*to chase*	verjagen	*to chase away*
treiben	*to drive*	vertreiben	*to drive (s.o.) away*

4. Sometimes the prefix **ver-** simply intensifies, refines, or alters the action expressed by the root verb.

bergen	*to hide, cover*	verbergen	*to hide, conceal*
gleichen	*to resemble*	vergleichen	*to compare*
urteilen	*to judge*	verurteilen	*to condemn*
zweifeln	*to doubt*	verzweifeln	*to despair*

5. Finally, **ver-** converts many adjectives (often in the comparative form), a few adverbs, and an occasional noun into verbs.

anders	*different*	verändern	*to change*
besser	*better*	verbessern	*to improve*
größer	*larger*	vergrößern	*to enlarge*
länger	*longer*	verlängern	*to lengthen*
mehr	*more*	vermehren	*to increase*
nicht	*not*	vernichten	*to annihilate*
die Ursache	*cause*	verursachen	*to cause*

F. Zer-

The prefix **zer-** indicates destruction or dissolution through the action denoted by the verb.

brechen	*to break*	zerbrechen	*to break into pieces, shatter*
fallen	*to fall*	zerfallen	*to fall into pieces*
gehen	*to go*	zergehen	*to dissolve (in a liquid)*
legen	*to lay*	zerlegen	*to take apart, disassemble*
reißen	*to tear*	zerreißen	*to tear to pieces*
stören	*to disturb*	zerstören	*to destroy*

ÜBUNGEN

A. **Welches Verb paßt?** Ergänzen Sie die Sätze durch passende Präfixverben.

Beispiel: Ich möchte mir diese Schallplatte ____ . (hören)
Ich möchte mir diese Schallplatte ***anhören****.*

Statt Ausbau im Westen lieber Aufbau im Osten

1. Kinder, ich möchte jetzt schlafen. ____ das Licht bitte ____ . (machen)
2. Was er sagt, ist sehr wichtig. Ihr sollt gut ____ . (hören)
3. Du darfst mein Fahrrad benutzen, aber du mußt es heute abend ____ . (bringen)
4. Es regnet hier draußen. Kannst du mich bitte ____ ? (lassen)
5. Wer hat das Fenster ____ ? (schlagen)
6. Endstation! Alle bitte ____ ! (steigen)
7. Man ____ das alte Haus in wenigen Tagen ____ . (reißen: *tear*)

B. **Das Gegenteil.** Drücken Sie das Gegenteil dieser Sätze aus.

Beispiel: Können Sie das Fenster bitte **zumachen**?
Können Sie das Fenster bitte ***aufmachen****?*

1. Ich muß den Koffer *packen.*
2. Kannst du bitte das Licht *anschalten*?
3. Habt ihr das Geld schon *ausgezahlt*?
4. Vergiß nicht, das Gas *abzudrehen.*

5. Du sollst dir die Schuhe noch *anziehen.*
6. Meine Uhr *geht vor.*
7. Der Lärm *nimmt* jetzt *ab.*

C. **Anders ausdrücken.** Drücken Sie die Sätze durch Verben mit dem Präfix **be-** anders aus. Beachten Sie bitte, daß Verben mit dem Präfix **be-** immer transitiv sind.

Beispiel: Für seine Entscheidung hat er keinen **Grund gegeben.**
Er hat seine Entscheidung nicht ***begründet.***

1. Ich muß mein Schreiben jetzt *zu Ende bringen.*
2. Wer *gibt* ihm einen *Lohn* für seine Arbeit?
3. Die Nachricht von seinen Plänen hat uns sehr *unruhig gemacht.*
4. Niemand *dachte an* die Folgen einer solchen Politik.
5. Wir wollen mit jemand anders *über* dieses Problem *sprechen.*
6. Truppen *schossen auf* die feindlichen Stellen *(positions).*

D. **Das richtige Verb.** Ergänzen Sie die Sätze durch passende Verben mit dem Präfix **ent-**.

1. Wenn ihnen die Blätter schmecken, können Raupen *(caterpillars)* einen Baum in wenigen Tagen ____ .
2. Geld hat einen bestimmten Wert, aber durch eine Inflation wird es ____ .
3. Wenn eine Firma zu viele Arbeiter hat, werden oft einige ____ .
4. Bevor man Meerwasser trinkt, muß man es zuerst ____ .
5. Dem Tod kann man nicht auf immer *(forever)* ____ .

E. **Persönliche Fragen.** Beantworten Sie die Fragen. Verwenden Sie Verben mit dem Präfix **er-**.

1. Wer macht Ihnen das Studium möglich?
2. Was macht Sie besonders frisch?
3. Werden Sie rot, wenn Leute gut oder schlecht von Ihnen reden?
4. Was macht Sie besonders müde?

F. **Mit oder ohne *er-*?** Ergänzen Sie die Sätze durch passende Verben aus den Verbpaaren.

frieren / erfrieren
leben / erleben
raten / erraten
reichen / erreichen
schießen / erschießen

1. Es ist kalt draußen. Es ____ . Sogar das Wasser im See ist zu Eis ____ .
2. Der Greis *(old man)* hatte lange ____ und viel ____ .
3. Dreimal darfst du ____ . —Ich habe es schon ____ .
4. Wir haben den Tunnel ____ . ____ mir bitte deine Taschenlampe.
5. Sie ____ mehrmals mit einer Pistole, aber glücklicherweise ____ sie niemand.

G. **Verstehen Sie das?** Erklären Sie auf deutsch, was die folgenden Ausdrücke bedeuten.

1. ein Spiel verlängern
2. Flugblätter *(pamphlets)* verteilen
3. eine Frage verneinen
4. Pläne verwirklichen
5. sich zum Essen verspäten
6. eine Industrie verstaatlichen
7. etwas an einem Beispiel verdeutlichen

H. **Alles mit *ver-*.** Ergänzen Sie die Sätze durch passende Verben mit dem Präfix **ver-**.

brauchen	sinken
gehen	spielen
jagen	urteilen
legen	

1. In Las Vegas kann man leicht sein ganzes Geld ____ .
2. Ich kann meine Brille nicht finden. Vielleicht habe ich sie irgendwo ____ .
3. Dieser Wagen ____ zuviel Benzin.
4. Die Jahre sind schnell ____ .
5. Das Schiff ____ und wurde nie mehr gesehen.
6. Der Richter hat den Verbrecher zu einer Gefängnisstrafe *(imprisonment)* von sieben Jahren ____ .
7. Unser Hund ____ alle Katzen.

I. **Alles in Stücke.** Beantworten die Fragen. Verwenden Sie die folgenden Verben mit dem Präfix **zer-**.

Beispiel: Was tut ein Elefant im Porzellanladen?
Er zerbricht das ganze Porzellan.

brechen gehen legen reißen trampeln

1. Was kann ein sehr starker Mann mit einem Telefonbuch tun?
2. Was geschah, als Humpty Dumpty das Gleichgewicht *(balance)* verlor?
3. Was geschieht mit einer Pille, wenn sie im Wasser ist?
4. Was geschieht, wenn Kühe durch ein Blumenbeet *(flower bed)* gehen?
5. Was passiert mit Fröschen *(frogs)* im Biologielabor?

ANWENDUNG

Verben im Kontext. Unterstreichen Sie in einem kurzen Zeitungs- oder Zeitschriftenartikel alle Wörter mit untrennbaren *(inseparable)* Präfixen. Was bedeuten die Stammwörter *(root words)*? Auf welche Weise ändern die Präfixe die Bedeutungen dieser Stammwörter?

SCHRIFTLICHES THEMA

TIPS ZUM SCHREIBEN *Writing with inseparable prefix verbs*

Inseparable prefix verbs are particularly useful for avoiding wordiness and for elevating your level of expression. For example, the sentence **Sie hat ihm das Studium möglich gemacht** is not incorrect, but it lacks the stylistic sophistication of **Sie hat ihm das Studium ermöglicht**. There is also nothing wrong with the statement **Wir sind in die falsche Richtung gefahren**; however, **Wir haben uns verfahren** says the same thing more concisely.

Stilistisch besser: Thema frei. Schreiben Sie zuerst einen kurzen Text von acht bis zehn Sätzen. Versuchen Sie dann, diesen Text durch den Gebrauch von Präfixverben stilistisch besser zu gestalten *(fashion).*

Wortschatz

SOME COMMON VERBS WITH **BE-**, **ER-**, AND **VER-** PREFIXES

Adding the prefixes **be-**, **er-**, and **ver-** to the verbs below changes their meaning as follows.[5]

1.	**arbeiten**	to work
	bearbeiten	to cultivate, work on; to treat
	erarbeiten	to acquire through work
	verarbeiten	to manufacture, process a *(raw)* material
2.	**fahren**	to go, travel
	befahren	to travel *or* drive on *or* through something
	erfahren	to find out, hear, discover, learn; to experience
	sich verfahren	to take the wrong route, get lost
3.	**greifen**	to seize, grasp, grab
	begreifen	to comprehend, understand
	ergreifen	to seize, take hold of; to touch deeply

[5] These definitions are not comprehensive; they cover only the most basic meanings of these verbs.

4. **halten** — to hold (*see also* **Wortschatz** *14*)
   - **behalten** — to keep, retain
   - **erhalten** — to receive (*see* **Wortschatz** *3*)
   - **sich verhalten** — to (re)act, behave (*see* **Wortschatz** *27*)

5. **kennen** — to know, be familiar with
   - **bekennen** — to confess, acknowledge, avow
   - **erkennen** — to recognize, make out, identify
   - **verkennen** — to mistake, fail to recognize correctly

6. **kommen** — to come
   - **bekommen** — to receive, get (*see* **Wortschatz** *3*)
   - **verkommen** — to decay, go to ruin

7. **raten** — to advise, counsel; to take a guess
   - **beraten** — to advise, give advice to a person
   - **erraten** — to correctly guess, solve *(a riddle)*
   - **verraten** — to betray *(someone, a secret),* divulge

8. **schreiben** — to write
   - **beschreiben** — to describe
   - **verschreiben** — to prescribe *(medicine);* to miswrite *(a word)*

9. **setzen** — to set
   - **besetzen** — to occupy
   - **ersetzen** — to replace
   - **versetzen** — to transfer *(someone)*, transplant *(plants)*

10. **sprechen** — to speak
    - **besprechen** — to discuss
    - **versprechen** — to promise
    - **sich versprechen** — to misspeak, use the wrong word

11. **stehen** — to stand
    - **bestehen** — to pass *(an examination),* survive an encounter
    - **erstehen** — to buy, acquire *(at an auction)*
    - **verstehen** — to understand

12. **treten** — to step
    - **betreten** — to set foot in *or* on, enter
    - **vertreten** — to represent, act on behalf of; advocate an intellectual position

A. **Anders ausdrücken.** Setzen Sie das passende Verb ein.

1. Sie hat das Examen mit großem Erfolg ___ .
   Ich habe diese alte Lampe auf einer Auktion ___ .
2. Ich ___ den Standpunkt, daß es keine Todesstrafe *(capital punishment)* geben sollte.
   Den Rasen bitte nicht ___ !
3. Ich ___ nicht, wie man so etwas tun kann.
   Als das Feuer ausbrach, wurden viele Leute von Panik ___ .
4. Benedict Arnold hat sein Land ___ .
   Dreimal darfst du ___ , was ich dir zum Geburtstag schenke.
5. Wir haben seine gute Absicht *(intention)* leider ___ .
   Nach dem Unfall war Juliane so verändert, daß man sie kaum noch ___ konnte.
6. Meine Schwester wurde in eine andere Abteilung *(department)* in der Firma ___ .
   Heutzutage kann man eine kranke Niere *(kidney)* durch eine gesunde Niere ___ .
7. Durch Fleiß hat mein Bruder sich eine bessere Stelle ___ .
   In dieser Fabrik wird Leder zu Handtaschen ___ .
   Wenn man einen neuen Garten anlegt *(put in)*, soll man vorher den Boden gut ___ .

B. **Aussagen.** Schreiben Sie Beispielsätze mit den folgenden Wortpaaren.

Beispiel: besprechen / versprechen
Wir müssen das Problem noch besprechen.
Er hat ihr Liebe und Treue versprochen.

1. befahren / erfahren
2. betreten / vertreten
3. bekennen / erkennen
4. besetzen / ersetzen

Appendix 1

Capitalization and Punctuation

I. Capitalization

German capitalization varies from English usage in the following instances.

A. *Nouns and Adjectives*

1. Nouns and words used as nouns are capitalized in German.[1]

der Tisch *the table (noun)*
das Ich *the ego (pronoun used as a noun)*
ein Reicher *a rich man (adjective used as a noun)*
Schlechtes *bad things (adjective used as a noun)*
eine Vier *a four (number used as a noun)*
das Schreiben *writing (verb used as a noun)*
das Für und Wider *the pros and cons (prepositions used as nouns)*
das große Aber *the big but (conjunction used as a noun)*

2. Proper adjectives are not capitalized unless they occur in titles (see 18.2).

deutsche Autos — *German cars*
die Österreichischen Bundesbahnen — *the Austrian Federal Railway System*

---

[1] In a few, very common adverbial phrases, the noun is not capitalized.

Sagen Sie das bitte auf **deutsch**. — *Please say that in German.*

BUT:

Sprechen Sie **Deutsch**? — *Do you speak German?*

B. *Pronouns*

1. The formal pronoun **Sie** (**Ihnen**) is capitalized, but its reflexive (**sich**) is not. The pronoun **ich** is capitalized only when it begins a sentence (see 13.1).
2. All forms of the pronouns **du** and **ihr**, including the reflexives, are capitalized in letters (see *Letter-Writing*).

II. Punctuation

The most important punctuation rules in German concern the use or omission of the comma.

A. *Comma (***das Komma, -s***)*

1. Dependent (subordinate) clauses are always set off by commas.

Sie weiß, daß ich nicht kommen kann. *(subordinate clause; see 25.3)*	*She knows that I cannot come.*
Wir denken, der Plan ist zu gefährlich. *(subordinate clause without a conjunction)*	*We think the plan is too dangerous.*
Die Frau, die uns helfen könnte, ist nicht hier. *(relative clause, see 26.2)*	*The woman who could help us is not here.*
Er fragt, ob wir mitgehen wollen. *(indirect question; see 14.3)*	*He asks whether we want to go along.*

2. Clauses, phrases, or words linked by the coordinating conjunctions **denn**, **aber**, and **sondern** are set off by commas (see 25.1).

Das Wetter ist schön, aber kalt.	*The weather is nice, but cold.*
Unser Haus ist nicht weiß, sondern grün.	*Our house is not white, but (rather) green.*

3. Clauses linked by **und** or **oder** are separated by a comma, unless they share a common element such as a subject or a verb (see 25.1).

Compare:

Heinrich ist Maler, und er lebt in Köln. *(no shared element)*	*Henry is a painter, and he lives in Cologne.*
Franz sitzt zu Hause und liest ein Buch. *(shared subject)*	*Franz is sitting at home and reading a book.*
Michelle liest ein Buch und Nicole eine Zeitung. *(shared verb)*	*Michelle ist reading a book and Nicole, a newspaper.*

4. In German, a comma is not used before **oder** or **und** in a series, whereas in English it is optional.

An diesem Institut kannst du Deutsch, Französisch, Russisch oder Italienisch lernen.	*At this institute you can learn German, French, Russian, or Italian.*
Sie wachte auf, stellte den Wecker ab und ging ins Badezimmer.	*She woke up, turned off the alarm, and went into the bathroom.*

5. Infinitive clauses consisting of more than just **zu** + infinitive are normally set off by commas (see 9.1).

Compare:

Wir versprechen zu helfen.	*We promise to help.*
Wir versprechen, euch zu helfen.	*We promise to help you.*

6. Infinitive clauses introduced by **um . . . zu**, **ohne . . . zu**, and **(an) statt . . . zu** are always set off by commas regardless of length (see 9.1).

Wir gehen in die Stadt, um zu essen.	*We are going downtown (in order) to eat.*

7. Words in apposition are set off by commas.

Herr Castorp, der Kollege meines Vaters, besuchte uns oft.	*Mr. Castorp, my father's colleague, often visited us.*
Er war der Sohn Friedrichs des Ersten, König von Preußen.	*He was the son of Frederick the First, King of Prussia.*

8. Adverbs and adverbial phrases at the beginning of a sentence are not set off by a comma, as they may be in English (see 23.1).

Leider habe ich meinen Führerschein nicht mit.	*Unfortunately, I don't have my driver's license with me.*

9. The comma is used as a decimal point (see 21.3).

6,5 (sechs Komma fünf)	*6.5 (six point five)*

10. Commas are not used to separate sets of digits in large numbers; German uses either periods or spaces (see 21.1).

20 000 or 20.000 = 20,000

B. Other Punctuation Marks

1. A period (**der Punkt, -e**) is used with numerals to indicate an ordinal number + ending (see 21.2).

den 5. Juli (den fünften Juli)	*the fifth of July*

2. An exclamation point (**das Ausrufezeichen**, **-**) is occasionally used after a salutation in a letter. It is also used after emphatic imperatives (see 3.1).

Liebe Mutter!	*Dear Mother,*
Seien Sie bitte ruhig!	*Please be calm!*

3. A question mark (**das Fragezeichen**, **-**) is used after questions, as in English.

4. Direct quotations (see 28.1) are preceded by a colon (**der Doppelpunkt**, **-e**) and enclosed by quotation marks (**die Anführungszeichen** [*pl.*]). In print and in handwriting, the initial quotation mark appears at the bottom of the line, while the final quotation mark is at the top of the line. Since computers and typewriters do not have the lower quotation marks, they place both marks above the line. The final quotation mark precedes a comma, but it follows a period.

Sisyphus sagte: „Es ist hoffnungslos."	*Sisyphus said, "It is hopeless."*
„Ich komme nicht", sagte sie.	*"I am not coming," she said.*

5. A hyphen (**der Bindestrich**, **-e**) is used to divide words at the end of a line. It is also used to indicate an omitted element common to two compound nouns in a pair.

eine Nacht- und Nebelaktion (eine Nachtaktion und eine Nebelaktion)	*an operation under the cover of night and fog*
Stadt- und Landbewohner (Stadtbewohner und Landbewohner)	*city and country dwellers*

6. A semicolon (**das Semikolon**) is rarely used in German.

Appendix 2

Letter-Writing

I. Formal Letters

In more formal correspondence, the heading, salutation, and closing are rather prescribed.

Hans-Jörg Möller

Einmillerstraße 5
D-8000 München 40
13. November 19. .

(An)
Herrn / Frau S. Markstädter
Süddeutsche Zeitung
Sendlinger Straße 80
D-8000 München 2

Possible salutations:

Sehr geehrte Herren,
Sehr geehrter Herr (Dr.) Markstädter,
Sehr verehrte Frau (Dr.) Markstädter,

in der Wochenendausgabe Ihrer Zeitung vom 3. November 19. . stand ein Artikel über . . .

Mit freundlichen Grüßen

II. Informal Letters

In informal letters, the place and date are given in more abbreviated form, and there are also various choices for the salutation and the concluding sign-off.

Fulda, (den) 15. Oktober 19. .
OR: Fulda, 15.10.19. .

Common salutations:

Liebe Frau Schwarzenberger,
Lieber Horst,
Lieber Siegfried, liebe Ingrid,
Liebe Freunde,

vielen Dank für Deinen / Euren Brief. Es freut mich, daß Du / Ihr bald Deinen / Euren . . .

Sample closings (from more formal to less formal):

Mit freundlichen Grüßen

Herzliche Grüße
Dein / Euer

Herzlichst
Deine / Euere

III. Points to Note

1. In German dates, the day is always given before the month.
2. In addresses, the house number follows the street name.
3. The title **Herrn** is an accusative object of the preposition **an**. The accusative form is retained in addresses even if **an** is omitted.
4. The *D* before the zip code stands for Germany. Austria is *A*, and Switzerland is *CH*.
5. Salutations are normally followed by a comma; the first sentence of the letter begins with a lower-case letter. Salutations can also be followed by an exclamation point instead of a comma; in such instances, the first sentence of the letter begins with a capital letter.

   Liebe Freunde!
   Es hat mich sehr gefreut . . .
6. All forms of the pronouns **du** and **ihr**, including the reflexives, are capitalized.
7. There is no comma after the closing.
8. There are no indentations until the closing.

Appendix 3 Strong and Irregular Verbs

The boldfaced verbs are fairly common and should be learned for active use at the intermediate level. The other verbs are used much less frequently. Verbs requiring the auxiliary **sein** rather than **haben** are indicated by the word **ist** before the past participle. An asterisk after the **ist** means that the verb can also be used transitively with the auxiliary **haben**.

infinitive (3rd. pers. sing.)	***simple past***		***past participle***	***subjunctive II***	***meaning***
backen (bäckt)	buk / backte		gebacken	büke	*to bake*
befehlen (befiehlt)	befahl		befohlen	beföhle / befähle	*to command*
beginnen	**begann**		**begonnen**	begänne / begönne	*to begin*
beißen	**biß**		**gebissen**	bisse	*to bite*
betrügen	betrog		betrogen	betröge	*to deceive, cheat*
bewegen	bewog		bewegen	bewöge	*to induce, prompt*
BUT:	bewegte		bewegt	bewegte	*to move*
beweisen	bewies		bewiesen	bewiese	*to prove*
biegen	**bog**		**gebogen**	böge	*to bend*
bieten	**bot**		**geboten**	böte	*to offer*
binden	**band**		**gebunden**	bände	*to bind, tie*
bitten	**bat**		**gebeten**	bäte	*to ask (for), request*
blasen (bläst)	blies		geblasen	bliese	*to blow*
bleiben	**blieb**	**ist**	**geblieben**	bliebe	*to stay, remain*

braten (brät)	briet		gebraten	briete	*to roast, fry*
brechen (bricht)	**brach**		**gebrochen**	bräche	*to break*
brennen	**brannte**		**gebrannt**	brennte	*to burn*
bringen	**brachte**		**gebracht**	brächte	*to bring*
denken	**dachte**		**gedacht**	dächte	*to think*
dringen	drang	ist	gedrungen	dränge	*to penetrate, surge into*
empfangen (empfängt)	empfing		empfangen	empfinge	*to receive*
empfehlen (empfiehlt)	**empfahl**		**empfohlen**	empföhle / empfähle	*to recommend*
empfinden	empfand		empfunden	empfände	*to feel*
erlöschen (erlischt)	erlosch	ist	erloschen	erlösche	*to go out (light, fire)*
erschrecken (erschrickt)	erschrak	ist	erschrocken	erschräke	*to be startled*
essen (ißt)	**aß**		**gegessen**	äße	*to eat*
fahren (fährt)	**fuhr**	**ist***	**gefahren**	führe	*to drive, travel*
fallen (fällt)	**fiel**	**ist**	**gefallen**	fiele	*to fall*
fangen (fängt)	fing		gefangen	finge	*to catch*
finden	**fand**		**gefunden**	fände	*to find*
fliegen	**flog**	**ist***	**geflogen**	flöge	*to fly*
fliehen	**floh**	**ist**	**geflohen**	flöhe	*to flee*
fließen	**floß**	**ist**	**geflossen**	flösse	*to flow*
fressen (frißt)	**fraß**		**gefressen**	fräße	*to eat (of animals)*
frieren	**fror**		**gefroren**	fröre	*to freeze, be cold*
gebären (gebiert)	gebar		geboren	gebäre	*to give birth*
geben (gibt)	**gab**		**gegeben**	gäbe	*to give*
gehen	**ging**	**ist**	**gegangen**	ginge	*to go*
gelingen	**gelang**	**ist**	**gelungen**	gelänge	*to succeed*
gelten (gilt)	galt		gegolten	gölte / gälte	*to be valid*
genießen	**genoß**		**genossen**	genösse	*to enjoy*
geschehen (geschieht)	**geschah**	**ist**	**geschehen**	geschähe	*to happen*
gewinnen	**gewann**		**gewonnen**	gewönne / gewänne	*to win*
gießen	**goß**		**gegossen**	gösse	*to pour*
gleichen	glich		geglichen	gliche	*to resemble; to equal*
gleiten	glitt	ist	geglitten	glitte	*to glide, slide*
graben (gräbt)	**grub**		**gegraben**	grübe	*to dig*

infinitive (3rd. pers. sing.)	*simple past*		*past participle*	*subjunctive II*	*meaning*
greifen	**griff**		**gegriffen**	griffe	*to grip, grab, seize*
haben (hat)	**hatte**		**gehabt**	hätte	*to have*
halten (hält)	**hielt**		**gehalten**	hielte	*to hold; to stop*
hängen	**hing**		**gehangen**	hinge	*to hang* (intransitive)
hauen	hieb / haute		gehauen	hiebe	*to hew, cut; to spank*
heben	hob		gehoben	höbe	*to lift*
heißen	**hieß**		**geheißen**	hieße	*to be called*
helfen (hilft)	**half**		**geholfen**	hülfe	*to help*
kennen	**kannte**		**gekannt**	kennte	*to know, be acquainted with*
klingen	**klang**		**geklungen**	klänge	*to sound*
kneifen	kniff		gekniffen	kniffe	*to pinch*
kommen	**kam**	**ist**	**gekommen**	käme	*to come*
kriechen	kroch	ist	gekrochen	kröche	*to crawl*
laden (lädt)	**lud**		**geladen**	lüde	*to load*
lassen (läßt	**ließ**		**gelassen**	ließe	*to let, leave*
laufen (läuft)	**lief**	**ist**	**gelaufen**	liefe	*to run, walk*
leiden	**litt**		**gelitten**	litte	*to suffer*
leihen	**lieh**		**geliehen**	liehe	*to lend*
lesen (liest)	**las**		**gelesen**	läse	*to read*
liegen	**lag**		**gelegen**	läge	*to lie, be situated*
lügen	**log**		**gelogen**	löge	*to (tell a) lie*
meiden	mied		gemieden	miede	*to avoid*
messen (mißt)	maß		gemessen	mäße	*to measure*
nehmen (nimmt)	**nahm**		**genommen**	nähme	*to take*
nennen	**nannte**		**genannt**	nennte	*to name, call*
pfeifen	**pfiff**		**gepfiffen**	pfiffe	*to whistle*
raten (rät)	riet		geraten	riete	*to advise; to (take a) guess*
reiben	rieb		gerieben	riebe	*to rub*
reißen	**riß**	**ist**	**gerissen**	risse	*to tear*
reiten	**ritt**	**ist***	**geritten**	ritte	*to ride (on an animal)*
rennen	**rannte**	**ist**	**gerannt**	rennte	*to run*
riechen	**roch**		**gerochen**	röche	*to smell*

rinnen	rann	ist	geronnen	rönne / ränne	*to run, flow trickle*
rufen	**rief**		**gerufen**	riefe	*to call*
saufen (säuft)	soff		gesoffen	söffe	*to drink (of animals)*
saugen	sog / saugte		gesogen / gesaugt	söge	*to suck*
schaffen	schuf		geschaffen	schüfe	*to create*
	schaffte		geschafft	schaffte	*to do, accomplish*
scheiden	schied		geschieden	schiede	*to separate*
scheinen	schien		geschienen	schiene	*to shine; to seem*
schelten (schilt)	schalt		gescholten	schölte	*to scold*
schieben	**schob**		**geschoben**	schöbe	*to shove, push*
schießen	**schoß**		**geschossen**	schösse	*to shoot*
schlafen (schläft)	**schlief**		**geschlafen**	schliefe	*to sleep*
schlagen (schlägt)	**schlug**		**geschlagen**	schlüge	*to strike, hit, beat*
schleichen	schlich	ist	geschlichen	schliche	*to creep, sneak*
schließen	**schloß**		**geschlossen**	schlösse	*to close*
schmeißen	schmiß		geschmissen	schmisse	*to fling, hurl*
schmelzen (schmilzt)	schmolz	ist*	geschmolzen	schmölze	*to melt*
schneiden	**schnitt**		**geschnitten**	schnitte	*to cut*
schreiben	**schrieb**		**geschrieben**	schriebe	*to write*
schreien	**schrie**		**geschrie(e)n**	schriee	*to shout, scream*
schreiten	schritt	ist	geschritten	schritte	*to stride*
schweigen	schwieg		geschwiegen	schwiege	*to be silent*
schwellen	schwoll	ist	geschwollen	schwölle	*to swell*
schwimmen	**schwamm**	**ist**	**geschwommen**	schwömme / schwämme	*to swim*
schwingen	schwang		geschwungen	schwänge	*to swing*
schwören	schwur / schwor		geschworen	schwüre	*to swear, vow*
sehen (sieht)	**sah**		**gesehen**	sähe	*to see*
sein (ist)	**war**	**ist**	**gewesen**	wäre	*to be*
senden	**sandte**		**gesandt**	sendete	*to send*
	sendete		**gesendet**		*to transmit*
singen	**sang**		**gesungen**	sänge	*to sing*
sinken	**sank**	**ist**	**gesunken**	sänke	*to sink*
sinnen	sann		gesonnen	sänne / sönne	*to think, reflect; to plot*
sitzen	**saß**		**gesessen**	säße	*to sit*

infinitive (3rd. pers. sing.)	*simple past*		*past participle*	*subjunctive II*	*meaning*
spinnen	spann		gesponnen	spönne / spänne	*to spin; to be crazy*
sprechen (spricht)	**sprach**		**gesprochen**	spräche	*to speak, talk*
springen	**sprang**		**gesprungen**	spränge	*to jump*
stechen (sticht)	stach		gestochen	stäche	*to prick, sting*
stehen	**stand**		**gestanden**	stünde / stände	*to stand*
stehlen (stiehlt)	**stahl**		**gestohlen**	stähle / stöhle	*to steal*
steigen	**stieg**	**ist**	**gestiegen**	stiege	*to climb, rise*
sterben (stirbt)	**starb**	**ist**	**gestorben**	stürbe	*to die*
stinken	stank		gestunken	stänke	*to stink*
stoßen (stößt)	stieß		gestoßen	stieße	*to push*
streichen	strich		gestrichen	striche	*to stroke; to paint*
streiten	stritt		gestritten	stritte	*to quarrel*
tragen (trägt)	**trug**		**getragen**	trüge	*to carry; to wear*
treffen (trifft)	**traf**		**getroffen**	träfe	*to meet; to hit (the target)*
treiben	**trieb**		**getrieben**	triebe	*to drive (cattle); to pursue (an activity)*
treten (tritt)	**trat**	**ist***	**getreten**	träte	*to step, tread; to kick*
trinken	**trank**		**getrunken**	tränke	*to drink*
tun	**tat**		**getan**	täte	*to do*
verbergen	verbarg		verborgen	verbürge / verbärge	*to hide, conceal*
verderben (verdirbt)	verdarb		verdorben	verdürbe	*to spoil*
vergessen (vergißt)	**vergaß**		**vergessen**	vergäße	*to forget*
verlieren	**verlor**		**verloren**	verlöre	*to lose*
verschlingen	verschlang		verschlungen	verschlänge	*to devour, gobble up*
verschwinden	**verschwand**	**ist**	**verschwunden**	verschwände	*to disappear*
verzeihen	verzieh		verziehen	verziehe	*to forgive, pardon*
wachsen (wächst)	**wuchs**	**ist**	**gewachsen**	wüchse	*to grow*
waschen (wäscht)	**wusch**		**gewaschen**	wüsche	*to wash*
weisen	wies		gewiesen	wiese	*to point*

wenden	**wandte**		**gewandt**	wendete	*to turn*
	wendete		**gewendet**		*to turn (inside out)*
werben (wirbt)	warb		geworben	würbe	*to recruit, solicit*
werden (wird)	**wurde**	**ist**	**geworden**	würde	*to become*
werfen (wirft)	**warf**		**geworfen**	würfe	*to throw*
wiegen	wog		gewogen	wöge	*to weigh*
winden	wand		gewunden	wände	*to wind, twist*
wissen (weiß)	**wußte**		**gewußt**	wüßte	*to know*
ziehen	**zog**		**gezogen**	zöge	*to pull, draw*
		ist	**gezogen**		*to go, move*
zwingen	**zwang**		**gezwungen**	zwänge	*to force*

Appendix 4

Verbs with Prepositions

Some of the verbs below can take a direct or indirect object in addition to the prepositional phrase. These objects are indicated by the following abbreviations: **jemandem** (*dative*) = **jdm.**; **jemanden** (*accusative*) = **jdn.**; **etwas** = **etw.**

an (*accusative and dative*)

Accusative

denken an *to think of*
(jdn.) erinnern an *to remind (someone) of*
sich erinnern an *to remember*
sich gewöhnen an *to get accustomed to*
glauben an *to believe in*
grenzen an *to border on*
sich richten an *to direct (a comment or question) at*
sich wenden an *to turn to, appeal to*

Dative

arbeiten an *to work at / on*
jdn. erkennen an *to recognize someone by*
sich freuen an *to delight in*
jdn. hindern an *to prevent someone from (doing)*
leiden an *to suffer from*
sterben an *to die from*
zweifeln an *to doubt*

auf (*accusative and dative*)

Accusative

achten auf *to pay heed to*
antworten auf *to answer (to)*
aufpassen auf *to keep an eye on*
sich beziehen auf *to refer to, relate to*
blicken auf *to glance at, look at*
sich freuen auf *to look forward to*
(jdn.) hinweisen auf *to refer (someone) to, indicate*

hören auf *to listen to, heed*
sich konzentrieren auf *to concentrate on*
reagieren auf *to react to*
schießen auf *to shoot at*
trinken auf *to drink to*
vertrauen auf *to trust in*
sich verlassen auf *to rely upon*
verzichten auf *to forgo, renounce*
warten auf *to wait for*
zeigen auf *to point to*

Dative

beruhen auf *to be based upon*
bestehen auf *to insist upon*

aus (*dative*)

bestehen aus *to consist of*
werden aus *to become of*

für (*accusative*)

danken für *to thank for*
jdn. / etw. halten für *to regard someone / something as (see* **Wortschatz** *25)*
sich interessieren für *to be interested in*
sorgen für *to provide for, look after*
stimmen für *to vote for*

in (*accusative and dative*)

Accusative

sich verlieben in *to fall in love with*

Dative

geraten in *to get or fall into, end up in*
sich irren in *to be mistaken in*
sich täuschen in *to be mistaken about*

mit (*dative*)

aufhören mit *to stop doing, cease*
sich beschäftigen mit *to occupy oneself with*
handeln mit *to trade in, deal in*
rechnen mit *to count on (something happening)*
sich verabreden mit *to make an appointment with*
verkehren mit *to associate with, mix with*
sich vertragen mit *to get along (well) with*

nach (*dative*)

sich erkundigen nach *to inquire about*
(jdn.) fragen nach *to ask (someone) about*
greifen nach *to reach for*
schicken nach *to send for*
sich sehnen nach *to long for*
streben nach *to strive for*
suchen nach *to search for*
sich umsehen nach *to look around for*
handeln nach *to act according to*

Special meaning:

aussehen (klingen, riechen, schmecken) nach *to look (sound, smell, taste) like*[1]

über *(accusative)*[2]

sich ärgern über *to be annoyed about / at*
sich beklagen über *to complain about*
berichten über *to report about / on (see also* **von**)
sich beschweren über *to complain about*
sich einigen über *to agree upon*
sich freuen über *to be happy about (compare* **sich freuen auf, an**)
sich lustig machen über *to make fun of*
nachdenken über *to think about, ponder*
reden über *to talk about (see also* **von***)*
sich schämen über *to be ashamed about*
spotten über *to joke about, ridicule*
sprechen über *to speak about (see also* **von***)*
staunen über *to be amazed about*
(sich) streiten über *to quarrel (with one another) about*
sich unterhalten über *to converse about*

um (accusative)

sich bemühen um *to take pains with*
jdn. beneiden um *to envy someone for*
betteln um *to beg for*
sich bewerben um *to apply for*
(jdn.) bitten um *to ask (someone) for, request*
kämpfen um *to fight for (stakes)*
sich kümmern um *to look after, bother about*
sich sorgen um *to be anxious / worried about*
spielen um *to play for (stakes)*
wetten um *to bet for (stakes)*
es geht um *it is a matter of (see* **Wortschatz** *17)*
es handelt sich um *it deals with, it is a matter of (see* **Wortschatz** *17)*

---

[1] The preposition **nach** *(like)* is not interchangeable with **wie**; it does not indicate comparison, but rather that something looks, sounds, or smells *like / as though* it were.

Compare:

Es sieht **nach** Regen aus. *It looks like rain.* (that is, *as though it might rain*)
Es sieht **wie** Regen aus. *It looks like rain.* (that is, *the same as rain looks*)

[2] Although **über** is a two-way preposition (see 16.4), it always governs the accusative when it means *about.*

von *(dative)*

abhängen von *to depend upon*
(jdm.) abraten von *to advise (someone) against, dissuade from*
berichten von *to report on*
sich erholen von *to recover from*
erzählen von *to tell about*
etw. fordern von *to demand something from / of*
halten (viel) von *to think (highly) of (see* **Wortschatz** *25)*
handeln von *to be about (of books, articles) (see* **Wortschatz** *17)*
leben von *to live on*
reden von *to speak about*
sprechen von *to talk about*
sich unterscheiden von *to differ from*
etw. verlangen von *to demand something from / of*
etw. verstehen von *to understand something about*
etw. wissen von *to know something about*

vor *(dative)*[3]

Achtung / Respekt haben vor *to have respect for*
Angst haben vor *to have fear of*
sich ekeln vor *to have a loathing of*
erschrecken vor *to shrink at, be frightened of*
fliehen vor *to flee from*
sich fürchten vor *to fear, be afriad of*
sich hüten vor *to watch out for, be on guard against*
schreien vor *to scream with / out of*
(jdn.) schützen vor *to protect (someone) from*
(sich) verstecken vor *to hide from*
(jdn.) warnen vor *to warn (someone) of / against*
zittern vor *to tremble with / from (fear, cold, etc.)*

zu *(dative)*

etw. beitragen zu *to contribute (something) to*
etw. brauchen zu *to need something for*
etw. meinen zu *to think something about, to have an opinion about*
passen zu *to match, be suited to*
(etw.) sagen zu *to say something about*
werden zu *to turn into, become*

---

[3] Although **vor** is a two-way preposition (see 16.4), it governs the dative when used with verbs expressing abstract actions.

German-English Vocabulary

This vocabulary contains all words from the exercises and activities in this text except for pronouns, possessive adjectives, and numbers. Also not included are obvious cognates and words for which the English translation is provided in the text.

Nouns are listed with their plural endings: **die Auskunft**, **¨e**; **das Messer**, **-** .

The genitive of weak nouns is given in parentheses before the plural: **der Experte**, **(-n)**, **-n**.

Adjectival nouns are indicated as follows: **der Verwandte (ein Verwandter)**.

Strong and irregular verbs are listed with their principal parts: **tragen (trägt)**, **trug**, **getragen**. Strong verbs requiring the auxiliary **sein** are indicated by an **ist** before the participle: **kommen**, **kam**, **ist gekommen**. Weak verbs requiring the auxiliary **sein** are shown by **(ist)** after the infinitive: **passieren (ist)**.

Separable prefixes are indicated by a raised dot: **ab•drehen**.

The following abbreviations are used:

acc.	accusative	*part.*	particle
adv.	adverb	*pl.*	plural
coll.	colloquial	*prep.*	preposition
coord. conj.	coordinating conjunction	*sing.*	singular
dat.	dative	*s.o.*	someone
fem.	feminine	*s.th.*	something
gen.	genitive	*sub. conj.*	subordinating conjunction
o.s.	oneself		

A

ab und zu now and then
ab•brechen (bricht ab), brach ab, abgebrochen to break off
ab•brennen, brannte ab, ist / hat abgebrannt to burn down
ab•bringen, brachte ab, abgebracht (von + *dat.*) to divert from, dissuade from
ab•drehen to turn off
der **Abend, -e** evening; **abends** in the evening(s)
das **Abendessen, -** evening meal
das **Abenteuer, -** adventure
aber (*coord. conj.*) but; (*adv.*) however
ab•geben (gibt ab), gab ab,

abgegeben to hand in
das **Abitur** graduation diploma from a German *Gymnasium*
ab•nehmen (nimmt ab), nahm ab, abgenommen to take off, lose weight
ab•reißen, riß ab, abgerissen to tear down
ab•sagen to cancel, call off; to decline *(an invitation)*
der **Abschied, -e** departure; **Abschied nehmen** to take one's leave
ab•schließen, schloß ab, abgeschlossen to lock up, shut; to conclude, complete
die **Absicht, -en** intention
ab•springen, sprang ab, ist abgesprungen to jump off
die **Abtönungspartikel, -n** modal ("flavoring") particle
sich ab•trocknen to dry oneself off
ab•warten to wait (*for something to happen*)
das **Affenhirn, -e** monkey's brain
ähneln (*dat.*) to resemble
aktuell of current interest, relevant
all- all
allerdings to be sure, by all means
alliiert allied
der **Alltag** everyday life
alltäglich everyday
die **Alpen** (*pl.*) Alps
als when, as; than
als ob as if
also thus, so, therefore
alt old
das **Alter** age
ältlich elderly
die **Altstadt, ¨e** old section of a city
amtieren to hold an office
sich amüsieren to have a good time, amuse o.s.
an (*prep. with acc. or dat.*) on (*vertical surface*), at, to
ander- other; **unter anderem** among other things
and(e)rerseits on the other hand
ändern to change (*s.th.*), modify; **sich ändern** to change
die Änderung, -en change
der **Anfang, ¨e** beginning; **am Anfang** in the beginning
an•fangen (fängt an), fing an, angefangen to begin, start
anfangs in / at the beginning
an•fassen to touch, take hold of
die **Angabe, -n** data, figure, statement
an•geben (gibt an), gab an, angegeben to indicate, give (*facts*); to brag
das **Angebot, -e** offer, bid
angeln to fish
angenehm pleasant, agreeable
der **Angestellte (**ein **Angestellter)** employee; (*fem.*) die **Angestellte**
an•greifen, griff an, angegriffen to attack
die **Angst, ¨e** fear
an•halten (hält an), hielt an, angehalten to stop, bring to a stop
an•hören to hear, listen to; **sich** (*dat.*) **etwas an•hören** to listen to s.th.
an•kommen, kam an, ist angekommen to arrive; **an•kommen (auf** + *acc.*) to depend upon; **es kommt darauf an** it (all) depends
an•machen to turn on
die **Annonce, -n** ad, announcement
der **Anorak, -s** parka
an•probieren to try on
an•reden to address, speak to
an•regen to encourage, prompt
an•rufen, rief an, angerufen to call up, telephone
an•schalten to switch *or* turn on
an•sehen (sieht an), sah an, angesehen to see, look at; **sich** (*dat.*) **etwas an•sehen** to take a look at s.th.
die **Ansicht, -en** view, opinion
anstatt . . . zu instead of (doing); **anstatt daß** instead of (doing)
die **Antwort, -en** answer
antworten (auf + *acc.*) to answer
die **Anweisung, -en** instruction, direction
die **Anwendung, -en** application, use
an•ziehen, zog an, angezogen to dress; **sich an•ziehen** to get dressed
der **Apfel, ¨** apple
die **Arbeit, -en** work, job; **arbeiten** to work
der **Arbeiter, -** worker
arbeitsam diligent, hard-working
das **Arbeitsamt, ¨er** employment office
die **Arbeitskraft, ¨e** worker; manpower
der **Arbeitslohn, ¨e** wage
die **Arbeitsstelle, -n** working place, job
der **Arbeitstisch, -e** desk
die **Arbeitsweise, -n** method of working
die **Arche, -n** ark
ärgern to annoy; **sich ärgern (über** + *acc.*) to be angry or annoyed with / about
arm poor
die **Armut** poverty
die **Art, -en** type, kind
der **Arzt, ¨e** doctor, physician; (*fem.*) die **Ärztin, -nen**
das **Atomkraftwerk, -e** nuclear plant

die **Atomwaffe, -n** atomic weapon
auch too, also; even
auch wenn even if
auf (*prep. with acc. or dat.*) on (*horizontal surface*), upon, at
auf einmal suddenly
auf immer forever, for good
die **Aufgabe, -n** assignment, task
auf•halten (hält auf), hielt auf, aufgehalten to stop, halt; to detain, delay; **sich auf•halten** to stay, spend time
auf•hören to stop, cease
das **Aufkommen** rise
auf•legen to put *or* lay on
auf•machen to open
die **Aufmerksamkeit, -en** attention
auf•passen to watch out, pay attention
auf•räumen to clean *or* tidy up
auf•rufen, rief auf, aufgerufen to exhort, call upon, call up
der **Aufsatz, ¨e** composition
auf•schneiden, schnitt auf, aufgeschnitten to cut open
auf•schreiben, schrieb auf, aufgeschrieben to write *or* jot down
auf•stehen, stand auf, ist aufgestanden to get up, stand up
auf•stellen to put *or* set up
auf•wachen to wake up, awaken
auf•wachsen (wächst auf), wuchs auf, ist aufgewachsen to grow up
der **Augenblick, -e** moment
aus (*prep. with dat.*) out, out of, from
die **Ausarbeitung** completion, development
aus•brechen (bricht aus), brach aus, ist ausgebrochen to break out
der **Ausdruck, ¨e** expression; **zum Ausdruck bringen** to express
aus•drücken to express
der **Ausflug, ¨e** excursion; **einen Ausflug machen** to take an excursion
aus•führen to carry out
ausführlich in detail, detailed
aus•geben (gibt aus), gab aus, ausgegeben to spend (*money*)
aus•gehen, ging aus, ist ausgegangen to go out
die **Auskunft, ¨e** information
der **Ausländer, -** foreigner; (*fem.*) die **Ausländerin, -nen**
aus•leihen, lieh aus, ausgeliehen to borrow; to lend out
aus•machen to turn off
aus•rechnen to calculate, figure out
die **Ausrede, -n** excuse
aus•reisen (ist) to leave (*a country*)
sich aus•ruhen to rest, take a rest
die **Ausrüstung, -en** outfit, equipment
die **Aussage, -n** statement
aus•schalten to switch *or* turn off
aus•sehen (sieht aus), sah aus, ausgesehen to look (like), appear
außer (*prep. with dat.*) except for, besides
außerdem moreover, in addition
außerhalb (*prep. with gen.*) outside of
äußern to express; **sich äußern** to express oneself *or* one's opinion
äußerst extremely
aus•sprechen (spricht aus), sprach aus, ausgesprochen to express, enunciate
aus•tauschen to exchange
aus•steigen, stieg aus, ist ausgestiegen to climb out, get out
aus•üben to practice (*a trade, profession, or activity*)
der **Auswanderer, -** emigrant
auswendig by heart, by memory
aus•zeichnen to honor, award a prize to s.o.
die **Auszeichnung, -en** award, distinction
aus•ziehen, zog aus, ausgezogen to undress (*s.o.*); **sich aus•ziehen** to get undressed
die **Autobahn, -en** expressway, superhighway
der **Autoreifen, -** automobile tire
die **Autowerkstatt, ¨en** automobile service shop

B

der **Bach, ¨e** brook, small stream
backen (bäckt), buk, gebacken to bake
der **Backofen, ¨** oven
baden to bathe; **baden gehen** to go swimming
das **Baggerschiff, -e** dredging boat
die **Bahn, -en** track; railroad; **per Bahn** by rail
der **Bahnhof, ¨e** train station
bald soon
der **Band, ¨e** volume; **das Band, ¨er** tape, ribbon
die **Bank, -en** bank; **die Bank, ¨e** bench
das **Bankkonto, -ten** bank account
basteln to do handicrafts; to putter
der **Bau, -ten** building
bauen to build, construct

…auer, (-n), -n peasant, farmer; (*fem.*) die **Bäuerin, -nen** farmer's wife
der **Bauernhof, ⸚e** farm
der **Baum, ⸚e** tree
der **Bauplan, ⸚e** construction plan
die **Baustelle, -n** construction site
bayerisch Bavarian
(das) **Bayern** Bavaria
die **Bazille, -n** germ
sich bedanken (**bei** + *dat.*) to express one's thanks to
die **Bedeutung, -en** meaning, significance, importance
sich beeilen to hurry
beenden to end, complete, conclude
befahren (befährt), befuhr, befahren to travel *or* drive on *or* along
der **Befehl, -e** command
sich befinden, befand, befunden to be, to be located
befürchten to fear, suspect
begabt talented
begegnen (*dat.*) **(ist)** to meet, come across, encounter
die **Begegnung, -en** encounter
begeistert (**von** + *dat.*) enthusiastic about
begründen to provide a reason, substantiate
behaupten to claim, maintain
die **Behauptung, -en** assertion, claim
die **Behörde, -n** authority
bei (*prep. with dat.*) by, near, at; while
bei•bringen, brachte bei, beigebracht (*dat.*) to teach, impart knowledge
beid- both
das **Bein, -e** leg
das **Beispiel, -e** example; **zum Beispiel** (*abbrev.* **z.B.**) for example
beißen, biß, gebissen to bite
bei•tragen (trägt bei), trug bei, beigetragen (**zu** + *dat.*) to contribute to
bekannt familiar, known, well-known
der **Bekannte** (ein **Bekannter**) acquaintance; (*fem*) die **Bekannte**
bekannt•geben (gibt bekannt), gab bekannt, bekanntgegeben to announce, make public
bekennen, bekannte, bekannt to confess
bekommen, bekam, bekommen to get, receive
belegen (einen Kurs) to enroll *or* register (*for a course*)
beleuchtet illuminated
beliebt popular
bellen to bark
bemerken to observe, note
sich benehmen (benimmt), benahm, benommen to act, behave
benutzen to use
das **Benzin** gasoline
der *or* das **Bereich, -e** district, region; (*topic*) area
bereit (**zu** + *dat.*) ready for, prepared
bereuen to regret
der **Berg, -e** mountain
die **Bergbahn, -en** mountain cable car
das **Bergmassiv, -e** huge mountain
der **Bergschuh, -e** climbing boot
der **Bericht, -e** report
berichten to report
der **Beruf, -e** profession
beruflich occupational
sich beruhigen to calm down
berühmt famous, renowned
sich beschäftigen (**mit** + *dat.*) to occupy oneself with
beschäftigt occupied, busy
beschreiben, beschrieb, beschrieben to describe
die **Beschreibung, -en** description
sich beschweren (**über** + *acc.*) to complain about
beseitigen to remove, put an end to, clear away
besetzen to occupy
besichtigen to view, inspect
die **Besichtigung, -en** inspection; sightseeing
besiegen to conquer, overcome
besitzen, besaß, besessen to possess, own
der **Besitzer, -** owner
besonders especially
besser better
bestehen, bestand, bestanden to pass (a *course, test*); **bestehen** (**aus** + *dat.*) to consist of
besteigen, bestieg, bestiegen to ascend, climb (up)
bestellen to order
bestimmt definite; **bestimmter Artikel** definite article
der **Besuch, -e** visit
besuchen to visit
der **Besucher, -** visitor
betonen to emphasize, stress
der **Betrag, ⸚e** amount
betreiben, betrieb, betrieben to do, engage in
betreten (betritt), betrat, betreten to walk *or* step on *or* into
der **Betrunkene** (ein **Betrunkener**) drunk person; (*fem.*) die **Betrunkene**
sich betten to make a bed for o.s.
die **Bevölkerung, -en** population
bewegen to move (*s.o. or s.th.*); **sich bewegen** to move, stir
sich bewerben (bewirbt), bewarb, beworben (**um** + *acc.*) to apply for
die **Bewertung, -en** evaluation
der **Bewohner, -** dweller, inhabitant
bewundern to admire

bezahlen to pay for
bezweifeln to doubt
die **Bibel, -n** Bible
die **Bibliothek, -en** library
biegen, bog, gebogen to bend
der **Bierdeckel, -** beer coaster
bieten, bot, geboten to offer, bid
das **Bild, -er** picture
bilden to form, shape, construct; to constitute
die **Bildgeschichte, -n** picture story
billig cheap
bis (*prep. with acc.*) until; (*sub. conj.*) until
bisherig prior, previous
bissig biting
bißchen: ein bißchen a bit, a little bit
der **Bittbrief, -e** letter of request
bitte please; you're welcome (*in response to thanks*)
die **Bitte, -n** request
blaß pale
das **Blatt, ⸚er** leaf; sheet (*of paper*)
blau blue; **blaues Auge** black eye
bleiben, blieb, ist geblieben to remain, stay
der **Bleistift, -e** pencil
die **Blume, -n** flower
die **Bluse, -n** blouse
bluten bleed
der **Bluthochdruck** high blood pressure
der **Boden, ̈** ground, earth, soil; floor
der **Bodensee** Lake Constance (*in Southern Germany*)
der **Bogen, -** *or* **̈** bow, arch
das **Boot, -e** boat
borgen to borrow; to lend
böse angry; evil; **böse (auf** + *acc.*) angry at
die **Bowle, -n** (punch) bowl; punch
der **Brand, ⸚e** fire
brauchen to need; to use; **nicht zu tun brauchen** to not have to do
die **Brauerei, -en** brewery
braun brown
brennen, brannte, gebrannt to burn
das **Brettspiel, -e** board game
der **Brief, -e** letter
der **Brieffreund, -e** pen pal; (*fem.*) die **Brieffreundin, -nen**
die **Briefmarke, -n** stamp
die **Brieftasche, -n** pocketbook, wallet
der **Briefträger, -** letter carrier; (*fem.*) die **Briefträgerin, -nen**
die **Brille, -n** (eye)glasses, (pair of) glasses
die **Brücke, -n** bridge
das **Buch, ⸚er** book
die **Buchdruckerkunst** art of book printing
buchen to book
das **Bücherregal, -e** bookcase
die **Buchhandlung, -en** bookstore
buchstabieren to spell
die **Buchung, -en** booking
Bundesland, ⸚er federal state
Bundesstaat, -en federal state
der **Bürger, -** citizen
der **Bürgerkrieg, -e** civil war
der **Bürgermeister, -** mayor; (*fem.*) die **Bürgermeisterin, -nen**
das **Büro, -s** office

C

der **Chef, -s** head, director, manager; (*fem.*) die **Chefin, -nen**
der **Chorgesang** choir *or* chorus singing
das **Christentum** Christianity

D

da (*adv.*) here, there; then; (*sub. conj.*) since
dabei while doing (it); at the same time
das **Dach, ⸚er** roof
dafür for it / that; in return
dagegen on the other hand; against it / that
daher therefore, for that reason
damalig of that time
damals then, in those days
damit (*adv.*) with that; (*sub. conj.*) so that
danach after it / that; afterward(s)
der **Dank** thanks
danken (*dat.*) to thank
daran on it / that
darauf thereafter, thereupon
darüber about it / that
das **Dasein** existence, being
daß (*sub. conj.*) that
das **Datum, -ten** date (*of time*); (*pl.*) data, facts
dauern to last, endure
dauernd continual(ly)
davon from *or* about it / that
dazu to it / that, for it / that; in addition
die **Decke, -n** blanket, ceiling, cover
decken to cover; **den Tisch decken** to set the table
denkbar thinkable
denken, dachte, gedacht to think
denn for, because
dennoch nevertheless
dergleichen the like
derselb- the same
deshalb therefore, for that reason
deswegen therefore, for that reason
deuten to interpret, explain
deutlich clear, distinct
deutsch German

die **Deutschstunde, -n** German class
dick fat
der **Dieb, -e** thief
der **Dienst, -e** service
dies- (*sing.*) this; (*pl.*) these
die **Diktatur, -en** dictatorship
das **Ding, -e** thing
doch (*part.*) after all, really; oh, yes
das **Dorf, ⸚er** village
dort there
der **Drache, (-n), -n** dragon; **der Drachen, -** kite
dringend urgent, pressing
die **Dummheit, -en** stupidity, stupid thing
die **Dunkelheit** darkness
durch (*prep. with acc.*) through, by
durchaus nicht not at all, by no means
durch•führen to carry out
die **Durchsage, -n** broadcast announcement
dürfen (darf), durfte, gedurft to be permitted to, may
(sich) duschen to take a shower

E

eben (*adv. and part.*) just, precisely
ebenso . . . wie just as . . . as
echt real, genuine
die **Ecke, -n** corner
ehe (*sub. conj.*) before
die **Ehe, -n** marriage
ehemalig former, previous
der **Ehemann, ⸚er** husband
ehrlich honest
das **Ei, -er** egg
eigen own
eigenartig peculiar, strange, queer
eigentlich actual(ly)
sich eignen to be suited
die **Eile** haste
ein paar a few
einander one another, each other
einäugig one-eyed
sich (*dat.*) **ein•bilden** to imagine, fancy o.s.
der **Eindruck, ⸚e** impression
einfach simple
ein•führen to introduce, initiate
die **Einheit, -en** unity; unit
einig in agreement
einig- (*pl.*) some, a few; **einiges** some things
sich einigen (über + *acc.*) to agree on
ein•kaufen to buy, purchase, shop for
die **Einkaufstour, -en** shopping trip
das **Einkaufszentrum, -ren** shopping center
ein•laden (lädt ein), lud ein, eingeladen to invite
die **Einladung, -en** invitation
die **Einleitung, -en** introduction
einmal once; **noch einmal** once more
einmalig unique, one-time
die **Einrichtung, -en** layout, setup; furnishings
ein•schlafen (schläft ein), schlief ein, ist eingeschlafen to fall asleep
einst once, one day (*past or future time*)
ein•treten (tritt ein), trat ein, ist eingetreten to step *or* walk in, enter
die **Eintrittskarte, -n** (admission) ticket
einverstanden in agreement
ein•wandern to immigrate
der **Einwohner, -** inhabitant
ein•zeichnen to mark *or* draw in
ein•ziehen, zog ein, ist eingezogen to move in
einzig only, sole, single
das **Eis** ice; ice cream
der **Eisverkäufer, -** ice cream man; (*fem.*) die **Eisverkäuferin, -nen**
die **Eltern** (*pl.*) parents
empfehlen (empfiehlt), empfahl, empfohlen to recommend
das **Ende, -n** end; **zu Ende** at *or* to an end, over
endlich finally
die **Endung, -en** ending (*grammar*)
die **Energiesparpolitik** energy-saving policy
der **Engländer, -** Englishman; (*fem.*) die **Engländerin, -nen**
das **Enkelkind, -er** grandchild
die **Enkeltochter, ⸚** granddaughter
entblättern to defoliate
entdecken to discover
die **Entdeckung, -en** discovery
enthalten (enthält), enthielt, enthalten to contain
entkommen, entkam, ist entkommen to escape, avoid
entlang (*prep. with acc. or dat.*) along
entlassen (entläßt), entließ, entlassen to dismiss, release
entsagen (*dat.*) to renounce, give up
entsalzen to desalinate
(sich) entscheiden, entschied, entschieden to decide (*between options*), settle, make up one's mind
die **Entscheidung, -en** decision; **eine Entscheidung treffen** to come to *or* make a decision
sich entschließen, entschloß, entschlossen (**zu** + *dat.*) to decide (*to do*)
entschlossen resolved, determined
der **Entschluß, ⸚(ss)e** decision, resolve; **einen Entschluß fassen** to make a decision
entschuldigen to excuse, pardon; **sich**

entschuldigen to excuse oneself
die **Entschuldigung, -en** apology, excuse
das **Entsetzen** fright, horror
entstammen (ist) (*dat.*) to be descended from
entweder . . . oder either . . . or
entwerten to devalue
entwickeln to develop s.th.; **sich entwickeln** to develop
die **Entwicklung, -en** development
erben to inherit
die **Erbschaft, -en** inheritance
das **Erdbeben, -** earthquake
die **Erde** earth
sich ereignen to happen, occur, come to pass
das **Ereignis, -se** event, occurrence
erfahren (erfährt), erfuhr, erfahren to find out, hear, learn; to experience
die **Erfahrung, -en** (practical) experience
erfinden, erfand, erfunden to invent
die **Erfindung, -en** invention
der **Erfolg, -e** success
erfrieren, erfror, ist erfroren to freeze solid; to freeze to death
erfunden imaginary, made up
ergänzen to complete
erhalten (erhält), erhielt, erhalten to receive, get
erhören to hear, answer *or* grant (*a request*)
sich erinnern (an + *acc.*) to remember, recall
sich erkälten to catch a cold
die **Erkältung, -en** cold (*illness*)
erkennen, erkannte, erkannt to recognize, discern
erklären to explain
die **Erklärung, -en** explanation; declaration
die **Erkrankung, -en** illness, affliction, disease
sich erkundigen (nach + *dat.*) to inquire about
erlauben to allow, permit
die **Erlaubnis, -se** permission
erleben to experience
das **Erlebnis, -se** (*personal*) experience, event, occurrence
-erlei kinds of
erlernen to learn, acquire
erlogen false, untrue
ermöglichen to make possible
erobern to conquer
eröffnen to open up
erraten (errät), erriet, erraten to guess correctly
erreichen to reach, attain
erscheinen, erschien, ist erschienen to appear
erschießen, erschoß, erschossen to shoot (*dead*)
erschlagen (erschlägt), erschlug, erschlagen to slay
erschweren to make more difficult
ersetzen to replace
erst only (*so far*); not until
erstaunlich amazing
der **Erwachsene** (ein **Erwachsener**) adult; (*fem.*) die **Erwachsene**
erwähnen to mention
erwarten to expect
erweitert expanded
erzählen to tell, narrate
die **Erzählskizze, -n** narrative outline
die **Erzählung, -en** narrative, story
die **Erziehung, -en** upbringing, education
essen (ißt), aß, gegessen to eat
etwa approximately, about
etwas something; **etwas anderes** something else
eventuell possibly, perhaps
ewig eternal

F

fabelhaft fabulous, great
die **Fabrik, -en** factory
das **Fach, ¨er** field, subject, specialty
-fach -fold
fahren (fährt), fuhr, ist / hat gefahren to travel, ride; drive
der **Fahrer, -** driver; (*fem.*) die **Fahrerin, -nen**
das **Fahrrad, ¨er** bicycle
die **Fahrt, -en** ride, drive, trip
das **Fahrzeug, -e** vehicle
das **Faktum, -ten** fact
der **Fall, ¨e** case; **auf keinen Fall** by no means, in no case
fallen (fällt), fiel, ist gefallen to fall
fällen to fell (*a tree*)
falls in case, in the event
der **Fallschirm, -e** parachute
das **Familienmitglied, -er** family member
das **Familienverhältnis, -se** family relationship
der **Fänger, -** catcher
farbig in color, colorful
faul lazy, indolent; rotten
die **Feder, -n** feather; spring
fehlen to be missing, lacking
fehlend missing, lacking
der **Fehler, -** mistake, error
fehlerfrei error-free
feiern to celebrate
der **Feiertag, -e** holiday
die **Ferien** (*pl.*) vacation
das **Feriendorf, ¨er** vacation village
der **Ferienort, -e** vacation spot *or* village
Ferienreise, -n vacation trip
die **Ferienzeit** vacation
das **Ferienziel, -e** vacation destination
fern•sehen (sieht fern), sah fern, ferngesehen to watch TV
das **Fernsehen** television
der **Fernseher, -** television set

die **Fernsehsendung, -en** television program
fertig finished; ready
das **Fest, -e** celebration, festive occasion, party
fest firm; ein **fester Freund** steady *or* close friend
die **Festbeleuchtung** festival lighting
fest•halten (hält fest), hielt fest, festgehalten to keep a firm grip on
der Fettdruck boldface; **fettgedruckt** printed in boldface
das **Fieber** fever
der **Filmschauspieler, -** movie actor; (*fem.*) die **Filmschauspielerin, -nen**
finden, fand, gefunden to find
die **Firma, -men** firm, company
die **Fläche, -n** surface (*area*)
das **Flachland** flat country
die **Flasche, -n** bottle
der **Fleiß** diligence, hard work
fleißig industrious, diligent
die **Fliege, -n** fly
fliegen, flog, ist geflogen to fly
fliehen, floh, ist geflohen to flee
der **Flug, ¨e** (*air*) flight
der **Flughafen, ¨** airport
das **Flugzeug, -e** airplane
die **Flur, -en** meadow, pasture; **der Flur, -e** hallway, corridor
der **Fluß, ¨(ss)e** river
die **Flüssigkeit, -en** fluid, liquid
die **Folge, -n** result
folgend following; **Folgendes** the following
fort•fahren to continue (*doing s.th.*)
fort•setzen to continue (*s.th.*)
die **Frage, -n** question; **eine Frage stellen** to ask a question
fragen to ask
das **Fragewort, ¨er** question word
die **Frau, -en** woman
frei free; **im Freien** outdoors
frei•geben (gibt frei), gab frei, freigegeben to release, set free
die **Freizeitbeschäftigung, -en** leisure-time activity
der **Fremde** (ein **Fremder**) stranger, foreigner; (*fem.*) die **Fremde**
die **Fremdsprache, -n** foreign language
fressen (frißt), fraß, gefressen to eat (*of animals*)
die **Freude, -n** joy, delight
freuen to make happy; **sich freuen (auf** + *acc.*) to look forward to; **sich freuen (über** + *acc.*) to rejoice, be happy about
der **Freund, -e** friend; (*fem.*) die **Freundin, -nen**
der **Freundeskreis, -e** circle of friends
die **Freundschaft** friendship; **Freundschaft schließen** to make friends
der **Friede(n), (-ns)** peace
friedlich peaceful
frieren, fror, ist / hat gefroren to freeze
froh happy, glad
früher earlier, previous
der **Frühling, -e** spring
das **Frühstück, -e** breakfast
frühstücken to eat breakfast
fühlen to feel; **sich (wohl) fühlen** to feel (fine)
führen to lead
für (*prep. with acc.*) for
sich fürchten (vor + *dat.*) to be afraid of
der **Fuß, ¨e** foot; **zu Fuß** on foot

G

ganz complete, whole, entire; quite
gar kein- not any at all; **gar nicht** not at all; **gar nichts** nothing at all
die **Gärtnerlehre, -n** gardening apprenticeship
die **Gasse, -n** street (*Southern German*)
der **Gast, ¨e** guest
der **Gastgeber, -** host
das **Gasthaus, ¨er** inn
die **Gattung, -en** genre
gebären (gebiert), gebar, geboren to give birth, bear
das **Gebäude, -** building
geben (gibt), gab, gegeben to give; **es gibt** there is / are
das **Gebiet, -e** area, territory, region
der **Gebrauch, ¨e** use, usage; custom
gebrauchen to use, make use of; **gebraucht** used
der **Geburtstag, -e** birthday
die **Geburtstagsfeier, -n** birthday celebration
das **Gedicht, -e** poem
die **Gefahr, -en** danger
gefährlich dangerous
gefallen (gefällt), gefiel, gefallen (*dat.*) to be pleasing
das **Gefühl, -e** feeling
gegen (*prep. with acc.*) toward; against
die **Gegend, -en** area, region
der **Gegenspieler, -** opponent
der **Gegenstand, ¨e** object, thing; subject matter, topic
gegenüber (*dat.*) across from, opposite
die **Gegenwart** present (*time*)
gehen, ging, ist gegangen to go; **es geht um** (*acc.*) it is about, it deals with, it is a matter of
gehorchen (*dat.*) to obey
gehören (*dat.*) to belong to
das **Geld, -er** money
der **Geldverdiener, -** wage earner

gelingen, gelang, ist gelungen to succeed; **es gelingt mir** I succeed
gelten (gilt), galt, gegolten to be valid *or* worth; to be directed at; **gelten für** to be considered (to be)
gemütlich cozy, snug; congenial, jolly
genau exact(ly), precise(ly)
genauso just as
genießen, genoß, genossen to enjoy
genug enough
genügen (*dat.*) to be enough, suffice
das **Genus, -era** gender
gerade (*adj.*) straight; upright, even (*numbers*); (*adv.*) just, exactly
geradeaus straight ahead
geradezu downright
das Gerät, -e apparatus, device, piece of equipment
die **Germanistik** German studies
gern gladly; **gern tun** to like to do; **gern haben** to like
das **Geschäft, -e** business; store
geschehen (geschieht), geschah, ist geschehen to happen
das **Geschenk, -e** gift
die **Geschichte, -n** history, story
die **Geschwister** (*pl.*) brother(s) and sister(s), siblings
das **Gesicht, -er** face
gestalten to shape, form, structure
gestern yesterday
gestrig yesterday's
die **Gesundheit** personal health
das **Gesundheitswesen** health services
das **Getränk, -e** drink
die **Getränkekarte, -n** list of drinks
das **Getreide** grain
das **Gewicht, -e** weight
gewinnen, gewann, gewonnen to win
gewiß (*gen.*) sure of
gewöhnlich usual(ly)
gewöhnt (an + *acc.*) accustomed to
gibt: es gibt there is / are
der **Gipfel, -** peak, summit
glauben (an + *acc.*) to believe (in)
gleich same, like
das **Gleis, -e** track
gleiten, glitt, ist geglitten to glide, slip
das **Glockenspiel, -e** carillon, chime(s)
das **Glück** happiness, good fortune
glücklich happy; fortunate, lucky
glücklicherweise fortunately
glühen to glow, be red hot
der **Gott, ¨er** god
der **Graben, ¨** ditch
gratulieren (*dat.*) to congratulate
die **Grenze, -n** border
grenzen (an + *acc.*) to border on
groß big, large, great
die **Großeltern** (*pl.*) grandparents
die **Großmutter, ¨** grandmother
die **Großstadt, ¨e** major city (*more than 100,000 inhabitants*)
der **Grund, ¨e** reason; **aus diesem Grunde** for this reason
gründen to found
die **Grundzahl, -en** cardinal number
die **Gruppe, -n** group
der **Gruß, ¨e** greeting
grüßen to greet
günstig favorable
gut (*adj.*) good; (*adv.*) well

H

das **Haar, -e** hair
haben (hat), hatte, gehabt to have
der **Hafen, ¨** harbor
das **Hafenviertel, -** harbor district
der **Häftling, -e** prisoner
das **Hallenbad, ¨er** indoor pool
halt (*part.*) just
halten (hält), hielt, gehalten to hold; stop; **halten (für** + *acc.*) to consider, regard as; **halten (von** + *dat.*) to have an opinion of / about
handeln to act, take action; **handeln (von** + *dat.*) to be about; **es handelt sich um** (*acc.*) it is about
die **Handelsmetropole, -n** metropolitan trading center
hängen•bleiben, blieb hängen, ist hängengeblieben to get stuck
die **Handtasche, -n** purse
die **Harfe, -n** harp
hassen to hate
häufig frequent
der **Hauptbahnhof, ¨e** main train station
das **Hauptfach, ¨er** major field of study
die **Hauptrolle, -n** leading role
der **Hauptsatz, ¨e** main clause
die **Hauptstadt, ¨e** capital (*city*)
das **Haus, ¨er** house; **zu Hause** at home; **nach Hause** (*to go*) home
die **Hausaufgabe, -n** homework (*assignment*)
der **Hausbesitzer, -** homeowner
der **Haushalt, -e** household
der **Hausherr, (-n), -en** landlord; head of the house(hold)
das **Haustier, -e** house pet
die **Haustür, -en** front door
heben, hob, gehoben to lift, elevate, raise
das **Heft, -e** notebook
heim home, homewards

die **Heimat, -en** home; native land
der **Heimatort, -e** hometown
heiraten to marry, get married
heiß hot
heißen, hieß, geheißen to be called *or* named; to mean, signify; bid, tell (*s.o.*) to; **sie heißt** her name is; **das heißt** that is (to say); **es heißt** it is said (that)
der **Held, (-en), -en** hero, (*fem.*) die **Heldin, -nen**
die **Heldentat, -en** heroic deed
helfen (hilft), half, geholfen (*dat.*) to help
das **Hemd, -en** shirt
herauf•holen to bring up, haul up
heraus•finden, fand heraus, herausgefunden to find out, discover
heraus•fischen to fish out
sich heraus•stellen to turn out (that)
der **Herbst, -e** fall, autumn
herein in(to)
herein•kommen, kam herein, ist hereingekommen to come in
herein•lassen (läßt herein), ließ herein, hereingelassen to let in
herein•treten (tritt herein), trat herein, ist hereingetreten to step in, enter
der **Herr, (-n), -en** Mr., gentleman; (*fem.*) die **Herrin, -nen** lady, mistress
die **Herrenboutique (-butike), -n** men's clothing store
herrlich magnificent, splendid
herrschen to prevail; to rule
herum around
herum•kommen, kam herum, ist herumgekommen to get around
herum•sitzen, saß herum, herumgesessen to sit around
das **Herz (-ens), -en** heart
herzlich cordial(ly)
heute today
heutig today's
heutzutage nowadays
die **Hexe, -n** witch
hier here
die **Hilfe, -n** help, assistance
der **Himmel, -** sky, heaven
das **Himmelreich, -e** heaven, heavenly kingdom
hinauf•fahren (fährt hinauf), fuhr hinauf, ist / hat hinaufgefahren to drive up
hinauf•kommen, kam hinauf, ist hinaufgekommen to come up
hinauf•steigen, stieg hinauf, ist hinaufgestiegen to climb up
hindurch through(out)
sich hin•setzen to sit down
hinter (*prep. with acc. or dat.*) behind
hinterlassen (hinterläßt), hinterließ, hinterlassen to leave behind
hinunter•schauen to look down
hin•weisen, wies hin, hingewiesen (auf + *acc.*) to indicate, point to
hinzu in addition, to this
hoch high; to the power of
das **Hochhaus, ¨er** skyscraper
die **Hochschule, -n** university-level institution
höchst highly, very, extremely; **höchstens** at (the) most
höchstwahrscheinlich most likely
die **Hochzeit, -en** wedding
hoffen (auf + *acc.*) to hope for
hoffentlich hopefully
die **Hoffnung, -en** hope
höflich polite(ly)
die **Höhe, -n** height
die **Höhenlage, -n** elevation
die **Höhensonne** ultraviolet sunrays
holen to (go) fetch
das **Holz** wood
hören to hear
das **Hörensagen** hearsay
das **Hörverständnis** listening comprehension
die **Hose, -n** trousers
die **Hosentasche, -n** trouser pocket
hübsch pretty, lovely
der **Hügel, -** hill
der **Hund, -e** dog

I

immer always; **immer noch** still
imponieren (*dat.*) to impress
in (*prep. with acc. or dat.*) in, into, inside
indem by [—]ing
der **Ingenieur, -e** engineer; (*fem.*) die **Ingenieurin, -nen**
der **Inhalt, -e** content(s)
innerhalb (*prep. with gen.*) inside of, within
der **Intelligenzquotient** IQ
das **Interesse, -n** interest
sich interessieren (für + *acc.*) to be interested in
interessiert (an + *dat.*) interested in
inzwischen meanwhile
irgend- some . . . or other; any . . . at all
irgendjemand someone or other
irgendwo(hin) (to) somewhere

J

ja yes; (*part.*) you know, of course
die **Jacke, -n** jacket
jagen to chase, hunt
das **Jahr, -e** year
der **Jahresverlauf** course of the year
die **Jahreszeit, -en** season of the year

das **Jahrhundert, -e** century
das **Jahrzehnt, -e** decade
je ever
je . . . desto / umso the more . . . the more
jed- each, every
jedenfalls in any event
jedermann everyone, everybody
jederzeit (at) any time
jedesmal each time, every time
jemand someone; **jemand anders** someone else
jen- that
jenseits (*prep. with gen.*) on the other side of
jetzig present
jetzt now
jeweils in each case, respectively
der Jude, (-n), -n Jew; (*fem.*) die **Jüdin, -nen**
das **Judentum** Judaism
die **Jugend** youth
der **Jugendliche (ein Jugendlicher)** juvenile (*fem.*) die **Jugendliche**
jung young
der **Junge, (-n), -n** boy, youth

K

der **Kaffee** coffee
der **Käfig, -e** cage
kalt cold
die **Kälte** cold(ness)
kämmen to comb
kämpfen to battle, struggle
das **Kapitel, -** chapter
kaputt broken, ruined, done for
die **Karriere, -n** career
die **Karte, -n** ticket; map
das **Kartenspiel, -e** card game; deck of cards
der **Käse, -** cheese
der **Kassierer, -** cashier, (*fem.*) die **Kassiererin, -nen**
die **Katze, -n** cat
der **Kauf, ⸚e** purchase
kaufen to buy, purchase
das **Kaufhaus, ⸚er** department store
kaum scarcely
keinesfalls by no means, not at all
der **Keller, -** cellar
der **Kellner, -** waiter; die **Kellnerin, -nen** waitress
kennen, kannte, gekannt to know, be acquainted with
kennen•lernen, lernte kennen, kennengelernt to get to know, become acquainted with
das **Kind, -er** children
der **Kinderwagen, -** baby carriage
die **Kindheit, -en** childhood
das **Kino, -s** cinema, movie theater, the movies
die **Kirche, -n** church
kitschig mawkish, trashy
die **Klammer, -n** parenthesis
klar clear
das **Klavier, -e** piano
der **Klavierbauer, -** piano maker
die **Kleiderabteilung, -en** clothing department
die **Kleidung** clothes, clothing
das **Kleidungsstück, -e** piece of clothing
klein small, little; short (*in height*)
klettern (ist) to climb, scramble
klingen, klang, geklungen to sound
klug intelligent, clever, astute
das **Knie, -** knee
der **Knochen, -** bone
kochen to cook
der **Koffer, -** suitcase, trunk, bag
der **Kognat, -e** cognate
die **Kokospalme, -n** coconut palm (tree)
der **Kollege, (-n), -n** colleague
komisch queer, strange, peculiar, comic(al)
kommen, kam, ist gekommen to come
der **Kommissar, -e** police inspector
komponieren to compose
der **Komponist (-en), -en** composer; (*fem.*) die **Komponistin, -nen**
der **König, -e** king; (*fem.*) die **Königin, -nen** queen
die **Konjunktion, -en** conjunction
können (kann), konnte, gekonnt to be able to, can
das **Konzert, -e** concert
der **Kopf, ⸚e** head
der **Korb, ⸚e** basket
der **Körper, -** body
krank sick, ill
das **Krankenhaus, ⸚er** hospital
krankhaft pathological, abnormal
der **Krebs** cancer
(das) **Kreta** Crete
die **Kreuzung, -en** crossing, intersection
der **Krieg, -e** war; **Krieg führen** to wage war
die **Kritik, -en** criticism
der **Kuchen, -** cake
die **Küche, -n** kitchen
das **Küchengerät, -e** kitchen utensil *or* small appliance
die **Kuh, ⸚e** cow
der **Kühlschrank, ⸚e** refrigerator
sich kümmern (um + *acc.*) to take care of, attend to
die **Kunde** news, notice, information
die **Kunst, ⸚e** art; skill
künstlich artificial
der **Kurs, -e** course
kursiv (in) italics; **kursivgedruckt** printed in italics
kurz short, brief
die **Kürze** brevity
die **Kusine, -n** female cousin
der **Kuß, ⸚(ss)e** kiss

L

lachen to laugh
die **Lage, -n** situation, position
die **Lampe, -n** lamp
das **Land, ¨er** land, country
die **Landschaft, -en** landscape
lang long; **lange** (*adv.*) for a long time
die **Länge, -n** length
langsam slow(ly)
sich langweilen to be bored
der **Lärm** noise
lassen (läßt), ließ, gelassen to let, leave
der **Lauf, ¨e** course, progress
laufen (läuft), lief, ist gelaufen to run, walk
der **Läufer, -** runner
läuten to ring
lauter (*adv.*) nothing but, purely
das **Leben** life; **ums Leben kommen** to die, perish
leben to live
der **Lebenslauf, ¨e** curriculum vitae
der **Lebensstil, -e** style of living
die **Lebensweise, -n** way of living
die **Leber, -n** liver
das **Lebewesen, -** creature
lecker tasty
der **Ledermantel, ¨** leather coat
legen to lay, put; **sich legen** to lie down
das **Lehrbuch, ¨er** textbook
die **Lehre, -n** instruction, lesson, moral
lehren to teach
der **Lehrer, -** teacher; (*fem.*) die **Lehrerin, -nen**
lehrreich instructive
leicht easy, light
leid tun: es tut mir leid I am sorry
das **Leiden, -** sorrow, suffering
leider unfortunately
leihen, lieh, geliehen to loan, borrow
die **Leine, -n** leash
die **Leistung, -en** accomplishment
die **Lektion, -en** lesson
die **Leseaufgabe, -n** reading assignment
lesen (liest), las, gelesen to read
der **Leserbrief, -e** letter to the editor
letzt- last
die **Leute** (*pl.*) people
lieb dear
die **Liebe** love
lieber preferably; **lieber tun** to prefer to do
der **Liebling, -e** darling, dear
liebst: am liebsten most / best of all; **am liebsten tun** to like to do most / best of all
das **Lied, -er** song
liegen, lag, gelegen to be situated, lie
liegen•lassen (läßt liegen), ließ liegen, liegen(ge)lassen to leave (lying about)
lila lilac (*color*)
links on the left; **nach links** to the left
das **Lob** praise
das **Loch, ¨er** hole
los: was ist los? what is the matter? what is going on?
lösen to loosen; to solve
der **Lohn, ¨e** wage
los•werden (wird los), wurde los, ist losgeworden to get rid of
der **Lottogewinn, -e** lottery winnings
die **Luft, ¨e** air
die **Lüge, -n** lie
die **Lunge, -n** lung
der **Lungenkrebs** lung cancer
die **Lust** desire, inclination; **(keine) Lust haben . . . zu tun** to have (no) desire to do
lustig merry, jolly, funny; **sich lustig machen (über** + *acc.*) to make fun of

M

machen to make; to do
die **Macht, ¨e** power, might
das **Mädchen, -** girl
das **Mal, -e** time; **zum ersten Mal** for the first time
mal (*adv.*) times (*math*); (*part.*) just
der **Maler, -** painter; (*fem.*) die **Malerin, -nen**
manch- (*sing.*) many a; (*pl.*) some
manchmal sometimes
der **Mann, ¨er** man
die **Mannschaft, -en** team
der **Mantel, ¨** coat
das **Märchen, -** fairy tale
die **Maßeinheit, -en** unit of measurement
die **Mauer, -n** (*masonry*) wall
das **Medikament, -e** medicine, drug
die **Medizin** (*science of*) medicine
das **Meer, -e** sea; ocean
der **Meer(es)blick, -e** view of the sea
mehr more
mehrere several
mehrmalig repeated
mehrmals several times
meinen to mean, think; to intend
die **Meinung, -en** opinion
die **Meinungsäußerung, -en** expression of opinion
meist- most; **meist** *or* **meistens** mostly
der **Meister, -** master; champion; (*fem.*) die **Meisterin, -nen**
melden to report

die **Meldung, -en** announcement
der **Mensch, (-en), -en** human, man (*species*)
die **Menschheit** mankind, humankind
menschlich human
merken to notice; **sich** (*dat.*) **merken** to take note
die **Metropole, -n** metropolis
die **Miete, -n** rent
mieten to rent
die **Milch** milk
die **Milliarde, -n** billion
mindestens at least (*with amounts*)
das **Mißfallen** displeasure
mit (*prep. with dat.*) with
mit•bringen, brachte mit, mitgebracht to bring along
mit•kommen, kam mit, ist mitgekommen to come along
mit•machen to participate
mit•nehmen (nimmt mit), nahm mit, mitgenommen to take along
der **Mitspieler, -** fellow player, teammate
der **Mittag, -e** noon; **zu Mittag** at noon
mit•teilen to communicate, impart, tell
die **Mitteilung, -en** notification, communication, announcement
das **Mittel, -** means, medium
das **Mittelalter** Middle Ages
möchte(n) would like (to)
die **Modalpartikel, -n** modal particle
das **Modegeschäft, -e** fashion shop
das **Modell, -e** model
mögen (mag), mochte, gemocht to like; may
möglich possible
die **Möglichkeit, -en** possibility
möglichst as . . . as possible
der **Monat, -e** month
der **Mond, -e** moon
der **Morgen** morning
morgen tomorrow; **heute morgen** this morning; **morgen früh** tomorrow morning
die **Moschee, -n** mosque
der **Motor, -en** motor
müde (*gen.*) tired of
der **Mund, ⸚er** mouth
mündlich oral(ly)
die **Münze, -n** coin
das **Museum, -seen** museum
die **Musik** music
müssen (muß), mußte, gemußt to have to, must
die **Mutter, ⸚** mother; **Mutti, -s** mommy

N

nach (*prep. with dat.*) after; to(ward); according to
der **Nachbar, (-s** *or* **-n), -n** neighbor; (*fem.*) die **Nachbarin, -nen**
nachdem (*sub. conj.*) after
nacherzählen to retell
nachher afterward(s)
der **Nachmittag, -e** afternoon
die **Nachricht, -en** news, note, message, notice
nach•schlagen (schlägt nach), schlug nach, nachgeschlagen to look up (*in a book*)
nächst- next
die **Nacht, ⸚e** night
die **Nähe** proximity; **in der Nähe** near, nearby
der **Name, (-ns), -n** name
nämlich namely, that is
die **Nase, -n** nose
natürlich of course, natural(ly)
neben (*prep. with acc. or dat.*) beside, next to
nebenan next door, in the next room, alongside
das **Nebenfach, ⸚er** minor field of study
der **Nebensatz, ⸚e** dependent clause
negieren to negate
nehmen (nimmt), nahm, genommen to take
der **Neinsager, -** person who says no
nennen, nannte, genannt to name
nett nice
neu new
neugierig curious
die **Neujahrsansprache** New Year's address
neulich recently
neuzeitlich modern, up-to-date
nicht not
nicht einmal not even
nicht wahr isn't it?, don't they?, etc.
nichts nothing
nie never
niemand no one, nobody; **niemand anders** no one else
noch still; **noch einmal** once more; **noch kein-** not any yet; **noch nicht** not yet; **noch nie** not ever (before)
normalerweise normally
die **Note, -n** grade
nötig necessary
die **Notiz, -en** note; **Notizen machen** to take notes
nur (*adv.*) only; (*part.*) just
nutzen *or* **nützen** to be of use
nützlich (*dat.*) useful
nutzlos useless

O

oberhalb (*prep. with gen.*) above
der **Oberschullehrer, -** high school teacher; (*fem.*) die **Oberschullehrerin, -nen**
obgleich (*sub. conj.*) although
obig above

obwohl (*sub. conj.*) although
oder or
öffnen to open (*s.th.*); **sich öffnen** to open
oft often
öfter often; more often
ohne (*prep. with acc.*) without
ohne . . . zu without [—]ing
ohne daß without [—]ing
der **Onkel, -** uncle
die **Oper, -n** opera
die **Ordnung** order, arrangement
die **Ordnungszahl, -en** ordinal number
der **Ort, -e** place
der **Osten** east
(das) **Ostern** Easter; **zu Ostern** at / for Easter
die **Ostküste** east coast
östlich eastern
die **Ostsee** Baltic Sea

P

paar: ein paar a few, several; **ein paarmal** a few times
das **Paar, -e** pair, couple
packen to pack; to grasp, pounce on
das **Paket, -e** package
der **Panoramablick, -e** panoramic view
der **Papagei, (-s** *or* **-en), -en** parrot
das **Papier, -e** paper
der **Papst, ⸚e** Pope
die **Partei, -en** faction, party
das **Partizip, -ien** participle
die **Party, -ies** party
passen (*dat.*) to fit, suit
passend suitable, proper, fitting
passieren (ist) to happen, occur
die **Pause, -n** pause, break
das **Pech** bad luck (*literally:* pitch)
das **Perfekt** present perfect tense
das **Pferd, -e** horse
die **Pflanze, -n** plant
der **Pflichtkurs, -e** required course
der **Pförtner, -** doorman
das **Pfund, -e** pound
pilgern (ist) to go on a pilgrimage
der **Plan, ⸚e** plan
der **Platz, ⸚e** place, spot, site; room, space
plaudern to chat
plötzlich sudden(ly)
das **Plusquamperfekt** past perfect tense
die **Politik** politics; policy
der **Politiker, -** politician; (*fem.*) die **Politikerin, -nen**
die **Polizei** police
der **Polizist, (-en), -en** policeman; (*fem.*) die **Polizistin, -nen**
die **Post** mail; post office
das **Postamt, ⸚er** post office
der **Posten, -** post, position
das **Präfix, -e** prefix
das **Präsens** present tense
das **Präteritum** simple past tense
der **Preis, -e** price; prize, award
preiswert good value for the money
prima great
der **Prominente** (ein **Prominenter**) prominent person; (*fem.*) die **Prominente**
das **Pronomen, -** pronoun
der **Prosaband, ⸚e** volume of prose
die **Protestaktion, -en** protest march
der **Protestierende** (ein **Protestierender**) protester; (*fem.*) die **Protestierende**
der **Proviant** provisions, rations
der **Prozeß, -(ss)e** lawsuit
die **Prüfung, -en** examination
der **Psychiater, -** psychiatrist; (*fem.*) die **Psychiaterin, -nen**
das **Publikum** audience
der **Punkt, -e** point; period
putzen to clean, polish; **die Zähne putzen** to brush one's teeth

R

der **Rabe, (-n), -n** raven
das **Rad, ⸚er** wheel; bike
rad•fahren (fährt rad), fuhr rad, ist radgefahren to ride a bicycle
rasch swift, speedy, rapid
der **Rasen** lawn, grass; **den Rasen betreten** to walk on the grass
rasieren to shave (*s.o.*); **sich rasieren** to shave (o.s.)
der **Rat** advice
raten (rät), riet, geraten (*dat.*) to advise; to take a guess
das **Rathaus, ⸚er** city hall
der **Ratschlag, ⸚e** (*piece of*) advice, suggestion
der **Rattenfänger, -** rat catcher
rauchen to smoke
räumlich spatial(ly)
rechnen (**mit** + *dat.*) to calculate, figure on
das **Recht, -e** right, privilege; justice
recht right; quite
rechts on the right; **nach rechts** to the right
rechtzeitig on time
die **Redaktion** editorial staff
die **Rede, -n** speech
das **Redemittel, -** verbal strategy; useful verbal expression or structure
reden to talk
der **Redner, -** speaker
die **Regel, -n** rule; **in der Regel** as a rule
regelmäßig regular
der **Regen** rain
regieren to rule, govern
die **Regierung, -en** government
regnen to rain

reich rich
das **Reich, -e** empire
reichen to reach (for), hand
die **Reihe, -n** row; series
die **Reise, -n** trip, journey
das **Reisebüro, -s** travel agency
reisen to travel
der **Reisende (ein Reisender)** traveler; (*fem.*) die **Reisende**
reißen, riß, gerissen to tear, rip
reiten, ritt, ist / hat geritten to ride (*an animal*)
die **Reklame, -n** advertisement; advertising
rennen, rannte, ist gerannt to run
das **Restaurant, -s** restaurant
richten (an + *acc.*) to direct at
richtig correct, right
das **Rollenspiel, -e** role-play
die **Rolltreppe, -n** escalator
der **Roman, -e** novel
rosten to rust
(das) **Rotkäppchen** Little Red Riding Hood
der **Rücken, -** back
der **Rucksack, ⸚e** rucksack, knapsack
ruderlos without oars
der **Ruf** reputation
die **Ruhe, -n** peace, calm, rest
ruhig calm, quiet
das **Ruhrgebiet** Ruhr area (*industrial section of Germany*)
rund approximately, about, roughly; **rund um** around
der **Rundbrief, -e** a letter to be circulated
der **Rundfunk** radio

S

die **Sache, -n** thing, matter, subject
der **Saft, ⸚e** juice
die **Sage, -n** legend, fable
sagen to say
sammeln to collect
die **Sammlung, -en** collection
der **Satz, ⸚e** sentence
sauber clean, neat, tidy
das **Schach** chess
der **Schäferhund, -e** shepherd dog
schaffen, schuf, geschaffen to create
schaffen, schaffte, geschafft to do, accomplish, manage to do
die **Schallplatte, -n** record
der **Schalter, -** (ticket) window
sich schämen (über + *acc.*) to be ashamed of
die **Schande** disgrace
schauen to look
der **Schein, -e** bill, banknote
scheinen, schien, geschienen to shine; to seem, appear
schenken to give (*as a present*)
schicken to send
schießen, schoß, geschossen to shoot
das **Schiff, -e** ship
der **Schirm, -e** screen
das **Schläfchen, -** nap
schlafen (schläft), schlief, geschlafen to sleep
das **Schlafzimmer, -** bedroom
schlagen (schlägt), schlug, geschlagen to strike, beat
die **Schlange, -n** snake
schlecht bad(ly)
schleichen, schlich, ist geschlichen to creep, slink, sneak
schleppen to drag; **sich schleppen** to drag o.s.
schließen, schloß, geschlossen to close
schließlich in the final analysis, in the end
schlimm bad, evil; severe, grave
der **Schluß, ⸚(ss)e** end; **zum Schluß** finally, in the end; **Schluß machen** to stop doing, put an end to
schmecken (nach + *dat.*) to taste like
schmeicheln (*dat.*) to flatter
schmelzen (schmilzt), schmolz, ist / hat geschmolzen to melt
schmieren to smear
sich schminken to put on make-up
schmutzig dirty, filthy
der **Schnee** snow
schnell fast
schon (*adv.*) already
schrecklich terrible, frightful
schreiben, schrieb, geschrieben to write
der **Schreiber, -** clerk, copyist; (*fem.*) die **Schreiberin, -nen**
die **Schreibmaschine, -n** typewriter
schreien, schrie, geschrie(e)n to shout, scream
schriftlich written, in writing
der **Schuh, -e** shoe
die **Schule, -n** school
der **Schüler, -** pupil
schützen to protect
schwach weak
die **Schwäche, -n** weakness
schwächlich weakly, feeble
schwarz black
schweigsam silent, taciturn
die **Schweiz** Switzerland
schwer heavy; difficult, hard
die **Schwester, -n** sister
schwierig difficult
die **Schwierigkeit, -en** difficulty; **in Schwierigkeiten geraten** to get into difficulty
schwimmen, schwamm, ist / hat geschwommen to swim
sechsstellig six-digit
der **See, -n** lake; **die See, -n** sea
segeln to sail
sehen (sieht), sah, gesehen to see
sehenswert worth seeing
die **Sehenswürdigkeit, -en** attraction

sein (ist), war, ist gewesen to be
seit (*prep. with dat.*) since *or* for (*temporal sense only*)
seit(dem) (*sub. conj.*) since
seitdem (*adv.*) (ever) since then
die **Seite -n** page; side
seither (ever) since then
selber (*emphatic*) myself, yourself, themselves, etc.
selbst (one)self; even
die **Selbstaussage, -n** statement about oneself
selbstverständlich obvious(ly), self-evident; it goes without saying
selten seldom
die **Seltenheit, -en** rarity
senden, sandte *or* **sendete, gesandt** *or* **gesendet** to send; to transmit
senken to lower, sink
setzen to set, put; **sich setzen** to sit down
sicher for sure; safe
die **Sicherheit** certainty, security
die **Sicht** sight, view, visibility
der **Sieg, -e** victory
siegen to conquer, be victorious
die **Sinfonie, -n** symphony
singen, sang, gesungen to sing
das **Singspiel, -e** operetta, musical comedy
der **Sinn, -e** sense; **nicht bei Sinnen sein** to be out of one's mind
sinnvoll meaningful; sensible
die **Sitte, -n** custom; **Sitten und Gebräuche** manners and customs
sitzen, saß, gesessen to sit
der **Skat** skat (*card game*)
sobald as soon as
sofort immediately
sogar even
solange as long as
solch- such; **ein solch-** such a
sollen (soll), sollte, gesollt to be supposed to, ought to; to be said to
sondern but (rather)
der **Sonderpreis, -e** special price
die **Sonne, -n** sun
sooft as often as
sorgen (für + *acc.*) to care *or* provide for
sorgenlos without worries
sowieso anyway
sowohl . . . als auch both . . . and; as well as
spannend exciting
das **Sparkonto, -ten** savings account
der **Spargel** asparagus
sparsam thrifty, frugal
der **Spaß** fun; **Spaß machen** to be fun
spät late
spazieren•gehen, ging spazieren, ist spazierengegangen to take a walk
der **Spaziergang, ¨e** walk; **einen Spaziergang machen** to take a walk
spendieren to treat someone to, pay for s.th. for s.o.
der **Spiegel, -** mirror
das **Spiel, -e** game
spielen to play
der **Spielfilm, -e** feature movie
der **Spielplatz, ¨e** playground, playing field
die **Spielsache, -n** toy
die **Spitze, -n** point, tip, top, front
Sport treiben to do sports
das Sportangebot, -e sports offerings
das **Sportgeschäft, -e** sports store
der **Sportler, -** athlete
der **Sportverein, -e** sports club
die **Spraydose, -n** spray can
sprechen (spricht), sprach, gesprochen to speak
das **Sprichwort, ¨er** saying, proverb
springen, sprang, ist gesprungen to jump, leap
der **Spruch, ¨e** saying, proverb
spüren to feel, sense, perceive
der **Staat, -en** state
staatlich state, national
stabil rugged, sturdy
die **Stadt, ¨e** town, city
der **Stadtplaner, -** city planner; (*fem.*) die **Stadtplanerin, -nen**
der **Stadtschreiber, -** town clerk; (*fem.*) die **Stadtschreiberin, -nen**
der **Stadtteil, -e** section of a city
das **Stadtzentrum, -ren** city center
der **Standpunkt, -e** view, position; **einen Standpunkt vertreten** to take a position / view
stark strong
stattdessen instead (of that)
statt•finden, fand statt, stattgefunden to take place
stechen (sticht), stach, gestochen to prick; to sting, bite (*insect*)
stehen, stand, gestanden to stand
stehlen (stiehlt), stahl, gestohlen to steal
die **Steiermark** Styria (*Austrian province*)
steigen, stieg, ist gestiegen to climb
der **Stein, -e** stone
die **Stelle, -n** position, spot, place; job
stellen to place; **eine Frage stellen** to ask a question
sterben (stirbt), starb, ist gestorben to die
stimmen to be correct; to be true
die **Stimmung, -en** atmosphere
der **Stock, ¨e** stick, pole; story *or* floor of a building

stolz proud
stören to disturb
stracks straight (away); without delay
der **Strand, ¨e** beach
die **Straße, -n** street
der **Straßenrand, ¨er** side of the road
der **Straßenverkehr** (road) traffic
der **Strom, ¨e** river, stream; electricity
das **Studentenheim, -e** student dorm
das **Studium, -ien** studies, course of studies
das **Stück, -e** piece
die **Stunde, -n** hour, class (hour); **stundenlang** for hours
der **Stundenplan, ¨e** schedule
der **Sturm, ¨e** storm
stürzen (ist) to fall, plunge; **(hat)** overthrow
die **Styropackung, -en** styrofoam packaging
das **Substantiv, -e** noun
suchen to seek, search
der **Süden** south
die **Südseeinsel, -n** South Sea island

T

der **Tag, -e** day; **eines Tages** one day
das **Tagebuch, ¨er** diary
die **Tagesschau** daily news program on German televison
die **Tageszeit, -en** time of the day
täglich daily
tagsüber during the day
der **Taler, -** obsolete monetary unit
die **Tankstelle, -n** gas station
die **Tante, -n** aunt
der **Tanz, ¨e** dance
tanzen to dance
die **Tasche, -n** pocket
das **Taschengeld** spending money
die **Taschenlampe, -n** flashlight
der **Taschenrechner, -** pocket calculator
die **Taschenuhr, -en** pocket watch
die **Tasse, -n** cup
die **Tätigkeit, -en** activity
der **Tatort, -e** scene of the crime
die **Tatsache, -n** fact
taub deaf
tausend thousand
die **Technik** technology
der **Teil, -e** part, section
teilen to divide
teil•nehmen (nimmt teil), nahm teil, teilgenommen (an + *dat.*) to take part in, participate
der **Tennisschläger, -** tennis racket
teuer expensive
der **Teufel, -** devil
das **Thema, -men** topic, subject, theme
die **These, -n** thesis
tief deep(ly)
die **Tiefe, -n** depth
die **Tiefenpsychologie** psychology of the subconscious
das **Tier, -e** animal
der **Tiergarten, ¨** zoo
der **Tisch, -e** table
der **Titel, -** title
die **Tochter, ¨** daughter
der **Tod, -e** death; **zu Tode** to death
toll crazy, insane; terrific, great
das **Tor, -e** gate, portal; goal (*soccer*)
tot dead
der **Tote** (ein **Toter**) dead person; (*fem.*) die **Tote**
töten to kill
der **Tourist, (-en), -en** tourist
der **Touristenführer, -** tourist guide *or* guidebook
tragen (trägt), trug, getragen to carry; to wear
trauen (*dat.*) to trust
träumen to dream
traumhaft dreamlike, wonderful
treffen (trifft), traf, getroffen to meet; to hit; to affect
treffend apt, appropriate
treiben, trieb, getrieben to drive; to pursue an activity; **treiben (ist)** to drift, float
trinken, trank, getrunken to drink
trotz (*prep. with gen.*) in spite of
trotzdem (*adv.*) in spite of it / this, nevertheless; (*sub. conj.*) in spite of the fact that
tun (tut), tat, getan to do, act
die **Tür, -en** door
der **Typ, -en** type

U

über (*prep. with acc. or dat.*) over, across, above; about (*acc.*)
überall(hin) to everywhere
überein•stimmen to be in agreement
die **Übergangsschwierigkeit, -en** transitional difficulty
überhaupt in general, on the whole; **überhaupt nicht** not at all; **überhaupt nichts** nothing at all
überleben to survive
überlegen to ponder, consider; **sich etwas** (*dat.*) **überlegen** to think s.th. over
überraschen to surprise
die **Überraschung, -en** surprise
überreden to persuade
übersehen (übersieht), übersah, übersehen to overlook, ignore
übersetzen to translate
der **Übersetzer, -** translator; (*fem.*) die **Übersetzerin, -nen**

übertreiben, übertrieb, übertrieben to exaggerate
überzeugen to convince; **überzeugt** convinced
übrigens incidentally; **im übrigen** in other respects
die **Übung, -en** exercise**um** (*prep. with acc.*) around; by (*with quantities*); **um sechs Uhr** at six o'clock
um . . . zu in order to
um . . . willen for . . . 's sake
um•fallen (fällt um), fiel um, ist umgefallen to fall over
umgekehrt vice versa
um•schreiben, schrieb um, umgeschrieben to rewrite, revise
sich um•sehen (sieht um), sah um, umgesehen to look around
der **Umstand, ¨-e** circumstance
die **Umwelt** environment
die **Umweltverschmutzung** environmental pollution
sich um•ziehen, zog um, umgezogen to change (clothes); **um•ziehen (ist)** to move, change one's residence
der **Unabhängigkeitskrieg, -e** war of independence
unbedingt absolutely
unbegrenzt without limitation
unbestimmter Artikel, -indefinite article
unerwartet unexpected
der **Unfall, ¨-e** accident
ungefähr approximately
ungesund unhealthy
unglaublich unbelievable
die **Universität, -en** university (*coll.:* die **Uni, -s**)
der **Unsinn** nonsense
unsterblich immortal
unten (*adv.*) below
unter (*prep. with acc. or dat.*) under, below, beneath; among; **unter anderem** among other things
unterbrechen (unterbricht), unterbrach, unterbrochen to interrupt
unterdessen meanwhile
unterdrücken to suppress, repress
unter•gehen, ging unter, ist untergegangen to set, go down; to perish
unterhalb (*prep. with gen.*) beneath
sich unterhalten (unterhält), unterhielt, unterhalten (**über** + *acc.*) to converse; to amuse o.s.
die **Unterkunft, ¨-e** lodging
unternehmen (unternimmt), unternahm, unternommen to undertake
der **Unterricht** instruction
unterrichten to instruct, teach
der **Unterrichtsraum, ¨-e** instructional room
unterstreichen, unterstrich, unterstrichen to underline
unterstützen to support
die **Unterstützung** support
unterwegs underway
unvergeßlich unforgettable
unverständlich incomprehensible
unvorsichtig careless, not cautious
das **Unwesen, -** awful creature
unwiderstehlich irresistible
der **Urlaub, -e** vacation
der **Urlaubsort, -e** vacation spot
urteilen to judge
usw. (und so weiter) etc.

V

der **Vater, ¨** father; **Vati, -s** papa
sich verabschieden to take one's leave, say good-bye
verändern to change s.th.; **sich verändern** to become changed
die **Veränderung, -en** change
verantwortlich responsible
das **Verb, -en** verb
verbessern to improve
verbieten, verbot, verboten to forbid
verbinden, verband, verbunden to connect, combine; to bandage
das **Verbot, -e** ban, prohibition
der **Verbrecher, -** criminal
verbrennen, verbrannte, verbrannt to burn (up), scorch
verbringen, verbrachte, verbracht to spend *or* pass (*time*)
der **Verdacht** suspicion
verdeutlichen to make clear, illustrate
verdienen to earn, merit
vereinigt united
die **Vereinigung** unification
verfassen to write, compose
verfließen, verfloß, ist verflossen elapse, pass (*of time*)
vergangen past
die **Vergangenheit** past
vergessen (vergißt), vergaß, vergessen to forget
der **Vergleich, -e** comparison
vergleichend comparative
verhaften arrest, apprehend
sich verhalten to act, behave, react
das **Verhältnis, -se** relationship
verheiratet married
verhindern to stop, prevent
verkaufen to sell
der **Verkäufer, -** salesperson; (*fem.*) die **Verkäuferin, -nen**
der **Verkehr** traffic
die **Verkehrsampel, -n** traffic light
das **Verkehrsmittel, -** means of transportation
verkünden to proclaim, announce

der **Verlag, -e** publishing house
verlängern to extend, lengthen
verlassen (verläßt), verließ, verlassen (*with dir. obj.*) to leave, go away; **sich verlassen (auf** + *obj.*) to rely upon
der **Verlauf, ¨-e** course
verlaufen (verläuft), verlief, ist verlaufen to take its course, turn out; **sich verlaufen** to get lost, lose one's way
verletzen to injure, hurt; to insult, offend
sich verlieben (in + *acc.*) to fall in love with
verlieren, verlor, verloren to lose
der **Verlobte** (ein **Verlobter**) fiancé; (*fem.*) die **Verlobte**
der **Verlust, -e** loss
das **Vermögen** fortune
verneinen to answer in the negative
verpassen to miss (*a train; opportunity*)
verpflanzen to transplant
verrückt crazy; **verrückt (auf** + *acc.*) crazy about
versäumen to miss, neglect to do
verschieden various, different
verschlechtern to make worse
verschwenden to waste, squander
verschwinden, verschwand, ist verschwunden to disappear, vanish
versichern to assure; to insure
die **Versicherung, -en** insurance, assurance
sich verspäten to be *or* arrive late
die **Verspätung, -en** delay
versprechen (verspricht), versprach, versprochen to promise
verstaatlichen to nationalize
das **Verständnis** understanding, comprehension
verstärken to strengthen
verstehen, verstand, verstanden to understand
versuchen to try, attempt
verteilen to distribute
das **Vertrauen** trust, confidence
vertreiben, vertrieb, vertrieben to drive away, scatter; **die Zeit vertreiben** to pass the time
vertreten (vertritt), vertrat, vertreten to represent, act on behalf of
der **Verwandte** (ein **Verwandter**) relative; (*fem.*) die **Verwandte**
verwandtschaftlich pertaining to relatives
verwenden to use, make use of
verwirklichen to make come true, realize (*a goal*)
die **Videospieldiskette, -n** video game cassette
der **Videospielfilm, -e** video movie
viel (*sing.*) much; **viel-** (*pl.*) many
vielleicht perhaps
vielmals often, many times
der **Vogel, ¨** bird
die **Vokabel, -n** (vocabulary) word
das **Volk, ¨-er** people, nation, race
die **Volkskrankheit, -en** widespread illness
völlig total(ly), complete(ly)
die **Vollpension** lodging with all meals
von (*prep. with dat.*) from, of, by; about
vor (*prep. with dat. or acc.*) in front of, before; ago (*dat.*)
vor allem above all; **vor kurzem** recently
vorbei past; **an** (*dat.*) . . . **vorbei** (go) past
vor•bringen, brachte vor, vorgebracht to bring forward, bring up (*an argument*)
der **Vorfahr, (-en), -en** ancestor, forefather
vor•führen to demonstrate, display
vor•gehen, ging vor, ist vorgegangen to be fast (*of clocks*)
die **Vorgeschichte, -n** prior history
vor•haben to have in mind, intend
der **Vorhang, ¨-e** curtain
vorher (*adv.*) before, previously
vorig previous
vor•lesen (liest vor), las vor, vorgelesen to read aloud
die **Vorlesung, -en** lecture (*course*)
der **Vorschlag, ¨-e** suggestion
vor•schlagen (schlägt vor), schlug vor, vorgeschlagen to suggest
die **Vorsicht** caution, care
vorsichtig careful, cautious
vor•stellen to introduce; **sich** (*dat.*) **vor•stellen** to imagine
die **Vorstellung, -en** performance, show; conception
der **Vortrag, ¨-e** lecture, talk
vorüber past, over
vorwärts forward

W

wach awake
wachsen (wächst), wuchs, ist gewachsen to grow
der **Wagen, -** car; wagon
wählen to choose, select, vote
der **Wahnsinn** insanity
wahr true, real, genuine
während (*prep. with gen.*) during; (*sub. conj.*) while
wahrscheinlich probably
der **Wald, ¨-er** wood(s), forest
die **Wanderausrüstung, -en** hiking outfit
die **Wanderkarte, -n** trail map, hiking map

wandern to hike, wander, roam
die **Wanderung, -en** hike
wann (*interrog.*) when
die **Ware, -n** ware, product
warten (auf + *acc.*) to wait for
warum why
was für what kind of
waschen (wäscht), wusch, gewaschen to wash
das **Waschpulver** detergent
wasserdicht watertight, waterproof
der **Wasserspiegel** water surface
weder . . . noch neither . . . nor
weg away
wegen (*prep. with gen.*) on account of
weg•gehen, ging weg, ist weggegangen to leave, go away
weg•stellen to put away, put down
weh! woe!
(das) **Weihnachten** (*or pl.*) Christmas; **zu Weihnachten** at / for Christmas
weil (*sub. conj.*) because
die **Weile** while, (*amount of*) time
der **Wein, -e** wine
weise wise
weiter additional, further
weiter•fahren (fährt weiter), fuhr weiter, ist weitergefahren to drive on (farther)
weiter•gehen, ging weiter, ist weitergegangen to go on; to keep going
weiter•kommen, kam weiter, ist weitergekommen to get / come further; to keep coming
weiter•machen to keep doing
welch- which
die **Welt, -en** world
der **Weltkrieg, -e** world war
der **Weltraum** outer space
die **Weltstadt, ¨e** metropolis, major world city
wenden, wandte *or* **wendete, gewandt** *or* **gewendet** to turn
wenig (*sing.*) little; **wenig-** (*pl.*) few
wenn (*sub. conj.*) when(ever), if; **wenn . . . auch** even if, even though
wenn . . . kein / wenn . . . nicht unless
die **Werbeschrift, -en** advertising brochure
die **Werbung, -en** advertisement, advertising
werden (wird), wurde, ist geworden to become, get
werfen (wirft), warf, geworfen to throw, toss
das **Werk, -e** book, work; works, factory
das **Werkzeug, -e** tool, implement
wert (*dat.*) worth, of value to; (*gen.*) worth, worthy of
das **Wesen, -** being, creature
der **Westen** west
das **Wetter** weather
wichtig important
wider (*prep. with acc.*) against
widersprechen (widerspricht), widersprach, widersprochen (*dat.*) to contradict
wie lange how long
wie how; as
wieder again
wiederholen to repeat
die **Wiedervereinigung, -en** reunification
wieso how is it that
wieviel how much; **wie viele** how many
der **Wille, (-ns), -n** will
wirken to have an effect, work
wirklich real(ly)
der **Wirtschaftsplaner, -** economic planner; (*fem.*) die **Wirtschaftsplanerin, -nen**
die **Wirtschaftspolitik** economic policy
wissen (weiß), wußte, gewußt to know
die **Wissenschaft, -en** science
der **Wissenschaftler, -** scientist; (*fem.*) die **Wissenschaftlerin, -nen**
wissenschaftlich scientific
der **Witz, -e** joke; wit
woanders elsewhere
das **Wochenende, -n** weekend
der **Wochentag, -e** weekday
wohin to where
wohl probably
wohnen to live, dwell
der **Wohnort, -e** place of residence
die **Wohnung, -en** apartment, dwelling
wollen (will), wollte, gewollt to want to, intend
das **Wort, ¨er** individual word; das **Wort, -e** connected words
der **Wortschatz, ¨e** vocabulary
die **Wunde, -n** wound
das **Wunderkind, -er** child prodigy
der **Wunsch, ¨e** wish; **nach Wunsch** as desired
wünschen to wish
die **Würze, -n** spice
die **Wüste, -n** desert

Z

die **Zahl, -en** number
zahlen to pay
der **Zahn, ¨e** tooth
der **Zahnarzt, ¨e** dentist; (*fem.*) die **Zahnärztin, -nen**
der **Zar, (-en), -en** czar
die **Zauberflöte** magic flute
der **Zaun, ¨e** fence
zeigen to show
die **Zeile, -n** line
die **Zeit, -en** time
der **Zeitausdruck, ¨e** time expression
die **Zeitform, -en** verb tense
die **Zeitschrift, -en** magazine
die **Zeitung, -en** newspaper

das **Zentrum, -ren** center
zerbrechen (zerbricht), zerbrach, zerbrochen to break (into pieces), shatter
zerstören to destroy
die **Zerstörung** destruction
der **Zettel, -** scrap of paper; note
ziehen, zog, gezogen to pull; **ziehen (ist)** to move, go
ziemlich rather, fairly
das **Zimmer, -** room
der **Zirkus, -se** circus
das **Zitat, -e** quotation
zornig angry
zu (*prep. with dat.*) to, at; too
zuerst (at) first
zufällig per chance, by accident
zufrieden satisfied
der **Zug, ¨e** train
das **Zugabteil, -e** train compartment
die **Zugverbindung, -en** train connection
zu•hören (*dat.*) to listen to
der **Zuhörer, -** listener
die **Zukunft** future
der **Zukunftsplan, ¨e** future plan
zuletzt at last, finally, in the end
zu•machen to close, shut
die **Zunge, -n** tongue
zurück•bringen, brachte zurück, zurückgebracht to bring back
zurück•führen (auf + *acc.*) to trace back to, explain by
zurück•kehren (ist) to return
zurück•kommen, kam zurück, ist zurückgekommen to come back, return
zu•rufen, rief zu, zugerufen (*dat.*) to call to
zusammen together
zusammen•fassen to summarize
zusammen•halten (hält zusammen), hielt zusammen, zusammengehalten to hold *or* keep together
zusammen•stellen to put together
zusammen•wachsen (wächst zusammen), wuchs zusammen, ist zusammengewachsen to grow together
der **Zuschauer, -** spectator, onlooker
das **Zustandspassiv, -e** statal passive
zuviel too much
zuwenig too little
zu•winken (*dat.*) to wave at / to
zwar to be sure
zweifeln (an + *dat.*) to doubt, have doubts about
der **Zwilling, -e** twin
zwingen, zwang, gezwungen (**zu** + *dat.*) to force, compel
zwischen (*prep. with acc. or dat.*) between

Index